D1444299

LE PRINCIPE DE LA PROJECTION

Conception graphique de la couverture: Violette Vaillancourt
Photo: SuperStock

DISTRIBUTEURS EXCLUSIFS:

- Pour le Canada et les États-Unis:
  LES MESSAGERIES ADP*
  955, rue Amherst, Montréal H2L 3K4
  Tél.: (514) 523-1182
  Télécopieur: (514) 521-4434
  * Filiale de Sogides Ltée

- Pour la Belgique et le Luxembourg:
  PRESSES DE BELGIQUE
  96, rue Gray, 1040 Bruxelles
  Tél.: (32-2) 640-5881
  Télécopieur: (32-2) 647-0237

- Pour la Suisse:
  TRANSAT S.A.
  Route du Grand-Lancy, 2, C.P. 125, 1211 Genève 26
  Tél.: (41-22) 42-77-40
  Télécopieur: (41-22) 43-46-46

- Pour la France et les autres pays:
  INTER FORUM
  13, rue de la Glacière, 75624 Paris Cédex 13
  Tél.: (33.1) 43.37.11.80
  Télécopieur: (33.1) 43.31.88.15
  Télex: 250055 Forum Paris

GEORGE WEINBERG
DIANNE ROWE

LE PRINCIPE DE LA PROJECTION

traduit de l'américain
par Louise Drolet

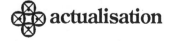

actualisation

le jour,
éditeur

Données de catalogage avant publication (Canada)
Weinberg, George H.

Le principe de la projection
(Collection Actualisation).
Traduction de: The Projection Principle.

ISBN 2-89044-411-2

1. Perception sociale. 2. Projection (Psychologie).
3. Relations humaines. 4. Réalisation de soi. I. Rowe,
Dianne. II. Titre. III. Collection.

BF323.S63W4514 1990 158'.2 C90-096345-X

Cet ouvrage fait partie d'une collection qui vous propose des moyens concrets de réaliser votre potentiel. Pour obtenir une consultation ou participer à un stage de formation selon l'approche décrite dans ce livre, vous pouvez communiquer avec les organismes suivants:

Canada: **Actualisation,** Place du Parc, C.P. 1142
300, Léo-Pariseau, bureau 705, Montréal, H2W 2P4
Tél.: (514) 284-2622   Télécopieur: (514) 284-2625

France: **Formation Gordon France**
22, rue Royale, 75008 Paris
Tél.: (1) 42.60.16.30

Belgique: **École des parents et des éducateurs**
14 Place des Acacias, B-1040 Bruxelles
Tél.: (02) 733.95.50

Suisse: **Institut de perfectionnement**
Avenue de la Poste, 3
1020 Renens
Tél.: (21) 634.29.34

© 1988, Dr George Weinberg et Dianne Rowe

© 1990, Le Jour, éditeur,
une division du groupe Sogides
Pour la traduction française

L'ouvrage original américain a été publié par
St. Martin's Press sous le titre
The Projection Principle.
(ISBN: 0-312-91457-1)

Dépôt légal: 2e trimestre 1990
Bibliothèque nationale du Québec

ISBN 2-89044-411-2

1

Introduction

Ce livre, qui traite des relations, explique pourquoi certaines d'entre elles s'approfondissent et s'améliorent avec le temps tandis que d'autres vont en se détériorant. Il vous indiquera comment changer un béguin en histoire d'amour éternelle, comment faire durer vos amitiés et comment transformer en longue carrière un intérêt naissant dans un domaine quelconque.

Votre succès dans toute relation dépend de la manière dont l'autre personne vous voit, de l'image qu'elle a de vous. Or, vous pouvez tracer vous-même cette image.

Comme vous l'avez peut-être remarqué, la bonté, la compétence et la beauté ne sont pas tout. Les autres ne vous voient pas toujours comme vous êtes, mais bien comme ils s'imaginent que vous êtes.

Ils *projettent*, c'est-à-dire qu'ils vous attribuent des qualités, des traits de caractère, des motifs et même une apparence parfois tout à fait étrangers aux vôtres. En raison de leurs propres besoins psychologiques, ils vous fabriquent de toutes pièces une identité qui leur convient. Qu'ils inventent cette image inconsciemment ou qu'ils se contentent d'exagérer vos caractéristiques réelles, vous vous heurtez alors à une projection.

On entend par «projection» tout ce qu'une personne s'imagine, à tort, voir en une autre.

Il existe autant de types de projections qu'il y a de qualités et de défauts humains. On peut vous percevoir comme une personne incompétente ou lente à apprendre. Votre meilleure amie ne reconnaît peut-être pas votre sensibilité, votre loyauté

7

ou le simple fait que vous êtes une personne mûre et autonome. Votre partenaire ne trouve pas que vous occupez une place importante dans sa vie; votre patron ne vous croit pas digne d'une promotion.

Il se peut aussi que vos plus belles qualités passent inaperçues. Si c'est le cas, vous avez peut-être l'impression de vous heurter à un mur d'oppositions ou simplement de ne pas arriver à vous faire comprendre de vos proches.

Ces projections sont dangereuses parce que les personnes qui ne vous voient pas comme vous êtes vous dameront le pion au travail, en amour et dans vos relations d'amitié et vous traiteront conformément à l'image qu'elles ont de vous.

Si vous voulez obtenir ce que vous voulez dans la vie et être traité comme vous le méritez, vous devez accepter le fait que *les autres font des projections* et *apprendre à les affronter*. Inutile de prétendre qu'il suffit de polir votre image en vous efforçant de prouver votre valeur. Si votre vraie nature n'a pas encore gagné la partie, elle n'y parviendra sans doute jamais toute seule. Les projections des autres ainsi que leurs préjugés sont tenaces.

Toutefois, dès que vous comprendrez ce qu'est une projection, vous verrez que *vous pourrez contrôler l'image que les autres ont de vous*.

Le présent ouvrage peut modifier du tout au tout votre façon de voir les relations et il vous offre un moyen de façonner la perception des autres à votre égard. Vous ne pouvez pas les empêcher de se forger des impressions fausses à votre sujet ni faire en sorte qu'ils vous tiennent toujours en haute estime. Même si une personne a des préjugés et qu'elle vous voit d'un mauvais œil, ou si vous baissez dans son estime, *c'est à vous qu'il incombe* de lui prouver votre valeur.

Le principe de la projection peut souvent contribuer à sauver des relations amoureuses. Ainsi, la plupart des échecs en ce domaine sont précédés d'une détérioration graduelle, même si la rupture se produit soudainement. Petit à petit, vous perdez de votre magie et de votre utilité *aux yeux* de votre partenaire. Devinant ce changement, vous multipliez vos efforts. Bien avant que votre partenaire vous dise: «Je t'aime bien, mais tu n'es pas la femme de ma vie», vous aviez deviné qu'il vous ferait un jour cette déclaration grâce à certains signes avant-coureurs.

Lorsque vous êtes perdant dans une histoire d'amour, un emploi ou toute autre relation parce que l'autre personne n'a pas vu votre vrai moi, vous aurez peut-être envie de dire: «C'est *son* problème» et de poursuivre votre chemin. Mais ce faisant, vous négligez le fait que vous auriez pu faire valoir votre vraie nature. *Non pas en vous habillant mieux, en améliorant votre langage ni en aiguisant votre intelligence.* Non. C'est en vous servant du principe de projection que vous pourrez amener une personne à *vous comprendre et à vous voir tel ou telle que vous êtes.*

Lorsque vous n'arrivez pas à vous faire comprendre de votre partenaire ou que des personnes moins talentueuses vous dament le pion, ne vous résignez surtout pas. Vous pouvez faire beaucoup pour influencer l'image que votre patron, vos amis, vos partenaires ou vos collègues se font de vous. Vous n'êtes pas prisonnier de leurs perceptions. Leurs préjugés ne regardent pas *qu'eux*, ils *vous* regardent, vous aussi. À vous de décider comment ils vont vous voir et vous traiter.

Certains psychologues ont avancé l'idée que c'est pendant l'enfance qu'on développe sa perception des autres. La plupart des hommes qui pensent que les femmes sont stupides, juste bonnes à les servir ou qu'elles en veulent à leur argent se sont forgé cette image pendant leur enfance. Leur perception des femmes est une habitude mentale.

D'autres psychologues laissent entendre que nous ne pouvons rien faire pour modifier l'image que les autres ont de nous. Une femme que son mari admirait avant leur mariage se rend compte qu'il lui fait moins confiance; il l'accuse injustement et met en doute ses propos. Pendant ses années d'université, il s'était marié à l'insu de leurs parents, mais il était devenu si soupçonneux envers sa femme que leur relation était devenue impossible. Aujourd'hui, il répète le même scénario avec sa seconde femme. Certains psychologues affirment clairement qu'un homme exprime ainsi sa véritable opinion des femmes; celle dont nous venons de parler n'a pu que constater avec impuissance qu'elle baissait dans l'estime de son mari. Les psychologues qui se sont occupés d'elle par la suite n'ont pas compris qu'elle pouvait amener ce dernier à lui faire confiance et le convaincre qu'elle l'aimait fidèlement.

Le message de certains psychologues est clair: si l'on ne vous voit pas comme vous êtes et qu'on vous traite en conséquence, vous ne pouvez rien faire pour changer la situation.

Cependant, le *principe de la projection* est un nouveau concept étonnant que vous pouvez utiliser pour faire en sorte qu'on vous voie comme vous êtes. Vous pouvez aussi l'employer pour éliminer *vos propres* projections et apprendre à voir les autres tels qu'ils sont.

Vos projections peuvent être aussi menaçantes pour votre bonheur que celles des autres. Peut-être la chance ne vous sourit-elle pas parce que vous avez peur de tout et que le monde vous apparaît comme un lieu dangereux; ou encore parce que vous avez l'impression que les autres vous déçoivent sans cesse et vous laissent tomber. Peut-être jugez-vous mal les gens et commettez-vous de multiples erreurs dans vos relations; peut-être éprouvez-vous de la jalousie envers les personnes plus jeunes ou plus âgées que vous. Ou encore, vous souffrez car vous croyez que les autres sont plus indépendants, plus compétents, plus énergiques que vous, de sorte que vous vous contentez d'un emploi ou d'un partenaire médiocre. Les autres vous paraissent loin en avant de vous. Vos amis essaient de vous encourager, mais votre image du monde vous paralyse. Dans ce cas, il est évident que c'est *votre perception des autres* qui doit changer.

Dès que vous connaîtrez notre méthode simple et directe, vous pourrez modifier l'image, même inconsciente, que les autres ont de vous. Vous éliminerez de votre vision du monde les lacunes qui vous empêchent de voir les autres tels qu'ils sont.

Notre méthode n'exige nullement que vous vous asseyiez pendant des heures afin de convaincre, au moyen de tactiques compliquées, l'autre personne de modifier sa perception erronée à votre égard. Pas plus qu'elle n'exige de vous d'autres connaissances en psychothérapie que celles que nous vous transmettrons sous peu.

Dès que vous aurez pris l'habitude de détecter les projections et de comprendre leur origine, vous pourrez vous attaquer aux vôtres et à celles des autres. Vous pourrez y mettre un terme et amener d'autres personnes à cesser de fausser la réalité, la plupart du temps à leur insu.

Vous pourrez aussi vous habituer à voir les autres sous un autre angle, à conserver votre joie de vivre, à éliminer vos projections et à améliorer vos relations.

Lorsque vous comprendrez le principe de la projection, vous verrez qu'il s'applique à presque tous les domaines: à vos relations amoureuses comme à vos relations amicales, familiales et professionnelles. *Vous pouvez exercer une influence constante sur l'image que les autres ont de vous.*

De plus, vous pourrez l'employer avec des personnes que vous n'aimez pas et auxquelles vous n'adresseriez jamais la parole en autre temps, sauf par obligation. Nous avons tous déjà eu affaire à un professeur injuste, à un mauvais patron ou à un voisin bruyant. Même si nous ne recherchons pas leur amitié, notre gagne-pain ou notre tranquillité d'esprit peuvent dépendre de notre capacité d'affronter ces relations.

En fait, le principe de la projection peut même s'appliquer aux relations à très court terme, avec le médecin qui vous soigne, par exemple, ou le chauffeur de taxi qui vous conduit à l'aéroport.

Rappelez-vous que la bonté, l'équitabilité et la gentillesse ne suffisent pas lorsqu'on est constamment mal compris ou sous-estimé.

Ce que nous vous demanderons de faire vous semblera peut-être radical à première vue, mais vous mettrez à profit un aspect de la réalité presque jamais exprimé et pourtant primordial: le comportement des autres à votre égard ne fait pas que *refléter* l'image qu'ils ont de vous, il la *modèle.*

2

Qu'est-ce que le principe de la projection?

Imaginez ce qui se passerait si vous saviez exactement comment les autres vous voient. Vous éviteriez les gens qui vous prennent pour un benêt ou qui vous voient uniquement comme un partenaire sexuel; vous privilégieriez la personne qui vous croit digne de partager sa vie.

Vous devineriez que telle relation est désespérée, de sorte que vous ne prendriez pas la peine de vous faire comprendre d'une personne qui vous juge stupide, hystérique ou hypersensible. Vous refuseriez de travailler pour un patron qui ne vous estime pas digne d'une promotion.

Nous nous arrêtons rarement pour nous demander ce qu'une personne pense de nous ou comment elle nous voit. Ma fille me trouve-t-elle trop prude? Ma meilleure amie sait-elle que je suis loyale et que je prends ses intérêts à cœur? Mon mari me fait-il confiance autant qu'il le devrait?

Toutefois, dès que les choses se mettent à mal tourner dans une relation, une centaine de questions de ce type nous traversent l'esprit: «Qu'est-ce qu'elle pense de moi?»; «Ai-je fait quelque chose de mal, ou bien a-t-il une fausse image de moi?»

Simon, le mari d'Hélène, a peu à peu cessé de se confier à elle au sujet de son travail. Croit-il que cela ne l'intéresse pas? Si c'est le cas, a-t-*elle* fait quelque chose pour l'éloigner d'elle ou a-t-il fini par croire qu'elle n'est pas assez intelligente pour lui venir en aide? Pire encore, peut-être juge-t-il ses conseils *idiots*.

Lorsque Hélène se rend compte que Simon ne sollicite plus son avis, elle passe brutalement d'un état de relaxation à un état d'alerte. Elle reste éveillée la nuit à se demander ce que Simon pense d'elle, passant en revue chaque petit détail de la journée.

Quand avoir recours au principe de la projection

Attention: Il arrive que l'autre personne (soit le mari d'Hélène dans ce cas-ci) ait raison. Pour le savoir, il faut lui poser certaines questions:

1. *Pourquoi ce nouveau comportement envers moi?* («Pourquoi as-tu cessé de te confier à moi? Crois-tu que ton travail ne m'intéresse pas?»)
2. Si ses réponses sont décourageantes, ne vous laissez pas démonter et demandez-lui de justifier son opinion à votre égard et de vous donner des exemples. *Qu'ai-je fait pour mériter cette opinion?* Ne vous défendez sous aucun prétexte, même si vous pensez qu'il a tort. Vous devez à tout prix obtenir des réponses sincères.

   (Au début, Hélène pensera peut-être que la réaction de Simon est excessive, ce qui la rendra furieuse ou déprimée. Cependant, après avoir écouté et réfléchi, elle lui donnera peut-être raison. Peut-être qu'elle l'interrompait, qu'elle bâillait ou qu'elle s'affairait à autre chose pendant que Simon lui parlait de son travail, ce qui a pu faire croire à celui-ci qu'il l'ennuyait. En fait, il la voit *telle qu'elle est vraiment*, c'est-à-dire non intéressée. Aucune projection n'entre en jeu dans ce cas particulier.)

   Voilà la version facile. L'autre personne a un poids en moins sur le cœur.
3. Efforcez-vous de changer immédiatement et demandez à l'autre personne de vous signaler les moments où vous retombez dans vos vieilles habitudes.

Attention: si les autres voient tous en vous un trait particulier, cela veut sans doute dire qu'il y est.

Comme Sarah leur paraît souvent maussade et préoccupée, ses amis ne l'invitent plus comme avant. Un jour qu'elle est attablée dans un restaurant avec deux amis, la serveuse demande à ceux-ci, sur le ton de la plaisanterie: «Votre amie est-elle toujours aussi déprimée?»

Ici, c'est Sarah qui est en cause, et personne d'autre. L'univers ne s'est pas ligué contre elle.

Si vous étiez à la place de Sarah, voici ce que vous pourriez faire:

Première étape: Demandez à vos amis si vous *êtes vraiment* comme cela.

Deuxième étape: S'ils acquiescent, excusez-vous, cela ne peut pas faire de mal. Ici encore, pas de projection. *Vous êtes vraiment comme on vous voit.* À vous de changer.

Troisième étape: Cherchez à quels moments vous êtes mélancolique et préoccupé. C'est peut-être pire lorsque vous remâchez vos soucis professionnels ou financiers.

Même avant de commencer à affronter votre dépression à votre façon, vous pouvez déjà cesser d'en infliger les symptômes à vos amis. La perte de ceux-ci ne pourrait qu'empirer les choses.

AXIOME 1: Si une personne agit mal envers vous parce qu'elle juge que vous êtes en tort, vous devez d'abord déterminer si elle a raison.

Si c'est le cas, vous n'avez pas besoin du principe de la projection. Vous devez vous excuser.

AXIOME 2: Si *tout le monde* dit que vous êtes soupe au lait, égoïste, pédant ou quoi que ce soit d'autre, c'est sans doute vrai. Vous n'avez pas besoin du principe de la projection: vous devez changer.

Le principe de la projection est destiné aux personnes qui sont mal perçues, qui souffrent ou qui sont perdantes parce que les autres ne les voient pas telles qu'elles sont. Il s'adresse à tous ceux qui sont victimes de distorsion.

On nomme «projection» tout trait de caractère qu'une personne attribue à tort à une autre.

Une projection est toujours un élément qu'on attribue à la réalité. Ce que la personne pense voir sur l'écran situé devant elle provient, du moins en partie, d'elle-même.

Pour mieux comprendre, supposons que lorsque Hélène demande à Simon pourquoi il ne lui parle plus de son travail, celui-ci se contente de marmonner quelque chose au sujet des femmes qui ne comprennent rien au monde des affaires.

Il y a plusieurs années, Simon dirigeait ses calomnies vers sa première femme et certaines de ses collègues, mais il répétait souvent qu'il était fier d'Hélène car elle était différente. Au moment de leur mariage, Hélène était vice-présidente d'une prestigieuse agence de publicité et Simon jugeait qu'elle faisait exception à sa règle.

Depuis cinq ans, cependant, il semble qu'elle n'ait plus la cote dans l'esprit de Simon. En regard de la situation actuelle, Hélène ne s'y trompe pas. Au début, Simon l'invitait souvent à déjeuner avec ses clients et, si elle n'était pas libre, il lui racontait leurs discussions en détail et sollicitait son avis. Non seulement il suivait souvent ses conseils, mais il affirmait ne pas pouvoir s'en passer.

Après une année de mariage, il cessa de l'inviter et, l'année suivante, Hélène quitta son emploi pour avoir un enfant. Simon se mit à invoquer des raisons superficielles pour l'exclure de ses réunions (ses clients ne voulaient pas de personnes supplémentaires) et elle laissa tomber. Cependant, il discutait encore de ses problèmes avec elle à son retour du bureau et tous deux veillaient souvent tard le soir pour réviser une campagne de publicité. C'était très romantique. Puis, l'année dernière, cela aussi avait cessé.

Dernièrement, Simon s'est mis à faire des commentaires sarcastiques sur l'ancien travail d'Hélène. Les clients de son agence étaient moins huppés; ils recherchaient la quantité plus que la qualité. Une fois, il est même allé jusqu'à la qualifier de cadre bidon.

Une chose est sûre: Simon ne voit plus du tout sa femme comme au début de leur relation. Il projette sur elle l'image d'une femme «éparpillée et incompétente, comme toutes les femmes».

Il arrive souvent, comme dans ce cas-ci, que l'image qu'une personne a de nous se détériore avec le temps sans qu'on fasse quoi que ce soit pour mériter cette dégradation. La personne vous voyait tel que vous étiez au début, mais elle vous rabaisse graduellement dans son estime.

C'est alors que le principe de la projection peut vous venir en aide.

Dans d'autres cas, une personne a *toujours* eu une fausse opinion de vous et vous êtes incapable de la corriger.

La mère de Jeanne juge sa fille asociale et incapable de communiquer avec les gens, de sorte qu'elle la submerge de conseils.

Lorsque Jeanne était petite, sa mère lui soufflait les mots à dire lorsqu'elle l'emmenait visiter un parent. Avant même que Jeanne n'ouvre la bouche, sa mère disait: «Remercie ta tante pour le déjeuner, chérie.» Jeanne devenue adolescente, sa mère lui faisait la leçon avant et après chacune de ses sorties. Elle insista pour que Jeanne suive des cours de danse sous prétexte qu'elle ne possédait «aucune élégance naturelle».

Aujourd'hui, à l'âge de vingt-huit ans, Jeanne a beaucoup d'amis et un amoureux, qui ne la trouvent pas bizarre du tout. Elle est très sociable et très populaire.

Cependant, elle déteste rendre visite à sa mère qui lui parle *toujours* comme si elle était dégénérée. Chaque fois que Jeanne parle d'un ami, sa mère lui demande si cette personne l'aime et comment elle, Jeanne, le traite. Elle semble étonnée de voir que sa fille s'entend bien avec les autres.

La mère de Jeanne est prisonnière de sa propre perception de sa fille, perception qui *est et a toujours été étrangère à celle-ci*. Peut-être Jeanne avait-elle confiance en sa mère quand elle était jeune, mais maintenant l'image que sa mère a d'elle la blesse et crée une distance entre les deux femmes.

Dans ce type de cas, la personne vous a *toujours mal perçu*, elle a toujours sous-estimé votre valeur et vos talents. À l'instar de Jeanne, vous devrez mettre à profit le principe de la projection afin de rétablir la situation.

En résumé, dans le premier cas, le mari d'Hélène s'est mis à projeter sur sa femme l'image *fabriquée de toutes pièces* d'une personne incompétente, en affaires comme ailleurs.

Dans le second cas, la mère de Jeanne se contente d'*entretenir* l'image qu'elle a *toujours* projetée sur sa fille, soit celle d'une personne insensible et bizarre.

AXIOME 3: Le principe de la projection peut vous être utile si une personne projette sur vous une caractéristique que vous ne possédez pas et que cette projection vous cause du tort.

Cette projection peut remonter à très longtemps ou être d'origine récente.

Dans notre dernier cas, *la projection vous appartient.*

Martin croit que toutes les femmes cherchent à l'exploiter sur le plan émotif et financier. Bien qu'elle lui ait été infidèle et l'ait tourné en dérision, son père avait profondément aimé sa mère, et Martin ne veut pas subir le même sort. Il veut des rapports sexuels, mais sans affection, parce que celle-ci risquerait de lui faire perdre sa virilité. Il mesure ses dépenses comme ses manifestations de tendresse, et n'aime pas qu'une femme lui prenne la main dans la rue. Il veut une relation sans vraiment en vouloir une. Il voit toutes les femmes comme des conspiratrices, de sorte qu'il considère le fait d'être amoureux comme une grave erreur.

Lorsque Martin est tombé amoureux malgré lui, sa partenaire a fini par le laisser tomber en réaction à son indécision et à sa retenue. Au cours d'une chaude querelle, elle lui a dépeint l'image qu'il avait d'elle. Seul et ruminant son échec, Martin prend conscience de sa perception générale des femmes et décide de la corriger.

Il devra employer le principe de la projection s'il veut réussir à s'engager dans une relation heureuse et durable.

AXIOME 4: Vous avez besoin du principe de la projection si vous projetez régulièrement une fausse image sur une personne ou sur un groupe de personnes, et que celle-ci leur cause du tort.

Pour le meilleur ou pour le pire

Toutes les projections ne vous mettront pas obligatoirement dans le pétrin. L'amour romantique, la pitié, la bonté, la compassion, la clémence sont toutes des qualités que nous projetons sur l'univers et qui illuminent notre vie en approfondissant notre expérience. Ces projections ne sont pas *contraires* à la réalité (elles ne sont pas fausses), mais elles constituent simplement des façons particulières de l'*appréhender.*

Deux personnes sans attrait s'entichent l'une de l'autre et se trouvent belles. Elles se font du bien mutuellement. Une professeure trouve tous ses élèves dignes d'intérêt. Elle est plus heureuse qu'une autre qui évalue froidement quels enfants valent la peine qu'elle leur consacre son temps. L'une prend grand plaisir à enseigner, l'autre non.

Il n'y a rien de mal à ce que l'amour soit aveugle, tant qu'il est partagé. Vous n'avez pas besoin du principe de la projection si votre relation est nourrissante.

Toutefois, une projection en apparence favorable peut se révéler destructrice; c'est le cas, par exemple, lorsqu'elle est fondée sur la négation d'une vérité ou qu'elle équivaut à une obsession basée sur une seule facette de la personne concernée, ou encore si elle est tellement forte qu'elle entraîne des attentes impossibles à combler.

L'homme qui fait confiance à toutes les belles femmes risque d'en épouser une qui ne l'aime pas. Il est tellement ébloui par la beauté de sa femme qu'il ne voit même pas le mépris qu'elle a pour lui. Dans son esprit, beauté extérieure égale beauté intérieure. Lorsqu'elle lui manque de respect ou qu'elle le critique, il prend son attitude comme une marque de supériorité et se sent indigne d'elle. Lorsqu'elle le ridiculise devant ses amis, il loue son sens de l'humour et se met à rire de lui-même.

Dans un autre cas, un homme qui, lui aussi, idolâtre les jolies femmes en trouve une qui l'aime vraiment, mais son obsession pour sa beauté détruit l'amour qu'elle lui porte. Il l'empêche d'exprimer son côté plus terre-à-terre et se montre déçu lorsqu'elle n'est pas parfaite.

Ses incessantes allusions à sa beauté énervent la jeune femme: elle se demande avec raison comment il la trouvera dans dix ans. L'image qu'il projette sur elle d'une «splendide jeune beauté» *la* rend malheureuse. Pendant ce temps, l'homme sent qu'elle est plus à l'aise avec les autres qu'avec lui, sans savoir pourquoi.

Ces projections semblent positives, mais elles ne sont pas aussi formidables qu'on pourrait le croire. L'homme qui se fie à *toutes* les belles femmes et en épouse une qui ne l'aime pas peut être inconscient du dédain qu'elle éprouve à son égard. Par ailleurs, l'homme qui est aimé d'une jolie femme, mais qui ne songe qu'à sa beauté, est incapable de l'apprécier dans sa totalité. Dans chaque cas, la projection empêche l'homme de vivre pleinement sa relation; en outre, dans le second cas, la femme en fait aussi les frais. Ces projections soi-disant positives n'entraînent pas de relations heureuses: elles doivent donc être dissipées.

AXIOME 5: Bien des projections en apparence positives créent une distance et isolent les gens.

De quelle étoffe sont faites les projections?

Pour contrôler les projections, il faut avant tout en connaître la nature.

Le bon sens nous dit que les autres nous traitent comme ils nous voient. Il semble logique de penser que si nous voulons être mieux traités, le seul moyen d'y arriver consiste à les persuader de modifier l'image qu'ils ont de nous.

Comment y parvenir?

La psychanalyse affirme que notre perception des autres se forme de façon définitive dans l'enfance, comme si nous la coulions dans un moule. Il semblerait que nous prenions tous comme critères les images de notre enfance afin de nous représenter les nouvelles personnes que nous rencontrons. Chacun de nous posséderait une «carte représentative», éternelle et fixe, à laquelle il se réfère.

Si c'était le cas, Martin serait condamné à voir toutes les femmes comme des traîtresses. Peu importe sa loyauté, aucune femme ne pourrait le convaincre qu'elle fait exception à la règle et qu'elle est digne de confiance.

Si l'on se fiait à la psychanalyse, c'est-à-dire si le «mode de perception» de Martin, élaboré dans l'enfance, décidait de tout, alors ce dernier devrait absolument suivre une psychanalyse afin d'élargir un peu son moule. Aucune femme ne pourrait réussir à le convaincre de la voir telle qu'elle est et de la traiter avec le respect qu'elle mérite.

Bref, si l'image qu'une personne a de nous est *invariable et qu'elle régit son comportement à notre égard*, rien de ce que nous ferions ne pourrait l'inciter à nous voir tels que nous sommes et à nous traiter en conséquence.

Cependant, nous *possédons* un moyen.

En fait, la relation entre la perception qu'une personne a de nous et son comportement à notre égard est bilatérale. En effet, *le comportement des autres à notre égard influence la manière dont ils nous voient.*

Si l'on arrivait à persuader Martin de courir le risque d'aimer une femme, d'exprimer ses émotions, de lui confier ses secrets, de partager ses opinions avec elle, de lui offrir des présents, de se rappeler son anniversaire, de lui dire qu'elle lui a manqué lorsque c'est le cas, même de lui dire: «Je t'aime», *sa perception changerait petit à petit* et elle lui apparaîtrait comme la première femme vraiment digne de confiance et d'amour.

En fait, si Martin possédait même une petite dose de ces sentiments, leur conversion en actes concrets contribuerait à les intensifier. Les sentiments que nous nourrissons finissent toujours par croître.

Il faut convenir que si Martin ne possédait *pas le moindre soupçon* de ces sentiments, alors tous ces gestes n'y changeraient rien. Il ne s'agit pas de forcer les gens à adopter certains comportements, mais bien de les pousser *à intensifier le plus petit indice d'une nouvelle image de nous*. Chaque personne possède en elle les fondements de toutes les perceptions. Avec un peu d'encouragement, les gens peuvent adopter des comportements susceptibles de faire naître en eux presque tous les types de perceptions.

Ce sont *nos comportements* qui créent nos projections, quelles qu'elles soient.

Si nous réussissons à convaincre une personne de nous traiter comme nous le voulons, elle nous verra, après un certain temps, comme nous voulons être vus.

AXIOME 6: Chacun de nos gestes qui touche une tierce personne influence notre perception de cette personne. En effet, nos gestes gravent dans notre esprit une image qui vient renforcer la perception que nous avons de cette personne, perception qui est également à l'origine de ces gestes.

Par exemple, si, dans un élan de tendresse, vous faites un détour de plusieurs kilomètres après le travail pour acheter le dernier numéro du magazine préféré de votre mari, vous renforcez ainsi dans votre esprit l'amour que vous lui portez. Votre geste intensifie le sentiment amoureux qui l'a motivé en premier lieu et grave un peu plus dans votre esprit l'image de votre mari comme une personne chère.

La raison pour laquelle une personne entretient les mêmes projections réside dans le fait qu'après s'être fait une idée dans l'enfance, *elle continue d'agir de manière à renforcer celle-ci.* Sans le savoir, elle *reproduit* sans arrêt sa carte représentative.

AXIOME 7: Nos actes soutiennent et renforcent nos projections.

La loi de la consonance de Festinger

Nous avons tous besoin d'une certaine cohésion dans notre vie, de suivre ce que le psychologue Léon Festinger a appelé la «loi de la consonance». Ainsi, si une personne décide qu'elle vous trouve stupide, elle vous méprisera et vous exclura d'une multitude de façons. De même, si votre patron vous juge «inférieur», vous devrez peut-être l'amener à modifier plus d'un comportement.

Toutefois, la loi de la consonance agit également en votre faveur, car dès que votre patron cessera de vous envoyer chercher du café et de vous faire quitter ainsi les réunions, il améliorera de lui-même son comportement à votre égard. Nous éprouvons tous un immense besoin de nous percevoir comme des êtres logiques et cohérents, en pensées comme en actions. Il n'est pas très agréable de sentir qu'on a commis une erreur ou agi de manière illogique, de sorte que nous avons tendance à renforcer nos opinions et à justifier nos actes.

Si l'on réduit la consonance à sa plus simple expression, on peut dire que l'on continue de mal juger la personne qu'on a maltraitée et à auréoler celle qu'on a bien traitée.

En ce qui touche le patron qui vous envoie faire ses courses et vous éloigne ainsi de ses réunions, la loi de la consonance agit de deux façons. En premier lieu, elle incite votre patron à multiplier les comportements méprisants à votre égard, dont certains dans votre dos. Il vous dénigre peut-être devant vos collègues ou se contente de sourire si l'on suggère votre nom pour une tâche agréable. Il peut biffer votre nom de la liste des candidats aux primes d'avancement. En second lieu, comme il a besoin d'être logique, il vous *voit* comme un être méprisable. Vous *devez* l'être pour qu'il vous traite ainsi!

Cependant, si vous persuadez votre patron de modifier *quelques-uns* de ses comportements insultants, cette même loi de la consonance le portera à en changer *d'autres*. Par souci de cohérence, il acquiescera bientôt automatiquement lorsqu'on parlera de vous en bien. Plus il agira en consonance avec ses nouveaux comportements, plus il vous verra comme une personne digne d'estime.

AXIOME 8: En raison de notre besoin d'harmonie et de notre désir d'éviter la «dissonance», nous recherchons des comportements cohérents lorsque nous adoptons une nouvelle ligne de conduite.

Si vous détestez quelqu'un, vous demeurez «cohérent» en feignant d'ignorer toutes ses qualités: vous écartez même toute preuve que cette personne en est pourvue. Voilà l'envers de la médaille qui veut que l'amour soit aveugle.

Le principe de la projection

Ce principe est l'application de tous les axiomes ci-dessus. Il se résume à ceci:

Si vous pouvez amener une personne à cesser d'agir conformément à sa fausse perception de vous et à mieux se comporter à votre égard, elle finira par vous voir sous un autre jour. Elle produira ensuite une multitude d'autres comportements en accord avec sa nouvelle perception de vous, ce qui, en retour, renforcera sa nouvelle projection positive.

Le principe de la projection contribue à dissiper les projections de toute une vie et à enrayer la formation de projections nuisibles. Vous pouvez l'appliquer à vous-même comme aux autres.

Le présent ouvrage a pour but de vous montrer comment employer le principe de la projection à une double fin:

1. amener les autres à vous voir tel ou telle que vous êtes;
2. apprendre à percevoir les autres correctement.

Nous décrirons ces deux méthodes tout au long de ce livre en vous montrant comment déceler les projections (les vôtres et celles des autres) et comment les modifier. Voyons maintenant les étapes que nous traverserons.

Comment modifier la projection d'une personne étape par étape

Vous pouvez modifier la perception des autres en sept étapes.

1. Vous identifiez une projection. Une personne vous voit d'une manière incorrecte et peu flatteuse et vous traite en conséquence.
2. Vous intervenez afin de cesser de subir ses mauvais traitements.
3. La personne peut réagir de plusieurs façons. Elle vous comprend tout de suite et modifie son comportement à votre égard.

   Ou:

   Elle modifife son comportement mais vous juge snob, difficile ou trop sensible. Acceptez ce fait. Ce qui importe, à cette étape-ci, c'est de *l'amener à modifier son comportement*, et non l'opinion qu'elle a de vous!

   Ou:

   Elle refuse de vous écouter *et* de modifier son comportement. C'est le commencement de la fin, mais peut-être voudrez-vous faire une nouvelle tentative.
4. Vous avez trouvé difficile de l'affronter et elle est mal à l'aise *d'avoir subi cette confrontation* et de devoir modifier son comportement. Cette étape est inévitable.
5. Si elle continue de vous traiter de la façon désirée, elle vous verra petit à petit comme vous êtes, car elle ne renforcera plus sa vieille perception négative (incompétence, rudesse, etc.), mais bien son opinion favorable à votre égard.
6. À son nouveau comportement positif, elle ajoutera, parfois à votre insu, d'autres gestes positifs en accord avec la meilleure perception qu'elle a de vous: elle peut dire un mot en votre faveur ou cesser de se prémunir contre vous, par exemple en évitant de vous transmettre certains renseignements.
7. Enfin, à force d'adopter ce nouveau comportement à votre égard, sa nouvelle perception de vous finira par lui paraître familière et naturelle. Le principe de la projection aura modifié l'image négative qu'elle avait de vous et elle vous verra comme vous êtes, sous votre meilleur jour.

Considérons brièvement ce qu'Hélène peut faire pour redorer son blason aux yeux de Simon.

1. Elle doit définir le comportement de Simon à son égard et sa perte de confiance en elle.
2. Elle doit *intervenir*, d'abord en lui posant plus de questions sur son travail. «Que s'est-il passé au juste pendant la réunion ce matin? Quelle stratégie comptes-tu adopter?» Ensuite, en refusant qu'il dénigre ses compétences ou celles d'autres femmes d'affaires.
3. Si rien ne change dans le comportement de Simon, elle doit se montrer inflexible et exposer le problème d'une manière plus explicite. À ce moment, supposons que Simon se confie à elle à contrecœur tout en la jugeant hypersensible.
4. Pendant cette période, Hélène doit supporter l'affliction que lui cause le fait d'avoir affronté Simon et d'être jugée, par lui, arrogante et difficile.
5. Maintenant que Simon traite mieux sa femme et qu'il a mis un frein à son mépris, il commence à se rappeler combien ses conseils lui étaient précieux dans le passé.
6. Suivant l'axiome de la consonance, il lui témoigne son respect d'autres manières, par exemple en avouant à ses collègues que tel slogan est «l'idée d'Hélène» ou en lui offrant un livre d'intérêt professionnel pour son anniversaire.
7. Hélène a retrouvé sa place dans l'estime de son mari. La projection dénigrante de Simon a été arrêtée net et bientôt il oubliera même qu'il l'a exclue de ses affaires.

Comment modifier votre propre projection étape par étape

Il est plus facile de modifier sa propre perception d'une autre personne ou d'un groupe de personnes.

1. Identifiez votre projection. (Par exemple, vous vous faites de la bile parce que vous croyez que les autres sont plus instruits que vous et qu'ils vous méprisent.)
2. Trouvez au moins quelques-uns des comportements que vous adoptez *à cause* de cette projection. (Par exemple, vous

n'exprimez jamais votre opinion ou ne posez jamais de questions pour éviter de paraître stupide.) Prenez conscience de la manière dont ces comportements la renforcent.

3. Divisez vos comportements en deux catégories: ceux que vous trouvez faciles à changer et les autres.
4. Effectuez les changements faciles d'abord et supportez votre malaise. (Faites l'effort de demander à un ami de vous expliquer les ennuis mécaniques de votre voiture.)
5. À mesure que votre perception des autres changera, vous trouverez plus facile de modifier les autres comportements que vous avez identifiés.
6. Enfin, votre nouvelle perception des autres vous deviendra toute naturelle et vous agirez en conséquence. (Les autres ne savent pas tout!)

Étudions maintenant le cas de Martin.

Après avoir rompu avec une femme et subi les critiques de ses amis, Martin se rend compte qu'il a été injuste envers elle, et aussi envers lui-même. Des commentaires du même genre provenant de ses anciennes partenaires lui reviennent en mémoire. Comme il amorce une nouvelle relation, il veut modifier sa projection et se donner une chance de réussir.

1. Il dresse une liste des comportements qu'il adopte sans réfléchir, à cause de sa projection. Il se rend compte qu'il renforce l'écart entre les femmes et lui en réprimant toute envie de se montrer tendre ou généreux envers elles.
2. Il décide que la chose la plus facile à faire dans son cas serait de cesser de récriminer et de dépenser davantage en faveur de sa partenaire. Il commence à lui apporter des fleurs, du bon vin pour le dîner et des petits riens pour son appartement.
3. Même s'il trouve plus ardu de l'appeler sans raison pour lui dire qu'elle lui manque, il se force à le faire.
4. Petit à petit, il commence à apprécier ses propres manifestations de tendresse. Le plaisir sincère qu'exprime sa partenaire devant ses petits gestes le réjouit et il raffine encore davantage sa cour. La rendre heureuse fait désormais partie de sa vie.

5. Il est plus proche d'elle qu'il ne l'a jamais été d'aucune autre femme. Il la trouve sensible et loyale, et c'est la première femme de sa vie qui l'appuie vraiment.

Conclusion:

De nouveaux comportements entraînent de nouvelles projections expérimentales, qui entraînent à leur tour d'autres nouveaux comportements débouchant sur une nouvelle attitude naturelle.

Résumé

Nous avons remarqué que notre perception irréaliste des autres, qu'elle soit favorable ou non, peut causer bien du tort à nos relations. Ce sont ces distorsions qu'on appelle des «projections».

Toute projection, ancienne ou émergente, s'accompagne de *comportements* cohérents. Ceux-ci découlent de la projection et la renforcent dans l'esprit de la personne qui projette.

Si vous *intervenez*, c'est-à-dire si vous amenez la personne à abandonner le comportement associé à sa projection, vous étoufferez celle-ci dans l'œuf. Lorsque la personne aura remplacé les comportements qui renforcent sa vieille image de vous par de nouveaux comportements plus positifs, elle vous verra d'un autre œil et nourrira une nouvelle projection, positive celle-là.

La façon dont les autres vous perçoivent constitue une habitude mentale qui dépend de la manière dont ils vous traitent. Vous pouvez les amener à modifier cette habitude mentale en les persuadant de vous traiter différemment. Vous pouvez également modifier vos propres perceptions en modifiant vos comportements à l'égard des autres.

C'est à *vous* qu'il appartient de conserver l'estime des personnes que vous choisissez dans la vie et de vous habituer à voir les autres d'une manière réaliste et positive.

Mais comment reconnaître une projection?

3

Comment savoir si une personne projette une image sur vous

Nos mensonges reviennent presque toujours nous hanter. Cela n'est peut-être pas aussi évident lorsque nous mentons pour une «bonne» cause, par exemple pour éviter de faire de la peine à notre partenaire ou pour masquer une erreur au bureau. Le mensonge présente des avantages évidents à court terme, mais si nous nous mettons dans le pétrin en affirmant à notre mari sans le penser qu'il est «le plus grand écrivain de tous les temps» ou en invoquant l'incurie du service postal quand nous avons négligé d'écrire, nous finissons toujours par craindre les répercussions de notre attitude. Ce qui est plus grave, c'est que nous émoussons notre sens du bien et du mal, de la vérité et du mensonge, et nous perdons inévitablement le contact avec nos véritables sentiments.

À peu de chose près, tous les mensonges sont nuisibles en raison de leurs retombées. Or, les projections sont des mensonges proférés par une autre personne à notre égard. Qu'elles soient positives ou non, comme cette personne agit conformément à ces projections, elles vont en s'accentuant dans son esprit et effacent toute image réaliste de nous.

Déceler une projection, c'est déceler un mensonge à notre égard. Peu importe que la personne *sache* qu'elle commet un mensonge ou non. Elle agit en mode d'autopersuasion constante, «jouant» à croire que nous sommes une autre personne que celle que nous sommes réellement.

27

Signaux d'alarme précoces

Parce que les projections ne peuvent demeurer stables, mais s'accentuent constamment, il est beaucoup plus facile d'écraser une projection dans l'œuf plutôt que d'attendre qu'elle soit fermement ancrée dans l'esprit de la personne.

Viendra le moment où vous ne disposerez tout simplement pas des ressources nécessaires pour y mettre un frein. La personne croira tellement à la *fausse* image qu'elle a de vous que vous ne pourrez plus la dissuader du contraire.

Le partenaire de Caroline considère celle-ci comme une mère en raison de sa grande efficacité. Au début de leur relation, Caroline se coupait en quatre pour Henri afin de gagner son amour. Celui-ci n'était pas naturellement généreux, mais elle souhaitait lui donner l'exemple et lui apprendre à rendre la pareille. Toutefois, le contraire s'est produit. Henri projette sur Caroline l'image d'une femme capable de s'occuper de tout ce qui touche à son confort à lui, peu importe ses propres besoins, sa condition physique ou ses autres obligations.

Maintenant, elle se dit: «Comme j'ai été idiote d'agir ainsi. C'était stupide et autodestructeur, et les femmes commettent cette erreur depuis des siècles. Même Simone de Beauvoir ne peut plus rien pour moi maintenant.» Et elle a sans doute raison.

Caroline a manqué maintes occasions d'intervenir: elle aurait pu enjoindre Henri de faire sa lessive pendant le week-end ou de passer *lui-même* à l'épicerie un soir par semaine. Depuis le début, elle est vaguement consciente qu'au lieu d'apprendre la générosité Henri devient de plus en plus dépendant d'elle, comme d'une mère.

Si Caroline essayait d'intervenir maintenant, au bout de deux ans, Henri se sentirait harcelé, puisqu'il la prend pour sa mère. Sa seule alternative consiste à passer soit pour une «bonne mère» soit pour une «mère enquiquineuse». Henri ne voit même plus la femme qu'il a jadis choisie pour amante. Il l'a perdue à jamais derrière le masque maternel dont il l'a lui-même affublée.

AXIOME 9: Il est essentiel de déceler les signes précoces d'une projection en formation. En refusant de les voir, vous participez au mensonge.

Cet axiome renferme un désolant paradoxe, car ces signes sont plus faciles à repérer au moment où la projection a la peau la plus coriace. Au début, lorsque la projection est plus fragile, ses signes annonciateurs sont très subtils, mais ils s'amplifient à mesure qu'elle acquiert de la vigueur. Lorsque vous ne pouvez même plus en nier l'évidence, il est trop tard pour l'arrêter.

Lors de sa première sortie avec Jacques, Sylvie est légèrement tendue. Celui-ci choisit l'entrée et le vin avec une autorité péremptoire. Il passe la commande au serveur en laissant entendre que Sylvie ne devrait pas adresser la parole à celui-ci. De retour chez elle, la jeune femme est légèrement troublée, bien que la détermination de Jacques contraste agréablement avec la fade personnalité de son ancien partenaire.

La fois suivante, la situation se répète à peu de chose près, mais Sylvie remarque que Jacques lui prend le bras pour traverser la rue comme si elle était infirme. «Peut-être ne suis-je pas habituée à un vrai homme», se dit-elle.

Si Sylvie poursuit cette relation tout en refusant de reconnaître le malaise qu'elle ressent à être traitée comme une enfant, elle aura de graves ennuis. Lorsque son ami en arrivera au point de lui donner des signaux évidents, en lui demandant, par exemple, de quitter son emploi parce qu'elle n'y rencontre pas le bon type de personnes ou en lui interdisant de conduire par temps pluvieux, elle aura beaucoup de difficultés à se faire entendre et à lui faire réviser l'image d'une personne «délicate qui a besoin d'être protégée» qu'il a d'elle. Il la jugera bien ingrate.

Dans d'autres cas, il peut être tentant de rejeter les signaux précoces parce que la situation semble s'être redressée. Mais cela ne durera pas. Il peut être désastreux de refuser de regarder une projection en face.

Par exemple, nous serions terriblement bouleversés d'entendre une adolescente dire: «Peu importe la *raison* pour laquelle il reste avec moi — que ce soit pour le sexe ou pour autre chose — du moment qu'il *reste* avec moi et qu'il m'épouse!» Nous serions tentés de répondre que dans cinq ans, lorsque son ami la quittera pour une femme qu'il aime *vraiment*, elle regrettera de n'avoir pas regardé en face l'image d'une «commodité sexuelle» qu'il avait d'elle, et de n'avoir pas eu ses enfants avec un autre homme.

Le traitement qui accompagne toute projection grandit comme une tumeur maligne en même temps que la projection.

Votre patron commence par vous envoyer chercher du café. Il adopte ensuite d'autres comportements humiliants à mesure que l'image d'une personne «subalterne et non indispensable» grandit dans son esprit: il oublie de vous faire part de ses décisions, vous exclut des réunions et des déjeuners, omet de vous présenter à un nouveau client. Tout naturellement, il accorde à un nouveau venu la promotion qui vous reviendrait de droit. Lorsque les coupures budgétaires l'obligent à remercier une personne, il n'a pas besoin d'y penser deux fois avant de vous licencier.

AXIOME 10: Une fois la projection amorcée, elle s'accentue parce que la personne y ajoute de nouveaux comportements fondés sur ce qu'elle croit déjà à votre sujet. Les mauvais traitements se multiplient et empirent.

Voilà pourquoi il est si crucial d'étouffer implacablement les projections dans l'œuf. D'où l'importance de déceler très tôt leurs signes annonciateurs.

Surveillez les signaux

Vos réactions émotives constituent vos meilleurs outils et les meilleurs indicateurs du traitement qu'on vous inflige. Un vague sentiment de déséquilibre, l'impression qu'on ne vous entend pas ou qu'on vous dit oui pour les mauvaises raisons, un sentiment confus d'ambiguïté qui vous pousse à réfléchir pendant des heures sur le sens d'une conversation, voilà peut-être les premiers indices qui vous signalent la naissance d'une projection.

C'est d'ailleurs à ce stade que vous essaierez sans doute de nier que quelque chose ne tourne pas rond, surtout si vous aimez la personne qui projette sur vous, ou qu'elle compte à vos yeux. Rappelez-vous cependant que c'est ce qui peut vous arriver de pire dans votre relation.

La meilleure chose à faire consiste à affronter l'éventualité d'une projection et à en surveiller *les signaux précis.* Si vous avez affaire à une véritable projection, vous discernerez sans doute simultanément et à maintes reprises plusieurs des indices ci-dessous:

1. Un sentiment d'étrangeté

Bernard est chercheur industriel, mais c'est aussi un excellent mathématicien et une personne gentille, aimante et sensible. Il aime la cuisine, le design, la photographie et un certain nombre d'autres activités, et il considère les mathématiques comme une partie importante de ses talents; il y excelle depuis l'enfance, mais elles ne sont pas toute sa vie. Il est tombé amoureux de Suzanne, une écrivaine à la mode, et rêve de faire sa vie avec elle. Ils passent ensemble des soirées merveilleuses, mais quelque chose ne va pas. Bernard éprouve le vague sentiment que Suzanne ne le connaît pas vraiment. Comme tout bon mathématicien, il étudie le problème aussi froidement que possible. Il se souvient que la veille, elle l'a traité trois fois de «génie». Elle se plaît à raconter à ses amis combien *elle-même* est peu douée pour les mathématiques alors que lui les maîtrise d'une manière stupéfiante. Récemment, elle a pris l'habitude de lui dire qu'il n'y a rien à son épreuve, qu'il peut tout régler avec ses mathématiques.

Cependant, Bernard ne se sent pas l'âme d'un génie solitaire. Il a l'impression de regarder de l'extérieur le personnage que Suzanne a créé et qu'elle porte aux nues. *Lui*, Bernard, souhaite être l'amant de Suzanne, mais l'image de «noble génie» qu'elle projette sur lui lui barre la route. Il y a en lui tant de facettes qu'elle ne voit pas du tout!

Souvent, l'un des premiers indices que nous pouvons identifier est celui que le psychologue Hank Schenker a appelé le sentiment d'étrangeté. Nous avons l'impression que ce que l'autre apprécie en nous *n'est pas vraiment nous*, mais une version idéalisée ou une exagération d'une de nos facettes. Il peut s'agir de notre plus grande qualité (notre compétence, notre sociabilité), mais l'autre personne attend de nous la perfection à cet égard. Lorsque nous commettons une bévue ou que nous montrons notre ignorance en nous tournant vers elle pour solliciter son aide ou sa sympathie, elle devient soudainement aveugle à nous, comme si nous n'existions que dans sa version idéale.

En examinant notre relation, nous comprenons peu à peu qu'elle nous attribue un rôle précis. Au début, cela nous semble flatteur, surtout s'il s'agit d'un rôle nouveau. En fait, l'autre nous voit à tort comme une personne surhumaine qui n'éprouve aucun besoin.

2. L'attribution constante du même rôle

Le sentiment de se voir confiné dans le même rôle accompagne souvent le sentiment d'étrangeté. L'autre personne ne nous perçoit pas comme un individu à part entière, mais comme membre d'un groupe qu'elle aime ou n'aime pas.

Thomas déteste l'idée de vieillir et il recherche la compagnie de femmes plus jeunes que lui. Érica le fréquente parce qu'elle le trouve intéressant, mais s'aperçoit après quelque temps qu'il n'en a qu'à sa jeunesse. En effet, Thomas projette sur elle l'image de la «femme plus jeune qui s'intéresse à lui». La plupart des qualités qu'il apprécie chez elle sont celles de *n'importe quelle* jeune femme de son âge. Il la complimente sur la douceur de sa peau et lui fait remarquer qu'elle n'a pas besoin de lunettes, ni d'autant de sommeil que lui. En outre, il lui parle continuellement de son âge, de sorte qu'elle voit bien que c'est une obsession chez lui. Elle est blessée de constater qu'il ne voit aucune différence entre elle et des centaines d'autres femmes de son âge. Elle se demande si Thomas est épris *d'elle* ou de ses *vingt-neuf ans*.

On peut être coincé dans le rôle d'une blonde, d'une personne de grande taille, d'un médecin ou d'un Noir. Quel que soit le trait, on est considéré davantage comme le possesseur de ce trait que comme une personne à part entière.

3. La conditionnalité

Chaque fois que vous avez l'impression que vous ne devriez pas changer, que l'autre vous aime à la condition que vous restiez tel ou telle que vous êtes, vous pouvez être sûr de vous trouver en présence d'une projection.

Dès la fin de ses études, Martine est engagée par un magazine pour rédiger le guide hebdomadaire des activités artistiques. Nicole, la rédactrice en chef, l'aime beaucoup, et Martine le lui rend bien. Nicole la prend donc sous son aile et lui enseigne généreusement son métier, de sorte que Martine se voit bientôt confier des rubriques plus importantes. Finalement, un magazine concurrent lui offre un poste de chroniqueuse principale à un salaire beaucoup plus élevé. Nicole ne lui fait pas de contre-proposition, mais lui souhaite bonne chance avec une tendresse apparente.

Cela fait trois mois que Martine exerce son nouvel emploi. Ce soir, elle doit se rendre à un dîner officiel donné en l'honneur d'un groupe de journalistes d'élite. Nicole doit y assister, elle aussi.

Martine est impatiente de revoir Nicole et son entourage l'assure que cette dernière sera fière d'elle. Malgré son enthousiasme, Martine éprouve le sentiment confus que Nicole ne le sera pas vraiment et qu'elle sera incapable de l'accepter comme son égale, qu'elle la verra comme une parfaite étrangère et peut-être même comme une concurrente. Nicole aimait l'ancienne Martine, mais elle n'aimera peut-être pas la nouvelle.

Si Martine a raison, c'est que Nicole projetait sur elle l'image d'une «novice dépendante» et qu'elle n'est pas prête à la voir autrement.

Nous pouvons tous, si nous le voulons, déceler l'image conditionnelle que les autres nous imposent. Les principaux coupables sont souvent, bien sûr, nos parents qui nous voient comme des personnes incompétentes, pleines de besoins, peu instruites, naïves. Il peut être difficile pour eux de renoncer à cette image.

De tous les symptômes de la projection, celui-ci est le plus pénible, car il comporte une menace de perte soudaine que nous n'avons en rien méritée. En fait, l'autre personne a peut-être toujours souhaité que nous devenions des adultes prospères, assurés et indépendants, exactement ce que nous sommes devenus, bien qu'elle nous en tienne désormais rigueur.

4. L'impression de faux

Voilà une vraie réaction des «tripes» qu'il ne faut pas écarter.

Brigitte fait la connaissance de Jeanne, la petite amie de son fils Michel qui a vingt-huit ans. Les deux femmes ont une conversation agréable; Jeanne est polie et parle volontiers de sa famille et de ses études, sans que Brigitte lui ait posé de questions. Elle lui avoue même son amour pour son fils sans que

Brigitte le lui demande. Puis elle s'informe du travail de Brigitte et l'écoute patiemment. Elle semble sympathiser avec elle, l'écoute parler de ses ennuis professionnels et la complimente sur ses succès. Restée seule, Brigitte songe à cet entretien. Elle n'aime pas Jeanne, mais sa réaction lui paraît déraisonnable. Serait-elle jalouse des amies de son fils? Non, elle se montre injuste envers elle-même en pensant cela.

En revoyant sa soirée, Brigitte se rappelle le sourire forcé et l'attitude rigide de Jeanne. Elle les voit mieux que lorsqu'elle essayait de communiquer avec la jeune femme: Jeanne *recherchait son amitié.*

Elle avait évité certains sujets et Brigitte s'était sentie censurée. Jeanne avait grimacé lorsque Brigitte avait mentionné qu'elle fréquentait un homme depuis deux ans.

La lumière jaillit. La soirée a été artificielle parce que Jeanne n'a fait aucun effort pour connaître la vraie Brigitte. Elle s'adressait à l'image qu'elle projetait sur Brigitte, soit celle de la «mère de Michel», une mère de classe moyenne qu'elle devait connaître et charmer.

Cette impression de faux est un excellent indice de projection, que nous sommes malheureusement trop souvent portés à écarter du revers de la main pour rejeter plutôt le blâme sur nous-mêmes. Nombreuses sont celles qui, à la place de Brigitte, se seraient vouées aux enfers pour avoir perdu le contact avec la jeune génération et auraient résolu de redoubler d'efforts la fois suivante.

5. *La sous-estimation*

Marie et André s'entendent bien et ils décident de vivre ensemble, mais c'est alors que la situation commence à se détériorer. André aimait beaucoup sortir et dormir avec Marie, mais maintenant qu'ils partagent un appartement, c'est une autre histoire. Il lui interdit d'utiliser son magnétoscope jusqu'à ce qu'elle lui ait prouvé qu'elle en comprend parfaitement le fonctionnement. Il l'invite à faire dresser son vieux chien et lui déclare qu'un chien ne doit pas dormir sur le canapé.

Marie se dit qu'André a ses petites manies et que tous deux doivent inévitablement traverser une période d'adaptation et de compromis. Un grand nombre de ses critiques l'irritent, mais elle décide qu'il est inutile de se disputer à propos de détails et cède en espérant qu'il s'adaptera. Le couple traverse cependant une crise lorsque André accuse Marie d'avoir abîmé le nouveau répondeur. Marie rêve qu'André la fustige au beau milieu d'un grand magasin, clamant son ineptie aux passants.

À son réveil, elle sait que la coupe est pleine. Elle imputait leur mésentente au caractère exigeant et méticuleux d'André. Il l'est sans doute, mais le vrai problème réside dans l'image de personne «gauche et incapable» qu'il projette sur elle. Se sentant constamment sous-estimée, Marie découvre la projection.

Il est facile de voir qu'on est sous-estimé lorsqu'on a sans cesse envie de dire: «Pourquoi penses-tu devoir m'expliquer cela?»; «Pourquoi ne me fais-tu pas confiance?»; «Pourquoi as-tu demandé son avis à Gisèle alors que je venais de te donner la solution?»; «Combien de fois vas-tu me demander si j'ai compris?»

Pour la plupart des gens, cet indice est le plus facile à reconnaître.

6. L'humour blessant

Jeune célibataire dans la vingtaine, Caroline travaille comme manucure dans un salon de coiffure pour hommes. Au début, elle faisait un effort pour s'entendre avec les coiffeurs et les directeurs et supportait leurs «taquineries»:

«Quelle jolie robe! N'est-ce pas celle que tu portais hier? J'espère que tu as passé une bonne soirée!»

«Comment se fait-il qu'une jolie fille comme toi ne soit pas mariée? Tu es trop occupée à t'envoyer en l'air?»

Caroline espérait voir cesser ces taquineries et être acceptée comme l'une des leurs, mais en vain. Au lieu de cela, les blagues s'aggravèrent jusqu'à devenir carrément insultantes. Un jour que Caroline était au bord des larmes, elle fut frappée de constater que l'autre manucure, Alice, ne subissait pas du tout ce traitement. Or, Alice a la réputation d'être «difficile».

Caroline s'en ouvrit à Alice, qui lui expliqua que ces hommes avaient essayé leur humour désobligeant sur elle, mais qu'elle les avait arrêtés net en menaçant de rendre son tablier s'ils continuaient.

«J'aime mieux qu'on me prenne pour une femme hypersensible que pour une putain», affirme Alice.

Caroline est stupéfaite de constater qu'au lieu de la prendre pour une des leurs, les hommes considéraient sa tolérance comme une invite à la promiscuité sexuelle et aux insinuations. Sans le vouloir, elle a renforcé l'image de fille facile qu'ils projetaient sur elle.

Si les plaisanteries d'une personne vous blessent sans cesse, c'est qu'il y a quelque chose qui ne tourne pas rond. Cette personne ne vous voit pas comme vous êtes et tant que vous la laisserez faire, elle continuera de vous harceler, renforçant ainsi sa projection et vous dépréciant à ses propres yeux.

7. *La surprise*

Une femme avise son frère aîné qu'elle est admise à l'école de médecine et ce dernier en est sidéré. Un homme fond en larmes devant sa femme après avoir appris que son meilleur ami vient d'avoir une crise cardiaque presque fatale, et sa femme est étonnée et quelque peu dégoûtée par sa réaction. Une femme de vingt ans est stupéfaite d'apprendre que sa mère divorcée part en voyage avec un homme.

Dans chacun des cas ci-dessus, *la réaction de surprise dénote la présence d'une projection.* Qu'y a-t-il de si étonnant à ce qu'une femme entreprenne des études de médecine? Cela vous étonne si vous la croyiez stupide ou si vous pensiez que les femmes sont bornées. Et pourquoi une femme devrait-elle être surprise de la réaction émotive de son mari à l'égard d'un ami qu'il chérit? Cette femme ne connaît pas bien son mari, puisqu'elle a projeté sur lui l'image d'une brute insensible et qu'elle n'a jamais pris conscience de la profondeur de ses sentiments ni de sa sensibilité. La jeune fille projette sur sa mère l'image d'une personne asexuée et altruiste qui n'existe que pour ses enfants.

Les réactions d'étonnement des autres peuvent nous révéler comment ils nous voient vraiment. Elles dénotent une perception unique et inébranlable et indiquent que ce qu'ils voient à ce moment précis n'est pas à la hauteur de leur projection.

Notez bien que cette réaction de surprise se produit toujours *au début.* En effet, lorsqu'une projection se trouve en phase ultime, aucun de nos comportements ne peut désormais étonner l'auteur de la projection. À ce moment-là, celui-ci est habitué à faire concorder tous nos propos avec ses croyances à notre sujet, ou même à les utiliser pour les appuyer.

Un homme voit sa fille Gisèle comme une écervelée pas très brillante. Lorsqu'elle lui annonce ses fiançailles avec un jeune homme talentueux et accompli, son père confie à sa femme, en parlant du jeune homme: «Je parie que c'est surtout le sexe qui l'intéresse.»

Lorsqu'un éditeur accepte avec enthousiasme l'ouvrage rédigé par Gisèle sur l'histoire de l'art, son père suppose que sa fille a payé quelqu'un pour l'écrire à sa place. Devant les succès répétés de sa fille, il conclut: «Ça alors, ils ont vraiment abaissé les normes de qualité! La nouvelle génération manque plutôt de discernement!»

Bref, comme les preuves opposées sont de moins en moins admissibles à mesure qu'évolue une projection, les réactions de surprise deviennent de plus en plus rares.

8. Les propos d'une personne

Les propos des autres nous renseignent sur les formes de projection qui leur sont familières ou même sur celles qu'ils entretiennent à notre égard. En faisant nos propres déductions à partir de ces propos, nous pouvons corroborer la signification de certains autres signaux.

Ce qu'une personne dit d'elle-même ou des autres renferme une mine de renseignements.

Un homme dit que son voisin est instable parce qu'il est divorcé. Vous êtes vous-même divorcé et il le sait fort bien. Il ne vous a jamais critiqué ouvertement, mais son commentaire vous renseigne sur son opinion à votre égard. Apparemment, il considère toutes les personnes divorcées comme des «déséquilibrés».

Une femme qui vient d'avoir quarante ans se plaint qu'elle vieillit et qu'elle enlaidit. «On n'est plus jeune à quarante ans», dit-elle. Ce commentaire démoralise sa meilleure amie, une veuve âgée de quarante-deux ans qui aspire à refaire sa vie, jusqu'à ce qu'elle prenne la peine d'y réfléchir. Son amie a beau projeter une image de sénilité sur toutes les personnes de son âge, cela n'a rien à voir avec elle-même ni avec la réalité. Comme elle reconnaît la projection que cache cette affirmation, elle peut donc continuer à s'en donner à cœur joie avec ses leçons de voile, sa croisière et sa nouvelle relation.

Une autre façon de déceler une projection dans les propos des autres consiste à tenir compte de leur histoire. Le passé est aussi un prologue.

La petite amie d'Armand se dit «très déçue» de son ex-mari et de ses deux partenaires précédents. Elle lui confie quelques bribes de son passé: elle souffre encore du manque de maturité de son ex-mari, qui semblait incapable d'aimer. Il en était de même pour l'homme qui l'accompagnait à la soirée où elle a rencontré Armand: trop de défauts, trop attaché à sa mère et pas du tout l'homme qu'elle croyait.

Armand est fier de l'emporter sur les autres. Il souhaite bonne nuit à la jeune femme et s'en va, heureux de voir qu'elle semble l'apprécier; elle est plutôt jolie et il est fier de sa performance. Il se sent viril.

Au lieu d'être fier d'être l'exception, Armand devrait craindre d'être la prochaine victime du désenchantement constant de son amie. Il semble qu'elle finit toujours par prendre son amant en défaut au cours de la relation. Pourquoi? Outre qu'elle choisit peut-être mal ses partenaires, son histoire laisse croire qu'elle voit les hommes à travers une lentille déformante. Elle les voit peut-être comme des «protecteurs automatiques» et se sent négligée au moindre manquement à cette exigence. Armand ferait bien d'évaluer la totalité de son expérience avec elle et de rechercher les autres signaux susceptibles d'indiquer la présence d'une projection.

En outre, certaines personnes expriment des attentes si élevées face aux autres qu'elles font croire à la présence d'une projection:

«Je pense qu'une femme ne devrait jamais dépasser cinquante-deux kilos, peu importe son âge et sa taille.»

«Je ne vois pas pourquoi les adolescents devraient conduire une voiture.»

«N'engage que des personnes qui ont gardé leur dernier emploi au moins trois ans; si elles l'ont quitté avant, c'est qu'il y a quelque chose qui cloche chez elles.»

Si une personne de votre entourage exprime des opinions d'une manière aussi péremptoire, elle est sans doute très exigeante sur le chapitre de la conformité. Elle attend des gens qu'ils jouent sans broncher le rôle qui leur est assigné dans la perception qu'elle a d'eux. Ses affirmations dogmatiques sur ce que les autres devraient faire représentent des indices évidents de projection.

9. Les propos des autres

Parfois, les propos des amis de la personne corroborent votre intuition sur la présence d'une projection.

Annie prend son repas de midi chez son amoureux, qui reçoit la visite inopinée de deux amis. Ceux-ci ne s'occupent pas d'elle et l'un d'eux se met à parler de l'ex-petite amie de son amoureux: «C'était vraiment quelqu'un. Elle fait des ravages au travail.» Quand ils prennent congé les deux invités oublient de saluer Annie. Ils se disent peut-être qu'ils ne la reverront jamais et que cela n'a pas d'importance. Si son ami la traite lui aussi d'une façon aussi cavalière, il aura sans doute donné à ses invités l'impression qu'il la fréquente «en attendant», d'où leur manque de politesse.

Les hommes, qui se battent depuis longtemps pour occuper les postes-clés au travail, savent quelque chose que les femmes feraient bien d'apprendre elles aussi. En effet, il n'est pas rare de voir qu'un homme se montre affable envers un autre homme qu'il se prépare à poignarder dans le dos. La gentillesse de votre rival peut viser à vous désarmer. Par ailleurs, si vous surveillez *le comportement de sa femme à votre égard*, vous apprendrez peut-être ce qu'il lui a confié, mais qu'il vous cache à vous. Elle est peut-être moins versée que lui dans l'art de la dissimulation.

C'est comme observer l'expression de quelqu'un qui regarde les cartes d'un autre joueur pendant une partie de poker. Son visage peut vous révéler ce que le joueur lui-même tente de vous cacher.

Attention toutefois aux conclusions que vous en tirez. La tierce personne peut avoir ses propres raisons de vous en vouloir. (Les invités peuvent être jaloux du succès amoureux de leur ami; la femme de votre associé peut éprouver de l'amertume en voyant que vous surpassez son mari.) Interprétez toujours ce signal conjointement avec d'autres.

10. Les malentendus

Les trois derniers signaux que nous voulons citer ici indiquent à coup sûr la présence d'une projection, mais ils sont très complexes et difficiles à combattre. Au début, ils sont plutôt faibles, mais ils s'intensifient avec l'évolution de la projection.

Si une personne interprète mal vos propos, pas une seule fois mais régulièrement, elle possède peut-être sa propre théorie sur ce que vous êtes et tous vos comportements semblent appuyer celle-ci. Elle saisit une de vos caractéristiques, réelles ou imaginaires, et lui attribue tous vos comportements en les interprétant à sa façon.

Par exemple, Denis, le patron de Lucie, juge celle-ci «ambitieuse et casse-pieds». Il est légèrement plus jeune qu'elle et tient à son travail comme à la prunelle de ses yeux; il se rend au bureau pendant le week-end et passe des soirées entières à préparer ses réunions. En revanche, Lucie accomplit bien davantage avec beaucoup moins d'efforts. Sa bonne humeur soutient le moral de ses collègues et la rend populaire auprès des clients.

Denis occupe un poste supérieur au sien parce qu'il est un homme. Bien sûr, il n'y est pour rien et c'est plutôt la haute direction qui est en cause. Lucie s'est résignée à collaborer avec Denis jusqu'à ce qu'elle trouve un nouvel emploi, ce qui ne devrait pas être trop difficile.

Entre-tremps, Denis interprète mal tous ses agissements. Lorsqu'elle tient aux vendeurs un discours brillant, c'est qu'elle essaie de les charmer. Lorsqu'elle reste après le travail pour aider Denis, c'est qu'elle veut impressionner le directeur. Lorsqu'elle offre des cadeaux d'anniversaire aux membres de son personnel, elle achète sûrement leurs mensonges contre Denis. Celui-ci est incapable de voir que ces gestes émanent de la bonne volonté de Lucie et de son désir de tirer le meilleur parti possible de sa situation.

Cette façon d'agir est un indice sérieux d'une projection profondément ancrée.

Chaque projection renferme un certain nombre d'interprétations erronées à propos de votre nature, de ce qui vous rend unique au monde. Toutefois, celles-ci ne sont un indice de projection que dans la mesure où l'autre personne se méprend sur vos motifs. Vous avez l'impression que tout est embrouillé et que plus vous essayez de vous expliquer, moins on vous comprend.

11. L'impression de fournir un gros effort

Si vous vous rendez compte que vous luttez, que vous n'agissez pas naturellement ou que vous essayez désespérément de prouver votre valeur, c'est que vous avez affaire à une forte projection.

Curieusement, les réactions précèdent souvent la prise de conscience. On peut essayer automatiquement de neutraliser un danger avant même de l'avoir identifié. On souffre, on est agité. En observant ce comportement, on peut isoler les gestes que l'on fait pour se protéger et remonter jusqu'au danger lui-même.

«Pourquoi ai-je senti le besoin d'émailler mes propos de noms en vue? Ce n'est pas mon habitude. Je me sens minable. Cet homme me le *fait* sûrement sentir en me disant que je n'ai jamais vu une maison de campagne comme la sienne et que je ferais mieux de m'acheter des vêtements si je veux rencontrer tous ses amis. Il me voit comme une «non-personne» simplette et pas présentable.»

«Pourquoi est-ce toujours *moi* qui paie le dîner lorsque je sors avec mon copain Jacques? Il n'offre jamais de partager l'addition. En plus, je lui ai prêté ma tondeuse même si je *sais* qu'il met des siècles à rendre ce qu'il emprunte et que j'en aurai besoin le week-end prochain. Je me saigne à blanc pour ce malappris qui prend tout comme son dû! Je pense qu'il serait furieux si je ne me mettais *pas* en quatre pour lui. C'est comme si je lui devais la moitié de tous mes biens. Parce que mon commerce est de plus en plus prospère et qu'il a été congédié de ses deux derniers emplois, il me trouve chanceux et me considère comme son bienfaiteur.»

C'est toujours ainsi que se passent les choses. Vous vous rendez compte que vous réagissez à outrance ou que vous faites des efforts indus dans une conversation ou une situation. Une analyse des faits vous fait voir que l'autre personne exerce sur vous une certaine forme de chantage, ce qui vous force à vous défendre ou à prouver votre valeur. Vous vous faites avoir en essayant de désamorcer sa projection: ainsi, cette femme qui citait des gens en vue pour montrer qu'elle n'était pas la ménagère inexpérimentée que l'homme voyait en elle.

Pour ce qui est de Jacques, le profiteur, son ami se montre tour à tour prodigue ou distant. En prenant conscience du malaise qu'il éprouve vis-à-vis de Jacques, il se rend compte que celui-ci le considère comme un élément de son système économique.

L'impression de fournir un gros effort peut vous éclairer sur le comportement de l'autre personne et sur l'existence de sa projection.

L'avantage de cette prise de conscience réside dans le fait que même si vous ne pouvez pas modifier le comportement de l'autre personne, vous cessez immédiatement de vouloir prouver votre valeur. Votre tension s'évanouit.

12. *Le sentiment d'impuissance*

Toutes les projections entraînent chez l'autre un certain sentiment d'impuissance qui s'approfondit lorsqu'une projection devient inaltérable.

Anne, la meilleure amie de Denise, est très malheureuse avec son mari. Chaque jour, elle rapporte à celle-ci le récit de quelques atrocités. Il l'a exclue de leur compte conjoint, il insiste pour envoyer leur fille à un collège qu'elle n'a pas choisi et il se montre impoli avec ses amies et lui interdit les déplacements nécessaires à son travail. Anne est peut-être vraiment malheureuse, mais c'est *Denise* qui se sent tout à fait impuissante.

En y regardant de plus près, Denise s'aperçoit que même lorsqu'elle sympathise avec Anne, celle-ci réfute toutes ses paroles et la rabaisse. Qui plus est, Anne lui a même laissé entendre qu'elle était cruelle et qu'elle ne voudrait pas être comme elle.

Comme elle demandait à Denise ce qu'elle devait faire, celle-ci lui a suggéré de ne pas laisser son mari dominer sa fille: «Tu dois la défendre.»

Mais Anne lui a répliqué: «C'est son père, et je ne veux pas me disputer avec mon mari comme tu te disputes avec *le tien*. Je vous ai entendus.»

Une autre fois, Denise a conseillé à Anne d'effectuer ses voyages d'affaires, faute de quoi elle risquait de rater sa promotion; ce à quoi Anne a rétorqué qu'elle ne pouvait pas se montrer aussi cruelle avec son mari et le laisser tomber comme cela. «Toi, tu pourrais le faire, mais pas moi», a-t-elle ajouté.

En scrutant son sentiment d'impuissance, Denise en conclut qu'Anne projette sur elle l'image d'une «personne froide et calculatrice que rien n'arrête». Par contre, Anne se voit elle-même comme un «ange délicat qui souffre comme il se doit pour que tout marche bien».

La projection d'Anne est profonde et longuement mûrie. Peu importe ce que Denise fait, Anne la voit comme un méchant personnage. Même si Denise lui consacre temps et efforts, Anne n'a pas plus de considération pour elle que si elle avait refusé de l'écouter. Pas étonnant que Denise se sente impuissante.

Au début d'une projection, ce sentiment d'impuissance est fugitif et on court le risque de le réprimer en se disant qu'on est peut-être tout simplement fatigué. Mais ces lueurs d'impuissance, si vous les scrutez, peuvent vous en apprendre beaucoup sur la façon dont l'autre personne vous perçoit.

Les projections partiellement fondées

Il est particulièrement difficile de repérer une projection lorsque la personne voit en vous un trait *bien réel*.

Viviane a beaucoup d'amis et de projets. C'est une femme passionnée et quelque peu exaltée, et elle est plutôt tendue lorsqu'elle rentre chez elle le soir. Bien des gens dépendent d'elle parce qu'elle comprend leurs problèmes, qu'elle peut trouver la bonne personne en cas d'urgence, qu'elle possède des talents d'organisatrice et qu'elle est capable d'établir clairement ses priorités. Toutes ces tâches s'ajoutent à ses multiples responsabilités professionnelles, et il lui arrive souvent de formuler ses soucis aussitôt franchi le seuil de son appartement. Se détendre à la maison n'a jamais été son fort.

On peut comprendre que cette intensité agace Éric, son mari. Celui-ci serait plus heureux si elle était moins disponible pour les autres et qu'elle se concentrait davantage sur lui. Même si elle l'aime et qu'elle lui est fidèle, elle ne lui consacre pas assez de temps en tête-à-tête.

Dernièrement, Éric l'a accusée de le rendre fou, comme si elle le faisait exprès. Il a laissé entendre qu'elle s'éparpillait délibérément parce qu'elle ne s'était jamais engagée envers lui. Il l'a même accusée de songer à le quitter. La nuit précédente, il lui avait crié qu'elle ignorait ce que c'était que d'aimer un homme. Il projette sur elle l'image d'une femme qui «prend les hommes à la légère et les abandonne».

Viviane est stupéfaite d'entendre ces paroles et de voir quelle perception il a d'elle. Elle se demande lequel d'entre eux est vraiment fou. S'obligeant à faire son examen de conscience, elle reconnaît qu'elle l'a tenu à distance en interposant bien d'autres projets entre lui et elle. Il a tout à fait le droit de se plaindre et de se sentir négligé. En fait, elle est même heureuse qu'il éprouve des sentiments aussi intenses. Elle est pleine de repentir car il y a certainement beaucoup de vrai dans les propos d'Éric.

Et pourtant, il n'a pas tout à fait raison. Elle *ne veut pas* le repousser. En outre, il ignore combien elle l'aime et est disposée à changer. Il semble prendre pour acquis qu'elle a toujours été ainsi et qu'elle ne voudra jamais changer. S'il espérait la garder, il aurait pu lui exprimer sa peine lorsqu'il s'est senti abandonné en raison de son comportement à elle. Sa projection tient au fait qu'il *l'accuse* de froideur et de calcul. Même si ses observations sont justes, sa projection, comme *toutes* les projections, est trompeuse puisque Éric a prêté de fausses intentions à sa femme.

Les projections les plus difficiles à affronter sont celles qui se confondent avec la réalité. Il y a du vrai dans ce que perçoit la personne, mais elle amplifie ces «vérités» ou les isole du reste de votre caractère. Plusieurs facettes de votre personnalité lui demeurent étrangères.

AXIOME 11: Une projection fusionnée avec la réalité comporte deux éléments. En premier lieu, la personne vous attribue des motifs qui ne vous appartiennent *pas vraiment*. En second lieu, elle éprouve une impuissance *injustifiée* quant à votre capacité ou votre désir de changer.

Antécédents

Prêter aux autres des intentions qu'ils n'ont pas et ne pas croire à leur capacité ni à leur volonté de changer, voilà deux comportements qui prennent racine dans les antécédents de la personne qui projette.

Les parents d'Éric l'avaient *vraiment* négligé pour s'occuper de son frère aîné, athlète accompli et brillant élève. Lorsque, enfant, Éric cassa son unique paire de lunettes, ses parents tardèrent à les remplacer, de sorte qu'il grandit avec la certitude qu'on ne l'aimait ni ne le chérissait vraiment. Il était prêt à voir en Viviane une de ces personnes qui se fichent des autres et à sauter sur la moindre preuve à cet égard.

Il avait appris très jeune que toute tentative de se faire aimer était vaine et que le jeu n'en valait pas la chandelle. En outre, comme ses parents constituaient ses seules sources d'amour, d'attention, de tendresse, de protection et d'instruction, l'idée qu'ils ne l'avaient pas désiré et ne l'aimaient pas eut des conséquences vraiment désastreuses pour Éric.

En effet, il ne pouvait pas choisir une autre famille et se trouvait donc à la merci d'adultes qui ne le comprenaient pas. Devenu lui-même adulte, toute forme de négligence à son égard suscite en lui un sentiment d'impuissance catastrophique. Lorsque Viviane lui manque d'égards, en répondant au téléphone pendant le dîner, par exemple, cela l'énerve plus que de raison. Il n'arrive pas à imaginer qu'on puisse vouloir changer par amour pour lui et tout signe de négligence à son égard équivaut à une sentence de mort.

Évidemment, certains des signes de négligence identifiés par Éric sont réels, mais la plus grande partie ne le sont pas.

Certaines personnes voient des intentions louables dans les critiques les plus acerbes, parce c'est en critiquant leurs erreurs que leurs parents leur témoignaient leur affection. En vertu de cette projection, elles choisissent des amis, des amoureux même qui les critiquent et les harcèlent, négligeant ceux qui perçoivent leurs meilleurs côtés.

Une femme mariée à un homme doux qui s'emporte à l'occasion peut projeter sur lui la violence physique que lui manifestait son père lorsqu'elle était enfant. Un homme peut projeter des qualités d'élégance et de sociabilité sur une femme qui, à l'instar de sa propre mère, se soucie uniquement de l'opinion des autres.

Toutes les projections découlent du passé, et l'étude de ce passé constitue la meilleure façon de repérer une projection qui a un fond de vrai.

AXIOME 12: Étudiez les antécédents d'une personne si elle semble obsédée par une seule facette de vous-même à l'exclusion de toutes les autres. Il est probable que ce trait appartenait à l'un ou l'autre de ses parents: qu'elle l'ait accepté ou qu'elle en ait été troublée, cet élément a sûrement pris une grande place dans sa vie.

Lorsque vous possédez la preuve d'une projection

Lorsque vous avez la preuve qu'une personne projette une fausse image sur vous, votre première impulsion peut être de ne rien faire et d'attendre votre heure. Vous espérez peut-être que la personne corrigera d'elle-même la perception erronée qu'elle a de vous. Elle ne peut pas faire autrement que d'ouvrir les yeux, pensez-vous.

«Ma mère ne pourra plus me considérer comme une enfant après la naissance de mon bébé.»

«Je dirige le service depuis que mon directeur est tombé malade, et tout baigne dans l'huile. Mon patron sera bien *obligé* de voir que je suis prêt pour le programme de formation en gestion; que je ne suis plus un simple commis.»

Vous aurez peut-être le réflexe d'excuser la conduite de la personne. «Peut-être que son comportement d'aujourd'hui est exceptionnel et que demain il verra que je ne suis pas la bonne à tout faire.»

«L'indifférence de mon amoureux n'est qu'apparente; il est centré sur lui-même parce qu'il convoite cet emploi du tonnerre. Dès qu'il l'aura, il s'intéressera à moi. Le problème disparaîtra de lui-même et je serai heureuse de ne pas avoir fait d'histoires et de ne pas l'avoir accusé de me prendre pour sa boniche.»

Vous pensez peut-être que vous excusez l'autre personne, mais vous esquivez en fait une confrontation et le malaise temporaire que suscite obligatoirement l'affrontement d'une projection. La frontière entre la tolérance et la lâcheté est très mince.

Peu importe votre point de vue, il ne vous suffira pas d'être simplement vous-même. Vous devrez mettre à jour la projection et prendre les mesures nécessaires pour la désamorcer.

Résumé

Les douze indices d'une projection s'accompagnent tous d'un certain malaise. De même que la douleur physique nous avertit que quelque chose ne tourne pas rond dans notre corps, le sentiment de ne pas être «comme il faut», l'impression de déséquilibre que vous éprouvez en compagnie d'une personne peuvent vous indiquer que celle-ci ne vous voit pas du tout comme vous êtes.

Il est essentiel de connaître ces signaux et de résister à toute envie de les rejeter. Vous devez faire preuve de vigilance, surtout lorsque les projections renferment une part de vérité. Rappelez-vous que plus vite vous discernerez une projection, plus il vous sera facile de la dissiper.

Lorsque vous avez la certitude de vous trouver en présence d'une projection, croyez bien que l'autre personne vous *traite* conformément à celle-ci et que chacun de ses comportements contribue à la renforcer, ce qui la persuade du même coup qu'elle a raison.

Il est clair qu'une personne qui vous regarde d'un œil malveillant vous traitera avec malveillance. Toutefois, ce n'est qu'en comprenant le principe de projection que vous découvrirez une vérité plus subtile: si vous amenez cette personne à mieux vous traiter, elle vous verra comme vous voulez qu'elle vous voie.

Dans le prochain chapitre, nous vous présentons le plan que vous devez suivre dès l'instant où vous découvrez que quelqu'un fait une projection sur vous.

4

Comment désamorcer une projection

Le présent chapitre vous présente la stratégie à employer lorsque vous vous rendez compte que vous baissez dans l'estime de quelqu'un.

Si vous êtes de ceux qui détestent la confrontation ouverte, ce ne sera pas facile. En vous opposant à la projection de l'autre personne, vous susciterez sans doute de l'anxiété ou de la colère chez elle et vous en supporterez les conséquences.

Il est bon de se rappeler, toutefois, que vous souffrirez moins si vous prenez le taureau par les cornes. Vivre avec une projection, c'est vivre dans le mensonge. Au mieux, votre relation avec la personne demeurera distante, vous vous sentirez incompris et vous vous verrez comme un imposteur. Au pire, si vous essayez de vous conformer à sa projection, vous vous sentirez étranger à l'autre personne ou à vous-même. Votre appréhension n'est pas autre chose que la crainte de subir un rejet si la personne découvre que vous n'êtes pas ce qu'elle croit.

Si vous aimez la personne ou qu'elle vous est indispensable (c'est le cas d'un patron ou d'un parent difficile), il est clair qu'un affrontement avec elle vous bouleversera. Mais c'est pour une bonne cause. Vous ne pouvez pas manquer votre coup et votre relation s'améliorera. Dans les rares cas où l'autre personne refuserait de mieux vous traiter et de modifier son image de vous, vous saurez au moins à quoi vous en tenir. Vous n'aurez rien perdu puisqu'une relation avec une personne qui refuse de reconnaître ce que vous êtes est sans issue. En outre, l'idée que vous avez tout tenté vous soulagera et vous empêchera de vous taper la tête contre les murs.

Gardez tous ces détails à l'esprit, surtout s'il vous faut vous montrer impitoyable, et rappelez-vous que vous n'avez pas d'autre choix que de vous jeter à l'eau.

N'y allez pas trop fort

Si vous décidez d'intervenir, nous vous conseillons d'employer juste assez de détermination pour amener la personne à modifier son comportement à votre égard, ni plus ni moins. Vous voulez simplement changer les facettes de son comportement qui contribuent à vous rabaisser à ses yeux. Sauf si elle a carrément recours aux insultes, elle ne se doute peut-être même pas qu'elle agit mal. Ses blagues, ses manquements ou sa façon de parler de vous peuvent lui paraître inoffensifs, et elle sera plus que prête à accéder à vos demandes. Afin de vous voir sous un meilleur jour, elle doit modifier son comportement, mais pourquoi provoquer sa colère ou sa peur si ses intentions n'étaient pas mauvaises au départ?

Par contre, si elle refuse de modifier son attitude à votre égard ou «s'oublie» sans cesse, vous devrez cesser de mettre des gants. Peut-être vous suffira-t-il d'exposer votre problème, mais si la personne s'entête même après que vous lui avez clairement expliqué l'importance de la situation à vos yeux, vous devrez peut-être durcir vos positions.

À la limite, il vous faudra peut-être brandir la menace d'une rupture et il est essentiel que vous ne bluffiez pas. Mieux vaut parfois quitter son emploi, rompre ou même divorcer que de se laisser rogner petit à petit.

Mais faites attention: ne dépassez pas le point où vous obtenez une réaction, *quelle qu'elle soit*. Votre but n'est pas d'obtenir une confession signée. À ce stade-ci, vous ne demandez même pas à l'autre de *percevoir* les conséquences de son comportement; vous l'invitez simplement à vous traiter de la manière la plus satisfaisante possible pour vous deux. En vertu du principe de la projection, dès que vous aurez obtenu un traitement équitable, le reste suivra.

AXIOME 13: Lorsque vous tentez d'arrêter une projection, ayez recours à une détermination suffisante pour décourager le

comportement nuisible, ni plus ni moins. Dès que la personne accède à votre demande, *relâchez la pression.*

L'idéal consiste à protéger son image comme une force de police idéale protège une ville, au moyen d'interventions occasionnelles et en général paisibles et discrètes. En affichant une calme détermination, on s'épargne parfois la nécessité de se montrer plus violent dans le futur.

Dans les pages qui suivent, nous vous expliquerons comment stopper une projection en sept étapes. La plupart du temps, vous pourrez vous arrêter à la troisième ou à la quatrième. À l'occasion, si vous laissez une projection aller trop loin avant d'essayer de l'enrayer, vous devrez peut-être aller jusqu'à la cinquième ou à la sixième étape. Au pire, vous devrez les franchir toutes.

Stratégie d'interruption

1. *Déterminer le comportement nuisible*

Ayant remarqué l'un ou plus des douze indices énumérés au chapitre précédent, vous vous êtes rendu compte qu'une personne projetait une image sur vous. Gardez en mémoire ces indices, *ceux-là même qui vous ont fait découvrir la projection au départ*, et demandez-vous quels sont les gestes et les comportements de la personne qui vous font vous sentir ainsi.

Par exemple: «Pourquoi ai-je l'impression que Jean me sous-estime? Il est clair qu'il ne me voit pas comme un vice-président des ventes potentiel.»

Des réponses vous viendront à l'esprit: «Il ne me demande plus mon avis comme avant»; «Il prend des décisions unilatérales et ne m'en parle qu'après». Voici quelques-uns des comportements que Jean doit changer s'il veut réviser l'image d'une personne à laquelle toute promotion est inaccessible. En observant votre relation avec lui, vous noterez d'autres exemples de comportement négatif à votre égard: Jean évite de vous consulter, il vous *sous-estime.* Surveillez ses *omissions* aussi bien que ses actions à votre endroit.

Le malaise que vous éprouvez — le signal d'alarme — devrait vous aider à trouver le comportement qui est à l'origine de ce malaise.

Julie se sent vaguement troublée par un sentiment d'étrangeté, mais elle n'arrive pas à en discerner la cause. La soirée tire à sa fin; la jeune femme vient de donner un somptueux dîner pour son amoureux et deux couples de ses amis qu'elle voyait pour la première fois. Tout le monde s'est amusé et les invités se sont répandus en éloges sur la cuisine et l'appartement de leur hôtesse. Julie était aux anges, parce qu'elle est un vrai cordon-bleu et qu'elle vient de redécorer elle-même son logement. Maintenant qu'elle est seule avec son amoureux, elle se sent déprimée sans raison. Quelque chose la tracasse. Une pensée lui traverse l'esprit: «Il ne sait pas qui je suis.»

Il ne s'est pas vraiment mal comporté pendant la soirée, bien qu'elle ait été un peu blessée de voir qu'il ne se joignait pas aux compliments des invités. «En fait, songe Julie, il a même paru ne pas comprendre qu'ils abordent ce sujet. De plus, il a eu l'air ennuyé lorsqu'ils ont parlé de mon appartement.»

Soudain, elle voit clair.

Revoyant sa journée en pensée, Julie se souvient qu'un commentaire formulé par son ami pendant qu'elle cuisinait l'a agacée: «J'ai hâte de te présenter à mes amis et de leur dire que tu es neurologue. Ils ne sont pas au courant.» Il a fait plusieurs observations de ce type pendant la semaine. Julie est mal à l'aise parce que son ami tient en haute estime sa compétence médicale et le statut social qu'elle lui confère, au détriment des autres facettes de sa personnalité riche et variée, qu'elle espérait dignes d'amour. Désormais, elle sait ce qu'elle doit surveiller et décide d'exposer ce comportement à l'avenir, de mettre fin à l'image de «neurologue prestigieuse» pour mettre l'accent sur celui de «femme à part entière».

Nos réactions sont souvent lentes à venir face à une projection, surtout si nous avons l'habitude de faire semblant d'ignorer les comportements malveillants à notre égard. Si ceux-ci sont en apparence positifs, il peut s'avérer particulièrement difficile de les considérer comme une menace.

Une fois que l'on a découvert l'existence d'une projection et déterminé certaines des actions qui la renforcent, il devient plus facile d'en découvrir d'autres. Mieux on connaît la nature de la projection, plus on sait ce qu'il faut surveiller.

2. *Exposer le comportement critique au grand jour*

La deuxième étape consiste à faire prendre conscience à la personne du comportement qui vous déplaît. Parlez-lui d'un ton léger, mais sans équivoque, comme si vous dirigiez un projecteur sur le comportement destructeur en question.

Cette tâche peut vous paraître facile, mais le plus difficile à ce stade-ci est de s'y borner. Résistez à la tentation de vider votre sac, d'expliquer à la personne combien vous souffrez et combien la personne se montre injuste envers vous. Donnez-lui une chance. Pour des raisons de dignité et d'ordre pratique, restez calme, sinon c'est vous qui vous sentirez fébrile et coupable.

Gérard est directeur de la photographie pour un magazine de décoration intérieure. Dernièrement, son patron lui a demandé de prendre des notes pour lui aux réunions, même lorsqu'il y assiste lui-même. Aux yeux du personnel, Gérard a l'air d'être le secrétaire du patron et cette tâche l'empêche de participer activement aux réunions et de réfléchir. Son patron lui a assigné un rôle subalterne et il prend pour acquis que cela lui est égal. En outre, depuis qu'il a engagé une nouvelle conceptrice ambitieuse, la situation a empiré. Le patron lui soumet des problèmes qu'il exposait autrefois à Gérard. Celui-ci a peut-être supporté cette situation trop longtemps, de sorte qu'il se sent extrêmement blessé et furieux.

Il voudrait bien dire à son patron qu'il mérite beaucoup mieux pour ses trois années de dévouement. Il s'imagine rappelant à son patron qu'il était là lorsqu'il avait besoin de lui, travaillant souvent tard le soir et remettant même ses vacances à plus tard. Il est important toutefois qu'il évite de geindre ou de se plaindre. Comme c'est la première fois qu'il affronte son patron, il doit rester simple et lui donner l'occasion de modifier l'image de «laquais» qu'il projette sur lui.

Mettre un comportement en lumière, c'est simplement le faire voir à l'autre personne. Gérard pourrait dire à son patron: «Henri, tout ce que je fais ces jours-ci, c'est tenir un rôle de scribe. J'ai peine à me concentrer sur les problèmes et à trouver des idées vraiment géniales lorsque je suis tenu à l'écart des réunions. Peut-être que l'un des stagiaires pourrait prendre des notes.»

Dans un autre cas, un employé a sauvé sa relation avec son patron en commentant d'une manière chaleureuse mais ferme le comportement insensible de celui-ci: «Eh bien! Vous n'êtes certainement pas de bonne humeur aujourd'hui!» Ce à quoi son patron répondit: «Ah non? Vous avez raison. Je suis désolé.» À partir de ce moment, il changea son fusil d'épaule et finit par abandonner graduellement l'image de «robot destiné à le servir» qu'il projetait sur son employé. Ce dernier avait contribué à renverser la vapeur en exprimant tout haut sa pensée.

Un autre employé, trop craintif ou trop fâché pour s'exprimer, aurait supporté les mauvais traitements de son patron jusqu'à ce que celui-ci soit convaincu qu'il ne méritait que du mépris à cause de son effacement.

La meilleure façon de mettre en lumière le comportement d'une personne consiste à le lui souligner tout simplement.

Si votre partenaire vous voit comme «son soutien et son thérapeute plutôt que comme son amoureuse», dites-lui: «Chéri, cela fait à peu près dix-neuf questions que tu me poses. Et moi dans tout cela, qu'est-ce que je deviens?»

S'il vous prend pour son «éternelle protégée», vous aurez peut-être l'occasion de lui dire: «D'accord, je n'aurais pas pu faire cela sans toi, mais en revenant sans cesse sur ce point, tu ne m'aides pas à me sentir bien dans ma peau.»

Si votre partenaire ne vous voit pas comme vous êtes, dites-lui: «Mon cœur, parfois tu me parles comme si j'étais à ton service.»

S'il projette sur vous l'image d'une personne «socialement bizarre», dites-lui: «Je ferai de mon mieux pour m'entendre avec tes parents, promis. Inutile de me rappeler à l'ordre toutes les dix minutes.»

Dernièrement, une de mes amies, qui enseigne l'histoire à l'université, a souligné avec beaucoup d'humour le comportement d'un collègue qui l'avait priée onze fois de ne rien dire à propos d'un nouvel emploi qu'on lui avait offert. Ce collègue projetait sur elle l'image d'une «commère».

En fin de compte, elle répliqua: «Je m'isolerai jusqu'à ce que ta nomination soit officielle. Je ne rentrerai même pas chez moi ce soir de peur de parler dans mon sommeil.»

Son collègue saisit l'allusion et rétorqua: «Désolé. Je sais que tu peux garder un secret, mais j'ai les nerfs à vif.»

On passa l'éponge.

3. *Demander à la personne d'arrêter*

Si le simple fait de mentionner le comportement destructeur ne suffit pas, *demandez* à la personne de l'abandonner, en lui en expliquant ou non la raison.

«Mon chéri, je t'en prie, ne me pose plus de questions pour l'instant.»

«Je t'en prie, arrête de me rappeler les différents services que tu m'as rendus. Cela ébranle ma confiance en moi.»

Ici encore, il est important que votre demande soit réduite à sa plus simple expression. Les sarcasmes peuvent inciter la personne à faire le contraire de ce que vous lui demandez.

Évitez de sous-entendre que l'autre personne *veut* vous blesser: «Tu me parles comme à une employée parce que tu veux faire de moi ta secrétaire privée. *Je sais que tu penses que les femmes ne sont bonnes qu'à servir les hommes.*»

Évitez aussi de vous étendre sur la profonde souffrance que vous cause son comportement: «J'ai passé la nuit à réfléchir à ton attitude négative à mon égard. Tu as toujours peur que je commette un impair en présence de tes parents et cela me rend malheureuse.» Même si c'est le cas, ce n'est pas en vous montrant aussi vulnérable que vous redorerez votre blason aux yeux de l'autre personne.

Il n'est pas facile de parler sans rancœur ni apitoiement, mais ces deux attitudes ne font rien pour améliorer les relations. La rancœur éloigne les gens et la pitié s'accompagne souvent de mépris.

4. *Exprimer clairement le comportement désiré*

Vous devrez peut-être décrire en détail le comportement que vous souhaitez que l'autre personne adopte. Il peut vous arriver de demander simplement qu'elle vous traite mieux.

«Chéri, au lieu de me poser des tas de questions sur ce que tu dois faire, ne pouvons-nous pas simplement jouir de notre compagnie mutuelle comme nous le faisions avant?»

«Je t'en prie, traite-moi comme ton égale. Je suis au même niveau que toi puisque nous dirigeons tous deux notre entreprise.»

«Puisque ni toi ni moi ne sommes l'employé de l'autre, cesse de me donner des ordres et partageons les tâches.»

Dans certains cas, vous demanderez peut-être un traitement *différent*, que l'autre personne ne jugera pas meilleur. Par exemple, le mari de Johanne fait preuve d'une trop grande déférence à son égard. En effet, il projette sur sa femme l'image d'une personne «colérique, injuste et accusatrice» qui ne lui ressemble pas du tout. Il lui tient des propos comme: «Je t'en prie, ne te fâche pas, mais je ne vois pas les choses comme toi» ou: «Ne te mets pas en colère, mais j'ai décidé, une fois sur place, d'agir à ma manière».

C'est comme s'il s'attendait à ce qu'elle le batte ou le méprise parce qu'il est différent d'elle. À coup sûr, qu'il en soit conscient ou non, il perçoit sa femme comme une personne avec qui il est impossible de transiger. S'il ne cesse pas de la traiter ainsi, il éprouvera bientôt une forte crainte de lui déplaire, très semblable à celle qu'il ressentait enfant à l'égard de ses parents. Éventuellement, bien que Johanne n'y soit pour rien, la vie avec elle lui paraîtra difficile et tous deux y perdront.

Lorsque Johanne lui demandera de modifier son comportement, elle pourra lui donner quelques explications: «Ne suppose pas que je me fâcherai chaque fois que nous ne sommes pas d'accord sur un point. Ce n'est pas juste pour moi. Je ne suis pas si déraisonnable, tu n'as pas besoin de me parler sur ce ton.»

Encore plus subtils sont les cas où vous demandez à une personne d'abandonner un comportement qu'elle croyait à votre avantage. Elle pourrait croire que vous demandez un traitement *pire*.

Frédéric, qui craint de vieillir, voit sa jeune femme, Sandrine, comme une «déesse facile à contrarier». Il lui offre des présents luxueux, laisse tomber ses amis et écourte ses voyages d'affaires de manière à lui rendre de petits services. Sandrine l'aime profondément et sent leur relation s'effriter en raison de la distance que crée Frédéric entre elle et lui.

Elle a tout intérêt à lui dire qu'elle ne veut pas de ses sacrifices: «Frédéric, inutile de dépenser autant pour moi» ou: «Mon chéri, reste en Californie une journée de plus pour assister à la réunion. Je peux très bien conduire le chien chez le vétérinaire toute seule. Divisons les tâches équitablement».

C'est seulement en l'affrontant et en lui demandant de ne pas se sacrifier sans raison qu'elle arrivera à le rassurer quant à sa crainte d'être abandonné. Lorsque nous laissons une personne s'abaisser pour nous, celle-ci mène une vie misérable et finit par projeter sur nous l'image destructrice de quelqu'un qui cherche à miner ses ressources. Cette projection risque de détruire l'amour ou l'amitié et de conduire l'autre à nous détester et peut-être même à se venger.

Lorsque la personne est bien intentionnée, comme c'est le cas pour Frédéric, expliquez-lui le motif de votre demande en vous servant du principe de la projection. «Je sais que tu fais cela par amour, mais je n'aime pas que tu te sacrifies pour moi. Ce n'est pas nécessaire. En outre, tu entretiens une fausse impression sur mon but dans la vie. Je préfère te voir heureux que de sentir que tu te prives pour moi.»

Imaginez qu'un ami vous cache certains faits parce qu'il vous croit sujet à la panique. Il a été gravement malade et croit que s'il vous parle de sa maladie et des risques qu'il court, vous allez vous affoler.

Expliquez-lui que votre relation grandira seulement s'il se confie à vous et vous considère comme son allié. En lui demandant de vous *faire confiance*, vous détruisez l'image nuisible d'une personne «toujours prête à tomber dans les pommes» qu'il projette sur vous.

5. *Dépasser les résistances de la personne*

Quelle que soit notre diplomatie, les autres ne réagissent pas toujours favorablement à nos demandes de changement. Certaines personnes se hérissent face à tout ce qui ressemble à une critique et, même si votre demande est insignifiante, elles en feront une montagne. Vous devez vous attendre à rencontrer souvent une opposition vive et irrationnelle, même si votre demande est modeste.

En vous familiarisant avec quelques-unes des formes de résistance les plus courantes, vous serez mieux à même de les prévoir et de les affronter. Nous décrirons ici cinq formes de résistance: *sincérité, humour, hypersensibilité, ignorance* et *abattement*.

Considérons d'abord la première forme de résistance, qui veut qu'aucune observation ne puisse être mal venue si elle est fondée. Ainsi, une amie, qui vous perçoit comme un être «paresseux et négligent», fait sans cesse remarquer aux autres que vous aimez dormir, que vous n'êtes pas rapide et que la ponctualité n'est pas votre fort. Elle se croit autorisée à vous malmener en public. Vous demandez à cette «amie» de ne pas parler de vous ainsi, surtout en présence de tiers. À votre grand étonnement, elle réplique: «Pourquoi pas? puisque c'est vrai!»

N'essayez pas de vous justifier, car la véracité de ses remarques n'est pas en cause. Soyez ferme: «Je te demande de ne pas parler ainsi de moi si tu es mon amie. Tes propos me blessent et ils sont inutiles.»

Restez-en là et évitez de vous venger: «Tu es grosse et tes trois derniers amants t'ont quittée parce que tu n'as jamais d'orgasme.» Ne justifiez jamais la tactique déloyale de l'autre personne en l'utilisant à votre tour.

Quiconque clame vos défauts à la ronde sous prétexte qu'il a raison vous en veut manifestement.

Une autre forme de résistance que vous rencontrerez est *l'humour*; elle est souvent sanctionnée par ces paroles: «J'ai dit cela pour rire.»

«Pourquoi te fâches-tu parce que je t'ai traité d'hurluberlu. Je voulais rire, c'est tout.»

«N'entends-tu pas à rire? Tu *sais bien* que tu n'es pas désordonné.»

«Tu *sais* que tu n'es pas une fille facile, alors pourquoi te fâches-tu?»

«N'as-tu donc aucun sens de l'humour? Penses-tu que je te trouve *vraiment* stupide?»

Le farceur fera flèche du moindre de vos doutes concernant votre sens de l'humour et ses aspects connexes: «Peut-être que je ne suis pas assez sociable, je ne sais pas comment on agit dans ces moments-là; je ne suis pas assez décontracté, je suis trop sérieux.» La personne veut vous persuader que vous faites une montagne avec rien; en y réfléchissant bien, vous comprendrez qu'elle ne voulait pas vous blesser. C'est pour cette raison que l'humour est si efficace pour masquer les sentiments: il est normal d'être tendu lorsque les choses se gâtent; en conséquence, on n'a pas tout à fait tort de vous accuser d'être rigide et de perdre votre sens de l'humour. En outre, il est parfois difficile de savoir si on vous taquine ou non.

Toutefois, vous n'avez pas besoin d'avoir des certitudes. Peut-être que vous n'avez pas saisi sa blague lorsqu'il vous a traitée d'hurluberlu ou de fille facile. Si c'est le cas, le farceur, au pire, peut déclarer que vous n'appréciez pas les bonnes blagues dont vous faites l'objet. Et après? Il peut difficilement vous détester pour cela, sauf s'il vous déteste déjà. Vous devez vous résigner à vivre avec l'idée que vous n'avez pas le sens de l'humour. Après tout, c'est son opinion *à lui*.

Supposons que vous demandiez à une personne d'abandonner tel ou tel comportement et qu'elle réplique: «C'était une plaisanterie. N'entends-tu pas à rire?»

Répondez: «Pas cette fois-ci. Je te demande d'arrêter.»

Votre ami insiste: «Allons. Ne sois pas si sérieux.»

«Tu trouves peut-être cela drôle, mais pas moi.»

Certaines personnes se croient réellement drôles alors que d'autres n'avaient même pas l'intention de blaguer. C'est seulement lorsque vous confrontez le farceur qu'il tentera de sauver sa peau en prétendant qu'il plaisantait alors que ce n'était évidemment pas le cas. Il essaiera de vous tenir la dragée haute, mais vous allez devenir agressif (par exemple, en menaçant de vous plaindre à un supérieur s'il ne cesse pas de tourner en dérision votre langage châtié). Alors, il prétendra que vous n'avez pas saisi la plaisanterie.

«Ne monte pas sur tes grands chevaux. Je blaguais, c'est tout. — Oublions cela. Je plaisantais, moi aussi.»

Vous savez tous deux qu'il n'en est rien, et les choses vont peut-être en rester là. Il est peut-être dans votre intérêt de laisser la personne s'en tirer ainsi.

Certes, l'humour est une arme à double tranchant. De même que votre interlocuteur peut enrober ses insultes de sucre candi, vous-même pouvez l'utiliser pour adoucir de véhémentes objections.

Prenons l'exemple suivant. Pendant le congrès sur les ventes, on informe Rita que les représentants commerciaux se réuniront à huis clos le dimanche suivant. Comme elle occupe le poste de directrice artistique, on la convie, avec les autres membres du personnel, à un cocktail prévu pour dix-neuf heures ce dimanche-là. Rita arrive à l'heure dite, mais le directeur des ventes, qui lui fait une chaude concurrence, l'accueille avec cette remarque caustique: «*Nous*, nous travaillons depuis huit heures trente ce matin. Qu'avez-vous fait toute la journée?»

Ce à quoi Rita réplique: «J'ai préparé vos décorations d'employés dévoués.» Tout le monde s'esclaffe, et le directeur des ventes ravale ses sarcasmes.

Voici un autre exemple. Thomas n'est pas très ponctuel. Un jour que son ami François l'a attendu sur le court de tennis pendant ce qui lui paraît une éternité, Thomas arrive et lui demande mine de rien: «Y a-t-il longtemps que tu attends?»

François répond du tac au tac: «J'étais tout petit lorsque je suis arrivé, mais ça m'a donné le temps de grandir.»

De nombreuses personnes se servent de l'humour pour désamorcer un problème potentiel chaque fois qu'elles le peuvent. Elles ne se croient pas tenues d'humilier les autres pour parvenir à leurs fins.

En troisième lieu, on pourrait également vous traiter d'hypersensible. «Tu es susceptible», «Tu prends tout au sérieux», «Tu t'en fais pour rien». Voilà des commentaires typiques visant à vous désarmer en rejetant le blâme sur vous. Ainsi, vous connaissez une personne qui parle sans cesse d'elle-même, mais qui raccroche dès que vous commencez à parler de votre vie à vous. Vous supportez ce traitement depuis longtemps, mais en agissant ainsi, vous aurez simplement convaincu cette personne que vous ne possédez aucun sentiment ni besoins propres. Vous avez renforcé l'image de «ligne d'écoute» qu'elle projette sur vous.

Finalement, lorsque vous lui mettez son comportement sous le nez, elle se fâche et se demande quelle mouche vous a piqué tout à coup comme si c'était vous qui étiez en tort.

En fait votre amie vous dit: «Je refuse de faire face à tes soucis ou même d'en entendre parler.» Si elle peut se persuader, et *vous* persuader, que c'est *votre* problème, alors toute objection est inutile. Si vous vous laissez faire, votre amie vous marchera sur les pieds. Vous avez perdu non seulement votre droit de vous plaindre de son comportement, mais aussi celui de vous objecter à toute action future.

Supposons qu'une personne projette depuis peu sur vous l'image de personne «hypersensible» et «soupe au lait». Bien sûr, vous n'avez encore aucune certitude sur cette projection, parce que si d'autres comportements vous blessent chez elle, il est normal que vous ayez les nerfs en boule et que vous vous hérissiez sans raison.

Même si vous êtes vraiment hypersensible, si la personne vous estime, elle doit tenir compte de votre malaise. Nous essayons tous, dans la mesure du possible, de ménager la susceptibilité des autres, et il en coûtera peu à cette personne d'accéder à votre demande.

Évitez de mettre de l'eau dans votre vin en réaction à l'épithète «hypersensible». Ne vous laissez pas fléchir pour prouver que vous êtes un chic type ou une brave fille. Ne renoncez pas sous prétexte que vous avez du ressort et que le comportement de cette personne ne vous dérange pas tant que cela. Vous ne gagnerez pas sa faveur en faisant preuve de stoïcisme. Sachez que la sensibilité n'est pas un signe de faiblesse et n'abandonnez pas la partie parce qu'on a réussi à vous déconcerter.

Rappelez-vous que la vraie force réside justement dans la sensibilité. De même qu'un peintre ne pourrait créer une œuvre d'art s'il n'était pas sensible aux couleurs vives comme aux tons plus subtils, n'espérez pas demeurer insensible au mépris ou aux malentendus à votre sujet. Il ne s'agit pas de se plaindre sans arrêt, mais bien de garder les yeux ouverts et de parler lorsqu'on le juge bon.

Si l'on vous traite d'hypersensible, répondez: «C'est vrai. Bas les pattes!» ou au moins: «Ça, c'est *ton* opinion. En attendant, ne recommence pas, je t'en prie».

Soit dit en passant, un certain nombre de personnages shakespeariens tiraient une grande fierté de leur sensibilité, qu'ils considéraient même comme une vertu. Viola, l'héroïne de *La Nuit des rois*, prévient son entourage qu'elle est «extrêmement sensible au moindre geste blessant». On retrouve les mêmes sentiments dans *Othello*: «Tu n'as pas pour faire le mal la moitié de la force que j'ai pour le souffrir.» Et lorsque MacDuff exprime sa souffrance à Macbeth, celui-ci lui répond: «Raisonnez la chose comme un homme»; ce à quoi MacDuff rétorque: «Oui! mais il faut bien aussi que je la sente en homme».

Nous avons tous développé une attitude personnelle sur notre droit à être sensible au blâme, à le ressentir et à en parler. Ceux et celles d'entre nous que leurs parents ont aimés et dont les sentiments étaient respectés sont sans doute plus proches de leurs sentiments. Curieusement, les enfants complètement laissés à eux-mêmes sont également à l'écoute de leurs sentiments, car lorsque personne n'est là pour nous écouter, il n'y a personne non plus pour nous interdire de ressentir quoi que ce soit. Qu'on ait eu une enfance privilégiée ou difficile, on ne se laisse pas facilement manipuler par l'épithète d'hypersensible.

Mais il existe un certain contexte familial où l'enfant prend l'habitude de se couper de ses sentiments; devenu adulte, il doute de ceux-ci ou de son *droit* d'être froissé lorsqu'on cherche à le blesser. Comme elles ont tendance à douter de leur intuition, ces personnes sont les victimes idéales de bon nombre de projections indésirables.

Ce sont les familles qui exigent de l'enfant qu'il fonctionne, qu'il progresse, qu'il se comporte correctement, mais sans se faire remarquer, qui engendrent ce type de personne. Les parents veulent que leur enfant se sente aimé tout en se tenant coi.

En conséquence, l'enfant apprend que tout ce qui est superficiel est sans danger. Ainsi, s'il demande à sa mère si elle l'aime, celle-ci répond pour la forme: «Bien sûr que oui»; sous-entendu: «Ne me dérange pas et ne sois pas si sensible».

Ces parents n'accordent aucune valeur à la vie intérieure; essayer de sonder celle-ci, c'est exposer la véritable négligence qui caractérise ce milieu. L'enfant grandit comme une fourmi, en développant une responsabilité beaucoup plus forte à l'égard de la colonie qu'à l'égard de son propre bonheur; tout baigne dans l'huile en apparence et l'enfant se croit heureux, mais il éprouve le vague sentiment que rien ne marche. Si elle laisse libre cours à sa sensibilité, la personne issue d'un tel milieu a l'impression de jouer avec le feu.

Les enfants qui ont eu ce type de parents — ils se comptent par millions — grandissent avec la peur d'être «sensibles». Si vous êtes parmi ceux-là, vous devez apprendre que c'est votre droit fondamental de sentir et d'exprimer vos besoins et que vous devez user de ce droit si vous voulez exercer quelque influence sur les projections des autres à votre endroit.

Vous pouvez vous heurter à deux autres formes courantes de résistance: l'*ignorance* et l'*abattement*.

Dans le premier cas, la personne feint l'étonnement: «Je n'avais pas du tout l'intention de te blesser!» C'est peut-être vrai, et si elle arrête son manège maintenant qu'elle est au courant, alors vous pouvez la croire et en rester là.

Une forme plus primitive d'ignorance volontaire est illustrée par l'affirmation suivante: «J'agis ainsi avec tout le monde.» Il est évident que ces paroles ne justifient rien du tout. Inutile d'insister sur le fait que ce traitement ne devrait être infligé à *personne*. Il n'y a qu'une seule façon de répondre à cette affirmation: «Pas avec moi.»

Dans le second cas, l'abattement, la personne qui semblait tout à fait indifférente à vos sentiments, ou du moins inconsciente de ceux-ci, est frappée de stupeur et s'effondre presque lorsque vous lui demandez de modifier légèrement son comportement. Certains parents agissent ainsi avec leurs enfants: «Tu me feras mourir» ou: «Tu ne m'aimes plus».

Tenez bon. Le tyran fragile ne mérite pas plus de tolérance que l'agressif.

Certaines personnes auront recours à toute la gamme des moyens de résistance si vous les confrontez. Ainsi, elles se justifient d'abord par l'ignorance; puis, si vous les pressez en leur rappelant des détails, elles vous accusent de n'avoir aucun sens de l'humour. Si vous dites que vous n'avez pas prisé leur blague, elles doutent de votre sens de l'humour ou vous taxent d'hypersensibilité; enfin, lorsqu'elles voient que vous restez sur vos positions, elles s'effondrent ou se fâchent.

En passant ainsi d'une attitude à l'autre sans prendre le temps d'examiner leur comportement, ces personnes prouvent qu'elles sont conscientes de leur faute et n'aiment pas être exposées. Il serait bien plus facile pour elles de réviser leur comportement et d'y mettre un terme!

Si vous finissez par avoir le dessus et par les amener à changer, non seulement ces personnes cessent de projeter une image indésirable sur vous, mais elles oublient leurs accusations. Par exemple, si une femme fait l'objet de «taquineries» abusives au travail et qu'elle se plaint parce qu'elle se sent dépréciée, ses employeurs la jugeront susceptible de prime abord. Toutefois, dès qu'ils auront cessé leurs taquineries, ils ne la verront plus comme une personne inférieure et chatouilleuse, mais bien comme un être digne du respect qu'elle exige.

Une forte résistance découle presque toujours d'un besoin personnel profond. Prenez l'exemple suivant. Roseline prie poliment sa mère de cesser de lui faire des remarques désobligeantes parce qu'elle a quitté un emploi stable pour en prendre un plus risqué, mais plus prometteur. Sa mère la traite d'«irresponsable».

«Je t'en prie, cesse de dire cela, supplie Roseline. — C'est évident que tu l'es», de répondre sa mère.

Dans ce cas-ci, la mère ne se sent pas comblée et elle regrette de ne jamais avoir couru de risques dans sa vie et de ne pas s'être taillé une place dans le monde professionnel. Le succès de sa fille a ouvert les vannes de ses doutes et, en lui disant qu'elle est «irresponsable et opportuniste», elle évite d'affronter son propre échec dans la vie.

En conséquence, bien que Roseline n'en soit pas consciente, sa simple demande exige en fait de sa mère qu'elle abandonne la rationalisation qu'elle a utilisée toute sa vie pour justifier le fait qu'elle n'a pas exploité son propre potentiel. Tant que la mère peut condamner sa propre fille, elle peut continuer de croire que toute personne qui réussit ne peut être qu'opportuniste et déloyale, ce qui explique en retour (ou plus précisément, semble expliquer) son propre échec.

Il est rare que la victime d'une projection injuste saisisse le facteur qui rend un comportement si difficile à modifier: le fait qu'il soit aussi crucial à l'équilibre psychologique de l'autre personne. Ces projections offrent la résistance la plus tenace et, souvent, il faut recourir aux mesures les plus extrêmes pour les démanteler.

6. Escalade: créer une crise

Vous avez épuisé toutes vos munitions et il ne vous reste que votre batterie lourde. L'autre personne *insiste* pour vous assigner un certain rôle en dépit de vos objections, mais vous refusez carrément de jouer ce rôle. Votre relation ne survivra peut-être pas à cette confrontation, mais si, pour la préserver, il vous faut jouer un rôle qui ne vous convient pas, elle ne vaut pas la peine d'être sauvée de toute façon. Vous n'avez donc rien à perdre.

Susciter une crise est une façon radicale d'attirer l'attention sur la différence entre l'image qu'on a de vous et la personne que vous êtes vraiment. Vous espériez peut-être éviter cette méthode qui ne doit servir que lorsque toutes les autres ont échoué. Ou l'autre personne ne vous écoute pas, ou elle vous entend mais juge votre demande insignifiante ou injustifiée.

Quoi qu'il en soit, vous baissez rapidement dans son estime. Susciter une crise constitue votre dernier espoir de lui faire entendre raison.

Ainsi, le fils de Camille et sa femme jugent que Camille n'a aucune vie propre, qu'elle est vieille et qu'elle n'existe que pour les servir. Bien sûr, ils éprouvent d'autres sentiments pour elle, mais depuis qu'ils ont des enfants, ils projettent sur Camille l'image d'une personne «dont la vie n'a plus aucune signification».

Leur attitude méprisante à son égard est très bien illustrée par la façon dont ils la traitent, c'est-à-dire comme si elle était une gardienne. Au début, ils considéraient qu'elle leur rendait service, de sorte qu'ils l'avisaient longtemps d'avance et la remerciaient chaleureusement pour son aide. Petit à petit, toutefois, la situation s'est détériorée et ils ont commencé à l'appeler à la dernière minute, même s'ils avaient projeté de sortir depuis longtemps. Puis ils n'ont même plus pris la peine de la remercier. Chacun de ces témoignages d'indifférence renforce leur sentiment que Camille n'a aucune vie propre et qu'elle leur est dévouée. Plus ils en sont convaincus, plus ils la méprisent et abusent de sa gentillesse.

Elle a beau protester, affirmer qu'elle est occupée, demander pourquoi ils ne l'ont pas avertie d'avance, ses paroles tombent dans l'oreille de sourds. Ses enfants affirment même avec suffisance que ses visites à ses petits-enfants représentent les plus beaux instants de sa vie. Comme cela est en partie vrai, Camille se sent coincée. Elle craint en outre qu'à force de voir comment leurs parents la traitent, ses petits-enfants en viennent eux-mêmes à la juger comme une personne de second ordre.

Il est temps de susciter une crise, non pas une crise majeure, mais un vrai malaise dans la vie de ses enfants. N'oubliez pas que lorsqu'une personne ne vous traite pas correctement, ses comportements renforcent sa projection; c'est pourquoi vous *devez* combattre ceux-ci.

Calmement, Camille tire des plans pour le vendredi suivant, alors qu'elle s'attend à ce qu'on lui demande à la dernière minute d'aller garder ses petits-enfants. Lorsque sa belle-fille l'appelle, elle répond: «Désolée, Virginie, mais je ne suis pas libre... Bien sûr que j'aimerais parler à Jérôme... Bonjour, Jérôme, comment vas-tu? J'ai vu la magnifique annonce que ta compagnie a publiée dans le journal d'hier. Oui, les enfants grandissent. Comment Brigitte s'est-elle comportée à la maternelle? Raconte... N'est-ce pas merveilleux!... Ce soir?... Non, je ne peux pas, désolée, mais je ne le savais pas. J'ai prévu une sortie... Non, Jérôme, je ne peux pas me décommander. Au revoir.»

Cette fois, Camille n'a pas besoin d'ajouter: «Vous auriez dû m'avertir plus tôt.» Cette observation s'imposait dans le passé lorsqu'elle annulait ses projets et laissait tomber ses amis afin de conserver la faveur de ses propres enfants — de crainte qu'ils ne la rejettent totalement en cas de refus. Mais maintenant, il est clair comme de l'eau de roche que si ses enfants l'avaient avertie d'avance, Camille aurait été disponible.

Voilà comment on suscite une crise: en créant une situation qui met l'*autre personne* sur la sellette. Vous devrez peut-être le faire plusieurs fois pour qu'elle vous traite mieux et qu'elle modifie du même coup sa perception à votre égard. Car ce n'est pas seulement son comportement qui agira sur celle-ci, mais aussi *sa nouvelle attitude à votre égard*. Dans l'exemple ci-dessus, le fils de Camille, en traitant mieux sa mère, recommencera à l'apprécier à sa juste valeur.

En créant une crise chez l'autre personne et en l'amenant à modifier son image de vous, vous risquez d'en traverser une, vous aussi. Il se peut que vous vous demandiez, pendant un certain temps, si vous valez la contrariété que vous causez à l'autre personne, si celle-ci — dans le cas de Camille, son fils — vous aime assez pour vous pardonner les désagréments dont elle pourrait vous croire responsable.

Toutes ces pensées vous traverseront l'esprit. Bien sûr, lorsqu'on modifie son modèle de comportement aussi tard dans une relation, on surprend les autres, qui risquent alors de mal le prendre. Jérôme pourrait insister, se plaindre, peut-être même accuser sa mère de saboter son week-end, mais s'il y est obligé, il sera assez ingénieux pour résoudre ses problèmes d'une autre façon. Il est clair que sa mère a le droit de faire des projets, elle aussi.

Même les personnes les plus égoïstes s'inclinent devant les réalités les plus dures, qui leur causent souvent des affronts encore pires qu'un refus. Jérôme serait bien obligé de rester à la maison si l'électricité manquait ou si sa femme était subitement atteinte d'une forte migraine. En outre, il devra affronter des échecs encore plus graves, comme les pertes inhérentes à la vie elle-même, la vieillesse et la décrépitude. Libre à lui d'y faire face la tête haute ou non. De toute façon, il pardonnera sûrement à sa mère d'avoir projeté une sortie le vendredi soir, sauf s'il décide de la punir en lui en gardant rigueur.

On crée une crise lorsqu'on reconnaît les attentes inadéquates d'une personne envers soi et qu'on décide de ne plus s'y soumettre. Dans le passé, en vous comportant ainsi, vous avez involontairement contribué à renforcer sa projection. Dernièrement, vous avez demandé à la personne en question de renoncer à ses attentes en plaidant votre cas du mieux que vous pouviez, mais sans résultat. Maintenant, votre décision est prise et ses fondements sont irréprochables. Cela est important si vous voulez que l'autre personne vous prenne au sérieux et admette ses torts.

En outre, il importe, pendant l'inévitable période de doute que vous traverserez, que vous sachiez que votre position est juste. Évitez donc de choisir un moment crucial dans la vie de la personne pour briser ses modèles de comportement. Supposons qu'un de vos collègues, vous jugeant facile à manipuler, répond aux questions qu'on vous pose et vous dicte vos paroles. Si vous avez accepté tout cela jusqu'à présent, il serait injuste que vous choisissiez un moment critique de sa carrière pour le déséquilibrer. Vous ne voulez que vous faire entendre et cesser d'être complice de sa projection; vous ne souhaitez pas vous venger, mais clarifier ce que vous êtes. Ici encore, contentez-vous de franchir cette étape; évitez les accusations et les récriminations, vous finirez bien par avoir le dernier mot.

7. Transformer ou terminer une relation

En fin de compte, si tout le reste échoue, il vous faudra peut-être brandir le spectre de la rupture ou du moins d'une transformation radicale de votre relation. En fait, *l'autre personne* y met elle-même fin en refusant de vous écouter.

Une personne peut vous apprécier, vous aimer même, mais vous percevoir et vous traiter d'une manière tout à fait intolérable. Vous devrez peut-être l'aviser que si elle ne change pas d'attitude envers vous, votre relation risque de se transformer jusqu'à la rupture même.

Certes, si cette personne est proche de vous, il s'agit là d'un recours extrême. On désavoue rarement un parent, un fils ou une fille simplement parce qu'ils projettent sur nous une fausse image. Mais même alors, si la personne vous fait un tort extrême et que vous êtes incapable de modifier sa perception, vous devrez peut-être aller jusque-là. Idéalement, vous conserverez une certaine ouverture au cas où la personne finirait par entendre raison.

Malheureusement, il nous est tous arrivé de devoir mettre un terme à une relation chère à notre cœur simplement parce que nous avions perdu l'estime de l'autre personne.

Dans la plupart des cas, toutefois, cette étape extrême vous sera épargnée si vous agissez d'une manière rapide et déterminée.

Comment la consonance joue en votre faveur

L'un des avantages incroyables du principe de la projection tient au fait que lorsque vous contrariez certains comportements nuisibles et que vous forcez l'autre personne à reconsidérer son attitude envers vous, *celle-ci améliore d'elle-même le traitement qu'elle vous inflige.* Ainsi, elle ajoutera de son propre gré, et parfois à votre insu, des gestes de son cru au nouveau traitement que vous exigez. Elle ne renforcera pas sa fausse perception de vous, mais la bonne.

AXIOME 14: **En vertu du principe de la consonance, lorsqu'une personne améliore *certains* comportements à votre égard sur votre demande, elle modifie, *de son propre gré,* d'autres comportements afin de les rendre cohérents avec les améliorations déjà apportées. Elle agit conformément à la nouvelle image positive qu'elle a de vous.**

Résumé

Vous disposez maintenant d'une méthode en sept étapes destinée à éliminer les projections nuisibles ou fatales pour vos relations. N'oubliez pas qu'il vaut mieux franchir le moins d'étapes possible. Dès que vous obtenez le traitement désiré, *arrêtez-vous*. Vous ne cherchez pas à défouler votre colère, à vous venger ni à analyser l'autre personne, mais bien à obtenir un meilleur traitement afin d'être perçu comme vous le méritez.

Faites preuve de délicatesse; intervenez même lorsqu'il s'agit de problèmes mineurs, à condition que cette intervention soit brève. À l'insu de tous, vous aurez empêché une foule d'attitudes négatives à votre égard de détruire votre relation en remettant simplement un petit caillou à la bonne place avant qu'il ne soit trop tard.

Dans certains cas, il vous faudra décrire le «meilleur» traitement ou le «pire» traitement en apparence que vous souhaitez. Vous serez peut-être tenté de vous justifier, surtout si la personne est proche de vous. Souvent, vous vous heurterez à l'une ou plus des cinq formes de résistance: *sincérité, humour, hypersensibilité, ignorance* ou *abattement*.

Dans les cas extrêmes, la personne ne changera simplement pas. Peut-être votre demande touche-t-elle une corde sensible — un besoin psychologique profond — chez la personne, qui deviendra alors irrationnelle. Vous devrez peut-être susciter une crise afin d'obtenir son attention et si cela ne suffit pas, lui poser un ultimatum ou même envisager de suspendre votre relation ou de rompre.

Toutefois, ces mesures extrêmes sont rarement nécessaires. Si vous amenez la personne à améliorer son attitude envers vous, ne serait-ce qu'un tout petit peu, son sens inné de l'harmonie la poussera à persévérer et à vous voir comme vous le souhaitez.

5

Comment faire pour que les autres vous voient sous votre meilleur jour

Dans une pièce de théâtre écrite au XIXe siècle et intitulée *Le voyage de Monsieur Perrichon*, deux jeunes hommes sont amoureux de la même femme, Henriette. Ils doivent donc se battre, comme le veut la coutume de l'époque, pour obtenir non pas l'amour d'Henriette, mais la permission de l'épouser. Or, Monsieur Perrichon, son père, est un bourgeois imbu de lui-même, un parvenu qui passe sa vie à essayer de paraître cultivé.

Au début de la pièce, les deux jeunes hommes, Daniel et Armand, se rencontrent par hasard dans une gare ferroviaire. Ils ont découvert, chacun de leur côté, que Monsieur Perrichon doit prendre le train avec sa femme et sa fille pour se rendre dans une station de ski. Ils ont donc fait en sorte de prendre le train vers la même destination afin de gagner la faveur de Monsieur Perrichon.

Comme c'est le cas de tous les concurrents sérieux, la similarité de leur objectif unit Daniel et Armand dans une sorte de camaraderie et ils se révèlent volontiers leurs stratégies, qui sont diamétralement opposées. Armand compte se mettre à la disposition de Monsieur Perrichon, il veut combler ses désirs, se couper en quatre pour gagner son estime et son amitié. Pour sa part, Daniel a l'intention de feindre la pauvreté et d'amener Monsieur Perrichon à *lui rendre de petits services*.

La stratégie de Daniel lui donne l'avantage sur son concurrent. En effet, plus Monsieur Perrichon se montre serviable, plus il savoure son pouvoir et se sent valorisé en présence du rusé jeune homme. Avec brio, Daniel s'invente des besoins que Monsieur Perrichon peut satisfaire, et plus ce dernier se dévoue pour Daniel, plus il l'apprécie.

La partie est presque gagnée, et Daniel conçoit un projet des plus élaborés pour assener le coup de grâce à son futur beau-père. Ce projet dénote une compréhension machiavélique de la nature humaine. Monsieur Perrichon, qui peut à peine se tenir sur des skis malgré les leçons qu'il a prises, n'en a pas moins prévu de descendre le mont Blanc. Daniel se place bien en vue sur la piste, visiblement coincé dans une crevasse et voué à une mort certaine à moins que le noble Monsieur Perrichon ne vienne à son secours.

Son plan réussit. Monsieur Perrichon le tire de sa fâcheuse posture et, devenu un héros, accorde immédiatement à Daniel la main de sa fille. Comment pourrait-il résister à la tentation d'accueillir dans sa famille un témoin à vie de son courage? Hélas, par un revers de fortune, il entend Daniel se vanter de son plan génial. Il change alors d'idée, faisant en sorte que son auditoire s'imagine qu'il a accordé la main d'Henriette au «meilleur» homme. Mais le dernier acte triomphal dans lequel Armand semble l'emporter sur Daniel se termine finalement sur un coup de théâtre. C'est à nous de découvrir le message que véhicule cette pièce.

Cette pièce de Eugène Labiche, auteur de plus d'une centaine de comédies et de farces, est considérée comme sa meilleure. Elle fit fureur en 1860.

Eugène Labiche était un fin psychologue et sa pièce repose sur une vérité fondamentale: *Les autres nous estiment et projettent des qualités sur nous en fonction du traitement qu'ils nous infligent. Pour être vu sous notre meilleur jour, il ne suffit pas de le mériter, mais il faut aussi encourager les autres à nous traiter d'une manière qui les fera s'aimer eux-mêmes.*

Eugène Labiche croyait que le public n'accepterait pas la victoire de Daniel, dont le plan équivalait à une tricherie si on la comparait à la méthode plus directe d'Armand. Mais celle-ci n'était pas beaucoup plus noble, puisque le but d'Armand, en servant Monsieur Perrichon, était d'en faire son *obligé*, ou pire encore, de lui acheter sa fille. En fait, aucune des deux stratégies n'était honnête ni directe. Le seul crime de Daniel tenait au fait que son plan trahissait une meilleure compréhension de la nature humaine. Il était plus profondément enraciné dans les forces qui motivent vraiment les décisions et les actes des êtres humains et, pour cette raison, plus irrésistible.

Amener les autres à s'épanouir en notre présence

AXIOME 15: **Les autres doivent se sentir valorisés en notre présence afin de nous voir à la longue sous un jour favorable.**

On peut impressionner les autres avec une liste interminable de qualités souhaitables, mais c'est la façon dont ils se sentent en notre compagnie qui décidera s'ils veulent ou non notre présence dans leur vie.

Il vous est sans doute déjà arrivé de sortir avec une personne qui semblait gâtée par la vie. Homme ou femme, cette personne était charmante, intelligente, riche et entourée d'une aura d'excellence. Au début, vous étiez dans tous vos états. Il vous semblait que les foules s'écarteraient pour laisser passer cette personne et que, si vous aviez la chance de l'accompagner, vous subiriez le même sort. Le premier soir, vous vous êtes senti indigne, tremblant à l'idée qu'elle ne veuille pas vous revoir. Vous avez sauté de joie lorsqu'une deuxième sortie a été décidée, vous efforçant de perdre votre trac. À la troisième sortie, les choses ont encore empiré. Vous aviez l'impression de ne pas porter les vêtements qu'il fallait, vos amis vous paraissaient médiocres; ils nuisaient à votre image; vous auriez aimé avoir voyagé davantage afin de paraître plus cultivé. Peut-être avez-vous fait l'amour avec cette personne afin de combler l'écart entre vous, mais vous étiez gauche et pas vraiment à la hauteur. À la sixième rencontre, vous vous êtes rendu compte que vous étiez toujours mal à l'aise. Peu importe ce qu'*elle* était; *vous*, vous ne vous sentiez pas bien en sa compagnie et vous ne vous aimiez pas.

«Pourquoi? Qu'est-ce que je fais de mal?» vous disiez-vous. Rien, sans doute. Mais vous vous rendiez compte qu'elle ne vous encourageait jamais à vous raconter. Vous aviez vaguement l'impression que vous n'étiez pas son type, qu'elle ne faisait que s'accommoder de ce que vous étiez. Courageusement, vous avez décidé de rompre. Vous ne vous aimiez pas en sa présence.

Il est préférable que vous fréquentiez une personne moins attirante ou accomplie, mais avec laquelle vous vous sentez bien dans votre peau. Certaines personnes s'emploient de tout leur cœur à devenir la partenaire parfaite, sans se demander un instant si les autres s'aiment en leur présence. Elles ont peu d'amis.

De votre côté, demandez-vous si les autres s'estiment lorsqu'ils sont avec vous. Falstaff, qui clamait qu'il n'était pas seulement spirituel, mais qu'il suscitait des mots d'esprit chez les autres, est l'un des personnages les plus touchants de Shakespeare et apparemment l'un des préférés de la reine Elizabeth.

Ce n'est pas sans raison que Falstaff fut pendant longtemps le meilleur ami du prince qui devait devenir le roi Henri V: l'une des qualités idéales de l'amitié est celle qui consiste à faire ressortir ce qu'il y a de meilleur chez les autres. La personne qui s'aime lorsqu'elle est en votre présence vous tiendra en très haute estime. Sans en connaître au juste la raison, elle accordera une promotion à vous plutôt qu'à un autre collègue, vous invitera à son chalet pour le week-end ou vous demandera de l'épouser.

L'art de se faire une réputation, d'être aimé et apprécié, implique la capacité de permettre aux autres de se montrer sous leur meilleur jour en notre présence. *L'histoire de Daniel et d'Armand nous montre l'une des meilleures façons de le faire: amener l'autre à nous rendre service!*

AXIOME 16: Il est essentiel de laisser les autres *nous rendre service* si nous voulons qu'ils nous estiment.

Nombre d'entre nous oublient ce principe et rendent mille et un services aux autres sans leur donner la chance de leur rendre la pareille. En favorisant ce déséquilibre, nous freinons involontairement la croissance de leur aptitude à nous aimer.

Ce qui compte, c'est d'avoir la force de se montrer vulnérable. Il y a des moments où l'on a besoin d'aide ou d'une oreille attentive. On se dit que l'on ne veut pas ennuyer l'autre, faire preuve de présomption ou d'incompétence, ni faire pitié. Toutefois, il ne s'agit pas uniquement d'obtenir une aide dont nous avons grandement besoin, mais également d'encourager les autres à contribuer à notre bien-être. Chacun de leurs gestes à notre égard les convaincra que nous comptons à leurs yeux et que nous sommes dignes d'estime, tout en envoyant constamment des messages à leur subconscient.

En tant que parents, mais aussi en tant qu'amoureux et amis, nous devons laisser les autres nous gâter et exprimer le meilleur d'eux-mêmes afin d'encourager les projections positives. C'est en grande partie en nous rendant service que les autres se convainquent que nous avons de la valeur à leurs yeux.

En conséquence, nous ne devrions jamais intervenir lorsqu'une personne a pris la saine habitude d'accomplir certains gestes pour exprimer l'amour et l'appréciation qu'elle nous porte.

AXIOME 17: N'empêchez pas les autres de vous gâter car, en agissant ainsi, ils développent et entretiennent des sentiments positifs à votre égard.

Il ne s'agit pas de profiter des autres ni de les encourager à faire des sacrifices insensés, mais vous *devriez* accepter leur aide lorsqu'elle est raisonnable et accordée librement.

Benoît, qui n'est pas très beau, doute que France, une jolie danseuse, l'aime pour ce qu'il est. Aussi, afin d'aviver son intérêt, il la gâte d'une manière qui détruit toute possibilité de relation saine. Une semaine, il emmène la jeune femme dans un somptueux restaurant, puis à l'opéra. La semaine suivante, le couple dîne à bord d'un bateau au son d'un orchestre de jazz. De retour d'un voyage d'affaires, il l'invite à un fabuleux encan d'œuvres d'art. France commence à se sentir dépassée.

Elle décide que la prochaine fois, c'est elle qui fera quelque chose pour Benoît. Elle ne gagne pas beaucoup d'argent, mais elle cuisine à merveille. Elle lui propose donc de lui faire à dîner chez elle.

Mais Benoît, qui craint que France ne l'aime pas s'il se laisse trop gâter, hésite. Il ne refuse pas carrément, mais lui offre un magnifique bouquet de fleurs et du champagne. Le repas terminé, il l'invite à prendre un digestif dans un petit bistrot qu'il connaît bien. En agissant ainsi, il diminue l'effet de sa soirée, ôtant à France la chance de le gâter et dépréciant sa générosité.

France accepte l'invitation de Benoît avant de se rendre compte qu'il a rabaissé sa contribution au plaisir de la soirée. En s'improvisant principale architecte d'une merveilleuse soirée organisée en son honneur, elle aurait pu contribuer à équilibrer leur relation; en outre, en acceptant son offre, Benoît aurait attiré l'amour de France. Mais il a raté sa chance.

La semaine suivante, lorsque France refuse son invitation à sortir, Benoît est ébahi. Il la juge ingrate, mais demeure persuadé qu'il n'est pas assez beau pour elle.

Le mois suivant, il apprend qu'elle fréquente un homme assez pauvre et qu'elle partage avec lui le coût de leurs vacances. Il en conclut que France ne sait pas ce qu'elle veut. Il ne comprend pas que France, en *donnant* à cet homme, projette sur lui bien des caractéristiques souhaitables: bienveillance, similitude avec elle-même et même vulnérabilité. Elle s'attribue désormais une importance qu'elle n'avait pas avec Benoît, qui la dominait toujours.

Refuser, à l'instar de Benoît, ce qu'une personne veut nous donner, n'est pas la seule façon de nuire à l'image que cette personne a de nous. Dans l'exemple suivant, la personne accepte ce qu'on lui offre, mais *sans comprendre* la liberté d'esprit qui accompagne le don. En conséquence, elle détruit une relation intéressante.

Monique, qui dirige sa propre agence de publicité, est en bons termes avec son secrétaire, Roger. Elle lui a accordé certaines faveurs, par exemple en lui prêtant de l'argent et en offrant un emploi temporaire à son beau-frère.

Celui-ci apprécie vraiment sa gentillesse, mais il l'aime aussi parce qu'elle lui a permis de contribuer à son bien-être et à l'évolution de son entreprise. En ne mesurant pas ses efforts, Roger a nourri son propre dévouement envers Monique, ainsi que l'image d'une personne «digne du meilleur de lui-même» qu'il a d'elle.

Puis, le vent tourne. Nous sommes vendredi et Roger doit partir le lendemain soir pour les Antilles où il compte passer deux semaines. Toutefois, un travail urgent se présente le samedi et les deux commis sont malades. Roger offre à Monique de l'aider, alléguant qu'il pourra toujours prendre l'avion suivant.

En temps normal, Monique aurait accepté son aide avec gratitude, même s'il était entendu qu'elle ne pouvait pas rémunérer ses heures supplémentaires. Or, comme l'agence fait des affaires d'or depuis peu, Monique offre de le payer.

«Je te remercie, Monique, mais ce n'est vraiment pas nécessaire, répond Roger. Tu as déjà fait beaucoup pour moi.»

Monique insiste et Roger prend l'argent, mais à contrecœur. Lorsqu'une urgence se présente de nouveau, il ne peut pas s'empêcher de se dire que Monique insistera pour le payer s'il lui offre son aide. Il hésite, mais l'aide quand même et accepte l'argent à contrecœur en se disant qu'il a une famille à faire vivre.

Monique, il est vrai, n'a pas modifié le comportement de Roger, mais en le payant, elle a faussé *la raison* pour laquelle il lui est venu en aide. Auparavant, il agissait par bonté, ce qui grandissait Monique dans son esprit tandis que désormais, s'il l'aide, c'est, du moins en partie, pour l'argent. En perturbant une projection qui l'ennoblissait, Monique affaiblit la perception que Roger a d'elle, soit celle d'une personne digne de la plus haute estime.

Évidemment, l'amour et le respect que Roger a pour Monique ont diminué. Il s'est dit: «Si elle a tant d'argent, pourquoi ne m'en donne-t-elle pas plus?» Leur relation s'est détériorée.

Soit dit en passant, cette répugnance à accepter de l'argent cache souvent, à part des sentiments blessés, l'intuition vague mais fondée que «quelque chose de fondamental changera dans notre relation si j'accepte de l'argent pour ce travail».

Dans ce cas-ci, Monique empêche Roger de l'aider gratuitement, non en stoppant un comportement précis mais en falsifiant ses motifs. Elle étouffe son besoin de lui prêter main-forte dans une entreprise florissante.

Il est dangereux *d'empêcher* les autres de faire des choses pour nous, mais dans l'exemple de Monique et de Roger, nous voyons se profiler un second danger: celui de polluer la *signification* d'un acte de gentillesse.

Il ne suffit pas d'encourager chez les autres les gestes qui les incitent à nous juger favorablement; nous devons aussi prendre garde d'imputer à de *vieux comportements* des *nouveaux motifs* susceptibles de modifier la projection qui sous-tend ces comportements.

AXIOME 18: Si une personne vous témoigne de la gentillesse, n'achetez pas celle-ci d'autres façons. Si la roue tourne, laissez-la tourner.

Les personnes qui ont une haute opinion d'elles-mêmes au départ sont les plus susceptibles d'encourager les perceptions favorables et de décourager les autres. Elles acceptent les compliments et reconnaissent les insultes.

Par ailleurs, les personnes qui ne s'aiment pas, qui ne peuvent pas s'imaginer qu'on les aime ou qu'on veuille les gâter sans arrière-pensée, auront tendance à décourager les bonnes actions à leur égard. En insistant pour rémunérer son secrétaire, Monique pourrait se classer dans cette catégorie. On peut facilement imaginer, par exemple, que si elle n'a jamais connu le succès auparavant, elle ne croit pas le mériter et trouve difficile de laisser les autres la servir gratuitement.

Benoît, dont nous avons déjà parlé, était un homme prospère dans la cinquantaine. Il ne fréquentait que les femmes beaucoup plus jeunes que lui parce qu'elles étaient les seules à pouvoir l'exciter sexuellement. Comme bien d'autres hommes dans son cas, il refusait de voir dans ce parti pris un signe du déclin de sa puissance sexuelle, préférant l'interpréter comme une marque de raffinement. Il se sentait profondément indigne des femmes qu'il désirait. C'était son absence d'estime personnelle qui justifiait ses cadeaux extravagants chaque fois qu'il réussissait à attirer une femme plus jeune que lui. Ce sont justement ces cadeaux qui détruisaient ses chances d'être aimé de cette femme, déjouant ainsi ses plans.

Écarter le mépris

Lorsque vous voulez paraître sous votre meilleur jour, vous devez éviter deux comportements qui jettent la *pire* lumière possible sur vous aux yeux des autres. D'instinct ou à la suite de vos expériences passées, vous tenez peut-être ces comportements en aversion, mais comme toute autre mauvaise habitude, ceux-ci peuvent vous séduire à l'occasion, ce qui les rend dangereux et propres à créer une dépendance. En comprenant le fonctionnement des projections, vous verrez aussi *pourquoi* elles peuvent vous détruire.

En premier lieu, évitez les demandes excessives. Certaines personnes passent leur temps à présenter des demandes exagérées sous prétexte qu'elles «n'ont rien à perdre». Elles croient qu'à force de les réitérer, l'autre finira par céder. Chaque refus, croient-elles, les rapproche de leur but.

Ce qu'elles ignorent, c'est l'effet de ces refus sur l'autre personne. En effet, chaque fois qu'elle dit non, celle-ci renforce dans son esprit l'idée que le demandeur est une personne «qui mérite un refus». Celui-ci baisse tellement dans son estime qu'elle trouve tout naturel de rejeter ses demandes. Le demandeur s'est placé dans une position humiliante.

Barbara est acheteuse dans un grand magasin depuis janvier. Dès son entrée en fonction, elle demande un horaire flexible, ce qu'on lui refuse puisque *personne d'autre* n'en bénéficie. Un mois plus tard, elle réitère sa demande et se heurte de nouveau à un refus. Comme elle n'arrive pas à comprendre le système de comptabilité du magasin, elle demande à être exemptée de l'aspect comptable de son travail pendant un certain temps, ce qui lui est refusé. Elle demande ensuite un bureau plus spacieux et mieux éclairé, même si deux personnes seulement occupent un bureau de ce type, dont l'une est le patron lui-même.

Son patron répond que les bureaux sont attribués d'après l'ancienneté et lui oppose un nouveau refus. Barbara annonce ensuite qu'elle est enceinte et demande d'avoir congé le mercredi après-midi pour suivre un cours prénatal avec son mari. Nouveau refus.

En juillet, Barbara prend un congé de maternité de quatre mois. À Noël — cela fait environ un mois qu'elle est de retour au travail —, elle touche une prime de mérite plutôt maigre. Elle se plaint à son patron et demande une augmentation. Le pire qui puisse arriver n'est qu'un autre refus, se dit-elle. Mais elle a tort, puisqu'un mois plus tard elle est congédiée.

Ce n'est pas que Barbara travaillait mal. Plusieurs autres employés, dont l'efficacité égalait la sienne, touchaient des augmentations minimales en janvier et survivaient très bien. Et ce n'est certainement pas son congé de maternité qui lui a valu de perdre son emploi. Ce qui lui a joué un tour, c'est que son patron projetait sur elle une image que Barbara elle-même avait renforcée, soit celle d'«une personne à rejeter, une emmerdeuse».

Le patron avait forgé petit à petit cette projection en lui opposant un refus après l'autre. C'est l'obligation de lui dire non si souvent qui l'a poussé à la conclusion qu'elle devait partir.

AXIOME 19: Évitez d'obliger les autres à vous dire non ou à vous rejeter. En agissant ainsi, ils se persuadent encore davantage que vous méritez un rejet.

Certes, nous subissons tous des rejets. En fait, les plus courageux d'entre nous sont ceux qui dépassent les limites de ce qui semble «habituel» ou «permissible». Après tout, qui ne risque rien n'a rien. Mais l'axiome ci-dessus n'en demeure pas moins vrai. Il s'agit d'évaluer la possibilité d'un rejet et d'utiliser son bon sens. Il importe de comprendre les implications d'un refus, de considérer ses demandes avec soin et d'éviter de créer un modèle.

Les personnes sensibles savent que ce principe s'applique même aux visites. L'invité idéal part avant que son hôte n'éprouve en pensée le désir de voir la soirée se terminer. Plutôt que de l'obliger à bâiller, à parler de la journée épuisante qui l'attend le lendemain, ou pire, à *prier* son invité de partir, celui-ci partira de lui-même, laissant son hôte un peu sur sa faim. En évitant scrupuleusement un rejet à la fin de la soirée, l'invité encourage son hôte à le voir comme une personne dont la compagnie est agréable, sans problème, et, par conséquent, désirable.

En second lieu, il importe d'éviter tout comportement qui suscite la pitié. Il peut être tentant d'informer son patron qu'il vous a donné une fausse idée du travail et qu'il profite de vous depuis un an. Vous connaîtrez peut-être un moment d'euphorie à voir vos parents ou votre partenaire pleurer en voyant ce qu'ils vous ont fait endurer. Notre but, en suscitant la pitié, est habituellement de montrer l'étendue de la souffrance qu'on nous a infligée afin d'obtenir rétroactivement *plus* que notre dû en misant sur la honte ressentie par l'autre personne.

Mais cette technique finit toujours par se retourner contre nous. Le *vrai* monstre ne sera pas touché; il ne comprendra même pas de quoi vous parlez et, s'il l'entrevoit, il préférera vous tourner le dos plutôt que de prendre la peine de changer. Personne ne veut se voir comme un ogre. Capable de sympathie, il comprendra ce que vous avez enduré, mais parce qu'il ne veut pas se voir comme une personne déraisonnable ou capricieuse et qu'il ne veut peut-être pas ressentir votre peine, il fera le nécessaire pour se convaincre qu'il avait de bonnes raisons d'agir comme il l'a fait, que vous méritiez ce traitement.

«Comment peux-tu te plaindre d'être confiné au dépôt, puisque tu n'as pas manifesté la moindre ambition jusqu'à présent!»

«Bien sûr que je passe mon temps à te crier après. Si je ne crie pas, tu ne comprends rien!»

Dans chaque cas, le ton apitoyé sur lequel vous avez présenté votre demande renforce l'attitude de l'autre personne à votre égard. Si vous l'aviez abordée d'une manière moins dramatique et moins accusatrice (en lui laissant une échappatoire), elle aurait peut-être accédé à votre demande ou accepté du moins de la prendre en considération.

Il est humain d'aimer les personnes qu'on a déjà bien traitées et de mépriser celles qu'on a déjà maltraitées. Henry Ford a dit: «Les gens ne nous pardonneront jamais le mal qu'ils nous ont fait.»

Chaque fois que vous cherchez à susciter la pitié, vous donnez de vous-même une image misérable. Or, comme les êtres humains ont besoin d'imaginer un monde équitable, ils ont aussitôt tendance à trouver des raisons pour lesquelles le sort ne favorise pas la personne misérable et, soucieux de préserver leur projection d'un «monde équitable», ils condamnent la malheureuse en pensée.

Si vous rejetez implicitement le blâme sur l'autre pour ce qui vous arrive, il redoublera d'effort pour justifier son comportement envers vous et se convaincre que vous le méritez.

Habituez-vous à présenter les demandes les plus pertinentes possible. Demandez ce dont vous avez besoin, mais évitez les détails inutiles: ce que vous ressentez parce que vous ne possédez pas la chose en question, ce que cela vous coûte de ne pas l'avoir, pourquoi vous en avez besoin ou la chance de ceux ou de celles qui l'ont.

Par exemple, Danielle dit à son mari: «Vincent, tu ne me donnes pas assez d'argent pour tenir la maison; nous économisons trop. Ce n'est pas parce que j'ai décidé d'avoir un enfant et de ne pas travailler pendant un an que je ne peux plus porter de jolis vêtements. Tu voulais cet enfant autant que moi. Pourquoi devrais-je courir les soldes? Édith ne le fait pas, alors qu'elle a deux enfants et ne travaille plus depuis dix ans.»

Même si cette demande est raisonnable, Vincent risque de se sentir tellement offensé par les comparaisons et blessé par les plaintes de sa femme qu'il débranchera son appareil auditif. En s'apitoyant sur son sort, Danielle l'accuse de lui rendre la vie intolérable en se montrant sans cœur ou grippe-sou. Face à cette attitude, Vincent sera tenté de prendre le contrepied des propos de sa femme afin de préserver un semblant de dignité. Le problème qu'elle soulève devrait être débattu d'égale à égal entre les deux conjoints. Danielle s'est rabaissée elle-même en conférant à Vincent le rôle de parent peu généreux.

Danielle se fait du tort en surchargeant sa demande, en essayant de susciter la pitié de Vincent afin de parvenir à ses fins, employant pour cela une méthode qu'elle trouve peut-être efficace depuis l'enfance. Il aurait été préférable qu'elle s'adresse ainsi à son mari: «Chéri, asseyons-nous après le dîner pour réviser notre budget. Je désire effectuer certains achats et j'aimerais vérifier le montant que nous pouvons dépenser.»

Chercher à susciter la pitié est une erreur courante au travail. L'employé qui brandit sa souffrance comme argument est certain de perdre des plumes plus tard.

Maxime demande un bureau plus spacieux parce qu'il travaille depuis dix ans pour la compagnie et qu'on se moque de son cagibi. Estelle veut une promotion sous prétexte que son mari l'a laissée. Gérard demande une augmentation parce ses enfants entrent à l'université et que son salaire est insuffisant.

Si l'on rit de vous, si votre mari vous a quittée ou même si vous n'avez pas réussi à épargner assez d'argent pour payer les études de vos enfants, vous faites peut-être pitié, mais vous donnez aussi une impression misérable. Même si votre patron vous accorde ce que vous demandez, vous baisserez dans son estime sans qu'il en ait conscience. Il ne sait peut-être même pas pourquoi il juge que vous êtes «né pour un petit pain». Mais en recherchant sa pitié, vous affirmez que vous méritez un piètre sort, et avec impudence, en plus. Votre patron se demande pourquoi la vie vous gâte si peu. «Pourquoi rit-on de Maxime?»

«Pourquoi Estelle clame-t-elle à la ronde que son mari l'a quittée? N'a-t-elle donc aucune fierté?» «Pourquoi Gérard n'a-t-il pas planifié l'avenir de ses enfants? Est-il vraiment irresponsable!» La demande de ces personnes est peut-être justifiée, mais elles ont tort de se présenter comme des victimes. Elles invitent le patron à projeter sur elles l'image d'une personne «au-dessous de la moyenne».

Maxime aurait dû se contenter de faire valoir ses droits: «Je suis un des plus anciens dans le service maintenant, et mon bureau est trop petit pour mes fonctions.»

Estelle aurait dû demander une promotion fondée sur le mérite. Elle aurait pu dresser une liste de ses réalisations de l'année précédente ou formuler des suggestions concernant sa contribution future dans l'entreprise en évitant toute référence à sa vie personnelle.

Quant à Gérard, il aurait pu demander une augmentation fondée sur son rendement ou envisager d'autres options axées sur l'amélioration de son rendement ou sur la quête d'autres sources de revenu.

La tendance à utiliser la pitié comme stratagème remonte presque toujours à la relation parent-enfant et, de ce fait, elle est très peu romantique. Serge dit à Madeleine: «Puis-je passer chez toi ce soir? Je sais que tu as beaucoup de travail, mais je me sens si seul.»

Madeleine l'invitera peut-être, mais cela sera le début de la fin pour Serge, car elle ne le verra pas comme un amoureux ou un partenaire sexuel attirant, mais comme un enfant encombrant. En fait, il vaudrait beaucoup mieux pour Serge que Madeleine le repousse, refusant ainsi de le prendre en pitié. Même s'il souffre de solitude pendant la soirée, Madeleine oubliera probablement son appel et la vilaine image de lui-même qu'il lui a présentée.

Comme il était tard, Serge aurait dû se garder d'appeler, ou encore, il aurait dû alléger et écourter son entretien. Ayant compris que Madeleine était occupée, il aurait dû raccrocher et la laisser en paix.

AXIOME 20: Évitez de susciter la pitié. Ceux qui vous prennent en pitié vous mépriseront toujours. Ils projetteront sur vous l'image d'une personne «perdante» et vous traiteront en conséquence.

Se battre contre les stéréotypes

Qui que nous soyons, certains traits nous classent presque toujours dans une catégorie sujette à certains préjugés. On est jeune, vieux ou dans la force de l'âge; on est une femme ou un homme; on est de race blanche ou non; on est hétérosexuel ou homosexuel; on est instruit ou on ne l'est pas... Nous subissons tous certaines projections dues à un stéréotype.

Par exemple, les femmes ont la réputation d'être toujours en retard ou d'être excessivement émotives. Toute erreur de votre part qui confirme un stéréotype vous fera deux fois plus de tort qu'une autre. Il est préférable que vous vous *opposiez* au stéréotype, même faiblement, car cela peut vous aider. Il importe de connaître les projections stéréotypées auxquelles on est sujet. Faites un effort pour ne pas commettre les erreurs qu'on attend de vous et pour compenser la projection qui joue déjà contre vous.

En tant que femme, visez surtout la ponctualité au travail. Pourquoi vous laisser disqualifier pour une faute insignifiante lorsque vous excellez dans tout ce que vous faites? En outre, restez calme lors des discussions trop passionnées: ce qu'un homme prend pour un signe d'«engagement» chez un autre homme, il le verra comme de l'«hystérie» chez une femme.

Si vous êtes la personne la plus âgée du bureau et que votre retraite approche, on vous jugera sénile et fini sur le plan sexuel. Ne vous plaignez pas de la fatigue. Laissez cela aux jeunes. Ne quittez pas la pièce lorsqu'on raconte une blague à caractère sexuel. Si vous détestez la musique rock et préférez le classique, ne vous gênez pas pour le dire, mais rappelez-vous qu'à vingt ans, vous aussi vous préfériez la musique populaire à Mozart. Ne mettez pas votre préférence sur le compte de l'âge.

Il ne s'agit pas de cacher votre identité ou d'éviter votre «type», mais bien les *comportements* associés à votre type, ceux que vous déplorez vous-même. Il est évident que tout le monde a le droit de parler avec les mains ou de déclarer bien haut qu'il est retourné à l'école pour obtenir ses diplômes. Rappelez-vous simplement que certaines personnes disposent de munitions préfabriquées, sous forme de préjugés, et qu'elles vous considéreront volontiers comme un représentant de plus de votre catégorie, avec tous les traits négatifs que cela comporte: on vous qualifiera d'«homme brutal et insensible», ou de «yuppie ambitieux».

AXIOME 21: Tout le monde fait face à des projections fondées sur des stéréotypes. Même si vous ne pouvez pas détruire tous les préjugés, rappelez-vous que vos erreurs qui confirment un stéréotype sont celles qui vous font le plus de tort. Évitez de renforcer ces projections toutes faites.

Renforcement

Comme nous avons tous besoin de cohérence, nous devrions toujours remercier les autres de bien nous traiter lorsque c'est le cas.

Les personnes les plus prospères sont souvent celles qui apprécient ouvertement la contribution des autres à leurs propres réalisations. Si les geignards suscitent la colère et incitent les autres à s'expliquer pourquoi ces «perdants» ne méritent pas un meilleur sort, les personnes qui savent les apprécier attirent la gentillesse et la générosité.

«Simon, je n'aurais jamais pu devenir un bon associé sans toi. C'est toi qui m'as donné ma première vraie chance et je ne l'oublierai jamais.»

Réponse probable de Simon: «Mais non, Denis! tu l'as vraiment mérité. Tu aurais réussi avec ou sans moi. Et si je peux faire quelque chose pour toi, n'hésite pas à m'en parler.»

Le désir de percevoir le monde comme étant juste, qui suscite le mépris envers les personnes qui s'apitoient sur leur sort, pousse également les gens à applaudir celles qui réussissent et qui remercient les autres de leur aide. En exprimant votre reconnaissance, vous invitez les autres à vous percevoir sous un jour favorable, parce que nous voulons tous sentir que nous rendons service à la *bonne* personne, celle qui mérite qu'on l'aide.

AXIOME 22: En donnant aux autres, le cas échéant, l'impression qu'ils nous ont fait du bien, nous les incitons à recommencer.

Résumé

Pour vous voir d'un œil favorable, les autres doivent avoir bonne opinion d'eux-mêmes en votre présence. Il est essentiel qu'ils vous rendent service afin de sentir que vous comptez pour eux. En conséquence, tout en respectant vos propres règles de conduite, encouragez la gentillesse des autres à votre égard. En étouffant la générosité d'une personne, vous étouffez aussi la perception favorable qu'elle a de vous.

Rappelez-vous qu'il importe de ne pas toujours rendre service pour service: ce faisant, vous privez les autres de la chance de vous donner librement et, par le fait même, de vous voir comme une personne digne d'estime.

Il est également important que les autres sentent que vous appréciez leurs bons gestes à votre égard. Mis à part le fait que la simple politesse l'exige, cela les pousse à penser que vous méritez le meilleur d'eux-mêmes et à vous donner davantage.

Certaines mauvaises habitudes empêchent les autres de vous traiter d'une manière qui les incitera par la suite à vous tenir en haute estime. Évitez à tout prix de vous apitoyer sur vous-même. Ne croyez jamais qu'en suscitant la pitié vous gagnerez l'estime d'autrui. En outre, gardez-vous de présenter des demandes répétitives et excessives. Ne jouez pas le rôle de la personne «bonne à rejeter» car vous inciteriez les autres à justifier leur refus et à moins vous aimer. En cas de doute, opposez-vous à tous les stéréotypes qui s'appliquent à votre catégorie. Ne donnez pas aux autres la possibilité de renforcer leurs projections toutes faites.

On se sent presque toujours à l'aise en présence de gens qui s'aiment et qui s'estiment eux-mêmes. En outre, ils attirent les jugements favorables tandis que ceux qui ont peu d'estime pour eux-mêmes encouragent dans l'esprit des autres le comportement même qui suscite le mépris.

Apprendre à désamorcer les projections, à décourager les mauvais jugements et à favoriser ceux qui sont positifs, c'est aussi apprendre à se respecter davantage.

6

Comment repérer ses propres projections

Si, après avoir vécu avec trois personnes différentes, vous avez chaque fois rompu lorsque vous avez découvert que votre partenaire entretenait une autre liaison, vous souffrez certainement d'un problème de projection.

Si vous avez détesté vos sept derniers patrons ou que vous les avez tous *aimés*, mais qu'*eux vous détestaient*, vous avez un problème de projection.

Si vous êtes une femme et que vous vous méfiez de tous les hommes, ou que vous êtes un homme et que vous croyez que toutes les femmes sont des allumeuses, vous avez un problème de projection.

Tous les cas ci-dessus sont extrêmes. Ce sont tous des cas où l'on a systématiquement refusé de voir la réalité en face.

Votre projection — votre vision sélective — régit ce qui se trouve à l'intérieur de votre psyché, et également à l'extérieur.

Les personnes qui projettent constamment sur les autres perçoivent volontiers certaines qualités chez ces individus, même lorsqu'ils en sont dépourvus. Par ailleurs, elles sont tout à fait aveugles à d'autres qualités, sauf si elles sautent aux yeux.

Prenons, par exemple, un homme qui a eu trois maîtresses et qui s'est retrouvé chaque fois déçu. Il fait évidemment de la projection, selon l'une des deux façons suivantes. Dans sa relation, ses comportements le rendent sans doute paranoïaque: il se persuade que ses maîtresses le trahissent et se jouent de lui. Qu'elles lui mentent ou non, il les soupçonne toujours d'infidélité. Son manque de confiance peut même encourager sa parte-

85

naire à le tromper — alors qu'elle n'y pense même pas — avec un amant moins jaloux ou moins paranoïaque.

Ou encore, la projection de cet homme peut être tout à fait différente. D'ordinaire, il a des femmes une image trop parfaite: elles lui semblent toutes honnêtes, fidèles, et même ingénues. En raison de ce préjugé favorable, il peut difficilement imaginer qu'une femme lui soit infidèle, de sorte qu'au début de sa relation il ne voit pas les signes annonciateurs d'infidélité qui s'accumulent autour de lui. Un autre que lui les aurait immédiatement perçus. C'est seulement lorsqu'il se trouve *devant* le fait accompli qu'il voit l'infidélité de sa partenaire et qu'il comprend enfin qu'il a fait un mauvais choix.

Parlons maintenant de la femme qui déteste ses sept derniers patrons. Il est possible que ceux-ci soient tous détestables, mais c'est plus probablement dans l'œil de la femme que se trouve la paille. Pour citer le poète Alexander Pope: «Tout paraît jaune à celui qui a la jaunisse.» Dans ce cas précis, le nombre semble jouer contre la femme et suggérer qu'elle ne voit que des *défauts* chez les gens qui font figure d'autorité.

Si c'est *elle* qui aime ses supérieurs et que *ceux-ci* la détestent, alors il est évident que sa projection *la rend aveugle* à certains détails. Ses supérieurs ont peut-être de bonnes raisons de la détester, raisons qu'elle leur fournit elle-même en refusant de percevoir leur mécontentement croissant. Peut-être qu'en projetant sur eux l'image de parents permissifs qui lui pardonnent tout, elle s'octroie des droits qu'elle n'a pas en réalité. Chaque fois qu'elle déçoit son patron, celui-ci attend un peu moins d'elle. Comme elle ne voit pas qu'elle baisse dans son estime, elle continue son petit manège jusqu'à ce qu'il la congédie.

Une projection aussi bénigne en apparence, voulant que, peu importe ce qu'on fait, on a l'appui de tout le monde, peut être aussi maléfique que le fait de croire que tous les gens sont malveillants. Vous êtes incapable de percevoir quoi que ce soit, même la haine, et cette déficience vous dicte des choix désastreux dans vos relations.

Sur une grande échelle, les femmes qui voient tous les hommes d'une manière stéréotypée ou les hommes qui attribuent les mêmes qualités à *toutes* les femmes sont dotés d'une vision très sélective et fabriquent de toutes pièces une grande partie de ce qu'ils voient.

AXIOME 23: Vos propres projections vous empêchent de voir les autres comme ils sont. Vous êtes aveugle à certains traits et qualités essentiels à vos relations et en imaginez d'autres qui n'existent pas.

Vos projections peuvent vous priver d'une grande partie des petits plaisirs de la vie. Vous risquez ainsi de passer à côté de l'honnêteté, de l'intelligence et même de l'amour. On ne peut pas apprécier ce que l'on ne voit pas, et vos projections — vos œillères — vous portent à croire que vous êtes seul au monde alors que les autres comblent en réalité vos désirs.

Si vous projetez une image de «danger» sur le monde, vous vous contraindrez à l'isolement ou vous éviterez de courir des risques qui pourraient vous rapporter beaucoup en termes d'amitié ou de carrière.

Dans d'autres cas, on projette pour éviter de voir des ennuis potentiels ou de mauvaises intentions *bien réelles*. Les auteurs de ces projections sont souvent les dindons de la farce. Ils se fient au mauvais associé ou n'épousent pas la bonne personne. Voyant de la gentillesse et des intentions louables partout, ils tombent sous les griffes de personnes malveillantes. L'optimiste ardent ne distingue pas ses amis de ses ennemis, et les personnes les plus bienveillantes à son égard ne se sentent ni comprises, ni appréciées.

AXIOME 24: Projeter une qualité positive sur une personne ou sur le monde en général, c'est fermer les yeux devant les vrais dangers. Par ailleurs, projeter un défaut, c'est imaginer des dangers qui n'existent pas et perdre de vue la force potentielle de ses relations.

Prendre une distance face à vous-même afin d'*identifier vos propres distorsions* peut vous sembler une tâche herculéenne car, comme vous vivez étroitement avec elles, vous les confondez avec la réalité. Dostoïevski a dit: «On ne pense pas qu'on *pense* qu'une chose est comme ceci ou comme cela; on pense simplement qu'elle est ainsi.»

AXIOME 25: L'une des principales raisons pour laquelle nos projections nous semblent si naturelles, c'est qu'en général

elles nous influencent toute notre vie. Chaque fois que nous agissons en accord avec une projection, nous nous persuadons davantage de la véracité de nos perceptions.

Toutefois, il existe des façons de découvrir si l'on est enclin à «penser» que certaines choses sont ainsi, qu'elles le soient ou non.

Six façons de repérer ses propres projections

1. Faire le test de «l'universalité»
Si vous voyez toujours l'univers sous un même jour, par exemple s'il vous semble que tout le monde, homme ou femme, cherche à profiter de vous ou que tous les gens sont avares, ou généreux, qu'ils n'apprécient que le succès, ou qu'ils sont déloyaux, stupides, matérialistes ou *quoi que ce soit*, vous faites de la projection.

Vos projections colorent votre vision du monde. Vous avez tendance à attribuer vos croyances sur la vraie nature des gens aux conclusions que vous tirez de vos observations depuis des années. Mais les autres, qui vivent dans le même monde que vous et voient les mêmes choses, perçoivent la nature humaine tout autrement. En conséquence, votre vision du monde en dit plus long sur vos projections que sur le monde comme tel.

Robert, correspondant pour un magazine d'information hebdomadaire, est un être cynique. Il obtient rarement de pouvoir signer ses articles, qui sont ennuyeux et manquent de verve. Les rares fois où il dîne au restaurant avec des amis ou qu'il assiste à une soirée, il parle sans cesse de corruption politique, de la rareté des personnes soucieuses du bien-être des contribuables et de la convoitise des politiciens. Il affirme volontiers que la vérité n'est qu'un pion qu'on place sur le carré de son choix. On ne peut pas dire que Robert soit un «gars amusant».

Il se plaît en outre à affirmer que les dirigeants de l'hebdomadaire de même que la plupart de ses collègues ne sont que des crétins. Il déprécie également son beau-frère, avocat brillant et chaleureux, de sorte que celui-ci fait tout pour l'éviter. Robert doute des chances qu'a son fils de réussir en tant que comptable sous prétexte que, dans ce métier, il faut être un escroc pour réussir.

Enfin, il a fini par irriter tellement ses supérieurs que ceux-ci l'ont congédié avec une indemnité de départ tout à fait minime. L'année précédente, il avait forcé sa femme Nicole à quitter son emploi de fonctionnaire en affirmant sans cesse en public qu'elle était à la solde «d'une bande de politiciens ineptes et corrompus». Robert étant au chômage, Nicole a accepté un emploi dans une buanderie afin de gagner un peu d'argent, mais Robert l'a bientôt accablée de remarques cyniques sur la faible contribution des femmes qui travaillent; il l'a même accusée de ne pas vraiment vouloir travailler.

Lorsqu'il porta cette accusation devant des amis au cours d'une soirée, Nicole fondit en larmes: «Mais, *qu'attends-tu* des gens, à la fin? demanda un invité. Je me demande comment ils ont pu te supporter aussi longtemps au magazine. Moi-même, je t'aurais congédié depuis plusieurs années, toi et ta manie de rabaisser tout le monde.»

Nicole l'a quitté peu de temps après cet incident.

Au bout de quelques mois, comme elle commençait à lui manquer terriblement, il a fait son examen de conscience. «Suis-je vraiment un cynique, incapable d'apprécier les efforts honnêtes des autres?»

D'instinct, il a employé le test de l'universalité dont l'idée lui venait peut-être des nombreuses remarques de son entourage sur son éternelle insatisfaction et son intolérance envers autrui. S'il était incapable de discerner les intentions louables ou les capacités de qui que ce soit, alors ce devait être sa *perception* des autres qui clochait. Au moyen du test de l'universalité, il a identifié une des projections qui avait presque détruit sa vie. Heureusement pour lui, Nicole a accepté de lui revenir à la condition qu'il suive une thérapie afin de modifier sa vision du monde, ce qu'il a accepté de faire.

Il faut souvent une crise de ce genre pour prendre conscience de ses préjugés. Vous croyez peut-être que le fait de voir le monde ou tous les hommes sous un jour gris n'est pas une distorsion. Vous avez tort.

Demandez-vous: «Ai-je une idée fixe au sujet des patrons, des employés, des personnes âgées, des femmes, des enfants ou des êtres humains en général?» Si c'est le cas, vous faites certainement de la projection, puisque même la plus minuscule catégorie de gens présente une infinie variété de caractères.

2. Rechercher un jugement ou un sentiment qui brille par son absence

Hélène, qui approche de la soixantaine, n'a jamais terminé ses études secondaires, mais elle dirige depuis plus de trente ans le service de diffusion d'une prestigieuse bibliothèque médicale. Elle se tue au travail, mais ses efforts passent inaperçus, même auprès des médecins, dont quelques-uns seulement connaissent son nom. Chaque soir, Hélène raconte à Henri, son mari, les exploits incroyables de tel ou tel médecin, suivant la carrière de chacun comme s'il était un ami proche. Elle savoure les commentaires spontanés que lui font les médecins lorsqu'elle les sert, se sentant ennoblie par leur statut, et elle s'attend à ce qu'Henri partage son respect à leur endroit. Or, Henri est mécanicien et ses rapports avec les médecins sont beaucoup moins nobles, nombre d'entre eux exigeant qu'il répare leur voiture toutes affaires cessantes en échange d'un maigre pourboire et d'un vague merci.

L'image de grandeur que projette Hélène sur les médecins et les personnes instruites en général contribue à les ternir tous les deux à ses propres yeux. Comment peut-elle identifier et détruire sa projection de manière à se percevoir, ainsi qu'Henri comme l'égale de toute personne qui fait bien son travail? Elle pourrait rechercher l'élément qui manque à ses sentiments et à ses jugements à l'égard des médecins. Par exemple, elle ne se met *jamais* en colère en leur présence. Elle ne croit pas qu'un médecin puisse être coupable de négligence professionnelle. Elle ne s'est *jamais* arrêtée à mettre en doute un aspect de la vie personnelle d'un médecin. En fait, elle ne s'ennuie *jamais* en présence d'un médecin.

Il est clair qu'Hélène est incapable de voir les défauts ou les erreurs des médecins. Un jugement aussi absolu prouve à coup sûr la présence d'une projection.

Dans l'exemple suivant, Pierre est marié depuis vingt-quatre ans à une femme capricieuse et à demi alcoolique qui ne cesse de lui dicter sa conduite. Il amorce une liaison avec une femme autonome et travailleuse, Marianne, qui apprécie ses cadeaux et se soucie de ses besoins. Lorsque son fils adolescent éprouve certaines difficultés à l'école, Pierre hésite à en parler à sa femme, qui ne cesse de les blâmer, lui et son fils. Par contre il trouve une oreille attentive chez Marianne. Celle-ci l'aide même à trouver divers moyens d'aider son fils à retomber sur ses pieds.

Cependant, Pierre ne croit pas que sa femme soit en faute. Il la juge solide, comme il faut, et la voit comme sa vraie compagne. Il est incapable de reconnaître la contribution de Marianne, d'apprécier son inventivité et son unicité. Lorsqu'il accepte une suggestion venant de sa maîtresse, il finit par en oublier la provenance et par l'attribuer à sa femme. Lorsque Marianne quitte son travail plus tôt deux après-midi de suite afin de rencontrer et de sélectionner des précepteurs pour son fils, Pierre ne saisit même pas la portée de son geste.

Pierre projette sur sa femme une image qu'il applique à toutes les épouses *accréditées*. Il insiste pour la percevoir comme une personne loyale, inconditionnellement de son côté. S'il cherchait ce qui fait défaut dans sa vision de sa femme et des épouses en général, il découvrirait aussitôt sa propre incapacité de déceler leur irresponsabilité, leur manque d'intérêt et leur négligence des choses importantes.

Par ailleurs, il est également aveugle au dévouement et à l'intelligence des *maîtresses* en général. Il ne peut s'imaginer occupant une place de choix dans la vie d'une femme qui n'est pas «sa» femme, ni envisager la possibilité qu'il soit unique et irremplaçable à ses yeux. S'il recherchait ses lacunes, il découvrirait ses deux projections contraires sur les «épouses» et les «maîtresses».

Lorsque vous recherchez vos lacunes dans le but de déceler une projection, posez-vous les deux questions suivantes: «Quels traits de caractère ne vois-je jamais chez les autres?» Par exemple, vous vous rendez compte que vous ne trouvez jamais personne «déloyal», ou que les hommes ne vous paraissent jamais «tendres». Le commentaire de Wills Rogers: «Je n'ai jamais rencontré un homme que je n'aimais pas» est peut-être un cas extrême de projection. Si cela était vrai, il ne voyait certainement pas l'infinie diversité de la nature humaine.

La seconde question à se poser est la suivante: «Y a-t-il certains sentiments comme la colère, la peur, la pitié, la sympathie, que je n'éprouve jamais envers certaines personnes?» Par exemple, vous ne craignez jamais d'être volé par un vendeur, ni d'être mal soigné par un médecin. Ou encore, vous n'éprouvez aucune pitié pour l'homme abandonné par sa femme parce que vous croyez que «les hommes sont des durs et qu'ils peuvent se débrouiller; de toute façon, il était sans doute dans son tort».

Si personne ne vous semble jamais «déloyal» et que vous ne craignez jamais qu'on vous trompe ou qu'on abuse de votre bonté, vous projetez presque certainement l'image d'un monde plus gentil et moins varié qu'il ne l'est en réalité. Les dangers de cette projection sont évidents. Si vous croyez que les hommes ne sont pas «tendres» ou qu'ils ne souffrent pas du départ de leur bien-aimée, vous projetez sur eux une image de rudesse injuste *pour eux* et qui vous empêche d'apprécier leurs côtés tendres.

Vérifiez la présence de cette projection en vous demandant quelles qualités vous voyez rarement ou jamais chez les autres.

3. Examiner les erreurs que vous répétez

Chaque fois que vous constatez qu'un modèle de comportement vous fait souffrir dans la vie, il est presque certainement lié à une projection.

Demandez-vous pourquoi vous adoptez ce comportement et vous verrez peut-être que c'est parce que vous vous faites une fausse idée des gens.

Vous rentrez chez vous un vendredi soir et vous comptez passer une soirée tranquille à la maison. Vous répondez au téléphone, croyant qu'il s'agit d'un ami dont vous attendez l'appel, mais c'est votre voisine. Elle donne une soirée pour les gens du quartier et vous invite à y participer. Sans réfléchir, vous acceptez. Vous raccrochez brutalement en vous vouant à tous les diables et réglez votre magnétoscope avec résignation afin d'enregistrer le film que vous mouriez d'envie de regarder ce soir-là.

Pourquoi agissez-vous toujours ainsi? C'est la quatrième fois depuis quelque temps que vous acceptez de faire quelque chose dont vous n'avez aucune envie. Vous en êtes arrivé à craindre de répondre au téléphone parce que vous êtes incapable de dire non.

D'après vous, que se passera-t-il si vous refusez d'assister à une partie de football qui vous laisse indifférent ou si vous ne passez pas votre samedi à cuisiner pour un bazar communautaire? Ou si vous refusez de recevoir vos voisins ce soir?

Demandez-vous ce que vous craignez *précisément* et vous saisirez tout de suite votre projection. Vous craignez peut-être qu'on vous *déteste* et qu'on ne vous adresse plus la parole. Ou qu'on dise que vous n'avez aucun sens de la collaboration et que vous ne valez pas la peine qu'on vous connaisse. Vous croyez peut-être même, à tort, qu'un refus de votre part entraînerait des répercussions sur votre carrière, votre vie amoureuse, votre sécurité.

Il est clair que votre impression fausse, c'est-à-dire l'image que vous projetez sur les autres, est celle des personnes très exigeantes qui ne tolèrent aucune liberté individuelle ni aucune dérogation à leurs attentes face à vous. En outre, vous croyez qu'elles se vengeront et qu'elles feront tout pour vous anéantir si vous vous retrouvez sur leur chemin. Votre bon sens vous dira qu'il n'en est rien, et que *vous-même* n'êtes certainement pas ainsi. Toutefois, vous entretenez peut-être cette projection depuis des années; vos parents vous ont peut-être appris que les gens sont fragiles et qu'il faut bien se comporter envers eux, ou encore l'un de vos parents était peut-être intolérant.

Que vous ayez l'habitude d'engager les mauvaises personnes ou de choisir des emplois inappropriés, que vous achetiez des vêtements qui ne vous vont pas ou que vous soyez tout à fait incapable de vous faire des cadeaux, quel que soit votre modèle de comportement, cette règle s'applique.

Peut-être êtes-vous systématiquement déçu par les autres ou par vous-même. Plusieurs amis vous ont tiré leur révérence en grimpant dans l'échelle sociale. Ce qui devrait vous faire voir que vous les choisissez mal. Ou vous vous décevez vous-même parce que vous faites mille et une promesses que vous êtes incapable de tenir. Vous jouez à «la grosse légume» et vous découvrez votre projection: les autres ne vous aimeront que si vous pouvez leur offrir de grandes choses. En réalité, beaucoup sont disposés à vous aimer comme vous êtes.

À chaque habitude correspond en général une projection, l'une nourrissant l'autre. Lorsque vous remettez un comportement en question, cherchez la projection qu'il renforce et qui, en retour, l'alimente.

4. La méthode de l'amplification

Supposons que vous ne cessez de faire des choses que vous détestez parce que vous êtes incapable de dire non. Lorsque vous vous demandez *pourquoi* vous en êtes incapable ou ce que vous craignez, rien ne vous vient à l'esprit. Le fait d'étudier vos erreurs et de vous demander pourquoi vous adoptez sans cesse un certain comportement nuisible ne vous laisse entrevoir aucune projection. Simplement, vous avez *peur* de dire non et vous ignorez pourquoi.

Vous pouvez, dans ce cas, approfondir votre compréhension de manière à deviner quelle est votre projection: *adoptez le comportement qui vous rebute, même une seule fois, même avec hésitation. Votre réaction amplifiera votre projection et vous verrez clairement ce qui vous fait peur ou quelles conséquences vous redoutiez.* Comme vous grossissez ainsi votre véritable crainte, ou attente, nous appelons cette méthode «la méthode de l'amplification».

Choisissez une personne en qui vous avez vraiment confiance et avec laquelle vous pouvez courir un risque. Lorsque celle-ci, disons votre sœur, vous appelle pour aller faire des courses dans un magasin que vous détestez, inspirez profondément et refusez, pour une fois. En raccrochant, vous serez peut-être en proie à la panique et vous aurez du mal à ne pas rappeler immédiatement pour dire que vous avez changé d'idée ou vous excuser.

N'en faites rien, surtout! Sentez plutôt votre panique et demandez-vous ce que vous croyez que votre sœur pense de vous *en ce moment même.* Des pensées comme: «Elle me méprise et ne me pardonnera jamais» ou: «Elle dira à maman que je l'ai laissée tomber, que quelque chose cloche chez moi» vous traverseront l'esprit.

Vous avez mis le doigt sur votre projection. Vous craignez que l'autre personne ne vous laisse tomber, ne s'effondre ou ne se taise, ou bien ne raconte à la ronde que vous êtes irresponsable, ou même que vous avez une araignée dans le plafond. L'image qui vous vient à l'esprit lorsque vous vous forcez à contrer une certaine habitude constitue une saisissante amplification de votre projection. Cette méthode consiste à briser un modèle une seule fois et à étudier l'image de l'autre personne qui nous vient à l'esprit.

5. Étudiez vos limites

Il existe peut-être certaines activités que vous ne faites *jamais*, même si vous savez que vous auriez avantage à les pratiquer. Ou encore vous voyez d'autres personnes s'y adonner et en récolter les fruits.

Vous évitez d'avoir des rapports sexuels avec une personne bien que vous le souhaitiez vraiment et que vous «sachiez» que vous en tireriez profit. Ou encore, vous venez de vous lancer dans le commerce de détail, mais vous avez fixé vos prix trop bas. Vous savez pertinemment que votre clientèle a l'habitude de payer plus cher, mais vous craignez de lui demander un prix équitable.

Vous vous limitez dans ce que vous voulez faire et dans ce que vous sentez que vous *pouvez* faire.

L'examen de ses limites met habituellement en lumière une projection. Exemple: «Richard m'estimera moins si je couche avec lui.»

Cette pensée ne vous est pas venue avec d'autres hommes, mais vous êtes amoureuse de Richard et vous projetez sur lui l'image d'un gentleman d'une grande moralité, à l'âme noble, un peu délicat et susceptible.

Ou supposons que vous êtes propriétaire d'un commerce de détail: pourquoi ne demandez-vous pas la somme que vous méritez pour vos biens ou services? En examinant cette limite, vous imaginez que vos clients sortent furieux de votre magasin en se disant: «Elle n'est pas établie depuis assez longtemps pour demander autant que les autres.» C'est une projection, bien sûr, que de penser que les autres ont des yeux assez perçants pour voir vos doutes et votre inexpérience.

Nombre de personnes qui perçoivent le monde comme «dangereux», par exemple, vivent sans mettre à contribution leurs qualités de discernement, d'intelligence, de créativité et même d'amour parce qu'elles ont peur de courir des risques. Elles se limitent à cause de leur projection et cèdent aux autres des chances qui leur reviennent de droit. Elles ne réclament pas leurs droits légitimes. Souvent, lorsque leurs amis les poussent à dépasser leurs limites en disant: «Tu vaux bien mieux que cela», elles se mettent en colère. Elles font montre d'une grande agressivité envers ceux et celles qui leur veulent du bien, alors qu'elles feraient mieux de l'utiliser en amour, pour se tailler leur part du marché ou encore pour exiger le traitement qu'elles méritent dans toute situation.

Si ces personnes étudiaient leurs propos agressifs dans ces moments-là, elles verraient tout de suite la cause de leur limite, soit leur projection. «Tu es folle, je ne peux pas vendre mes fleurs aussi cher. Les gens *savent* que je viens de commencer et ils me trouveront audacieuse, sachant que je suis novice dans ce domaine.» En vertu de sa projection, cette femme croit que les autres voient à travers elle et la méprisent, que nous vivons dans un monde dangereux et rempli de méchants prêts à nous écraser.

Ayant mis le doigt sur votre limite, essayez de la dépasser, ne serait-ce qu'une fois. Il s'agit ici d'un autre emploi de la méthode de l'amplification. Les craintes que vous éprouverez feront ressortir votre projection d'une manière encore plus marquée. Chacun de vos blocages, chaque limite émotionnelle que vous vous fixez s'associe à une projection.

6. Faites l'inventaire de vos forces

La dernière façon d'identifier une de vos projections consiste à déterminer *les forces* dont vous tirez une grande fierté.

Cela peut vous étonner de prime abord. Pourquoi étudier vos *meilleurs* côtés alors que vous cherchez un défaut? Cependant, nos côtés forts engendrent souvent des projections.

Ainsi, Alain a élevé ses deux frères après la mort de ses parents, survenue alors qu'il avait dix-huit ans. Il a refusé de voir sa famille s'éparpiller et il a prouvé qu'il pouvait la faire vivre en travaillant comme apprenti boucher. En outre, comme il était doué pour le travail manuel, il effectuait divers travaux de menuiserie, de plomberie et même d'électricité pour ses voisins. À l'âge de vingt ans, il a quitté son emploi de boucher pour travailler dans une quincaillerie, qu'il a fini par acheter et par faire prospérer. Aux yeux de ses clients, il personnifiait le sang-froid, la confiance et la compétence même.

Alain préservait farouchement son indépendance, refusant toute aide financière de ses tantes et oncles. Des parents lui avaient offert plusieurs emplois dans leur entreprise, mais il avait refusé, sous prétexte qu'il n'acceptait pas qu'on lui fasse «la charité». Ses deux frères avaient obtenu des bourses d'étude, mais Alain ne voulait pas qu'ils travaillent, même à temps partiel; il paierait leurs manuels et leur pension afin qu'ils puissent se consacrer entièrement à leurs études. Ses frères lui confiaient leurs problèmes et l'admiraient, mais il ne les «accablait» jamais avec les siens.

À l'âge de trente-deux ans, Alain rencontra Rita et voulut l'épouser. Celle-ci le trouvait fort et silencieux, mais elle avait l'impression de ne pas le connaître. Il lui rendit de précieux services et aida même sa famille à redécorer leur maison. Tout le monde trouvait que Rita avait une chance incroyable de le connaître, mais elle n'en était pas si certaine.

À ses yeux, Alain possédait une grande force, mais elle ne pouvait s'empêcher de penser qu'il souffrait aussi de certaines faiblesses. Ainsi, il était incapable d'exprimer son affection ou le besoin qu'il avait d'elle. Son besoin de prendre le contrôle, dans quelque situation que ce soit, touchait à l'obsession et Rita se sentait diminuée, incertaine de la place qu'elle occupait dans sa vie.

Son indépendance, qui lui a permis d'affronter les vicissitudes de la vie pendant des années, avait également entraîné en lui une terrible déficience. En effet, Alain croyait que les autres le rejetteraient s'il affichait la moindre faiblesse. Il craignait de tout perdre s'il se montrait vulnérable ou fragile, s'il laissait tomber ses défenses avec ne serait-ce qu'une seule personne.

Rita tenta de persuader Alain de s'ouvrir, mais elle se heurta à une résistance farouche. Il était difficile pour Alain de juger d'un œil critique un trait qu'il avait soigneusement cultivé et dont il était fier.

Chaque force qui fait votre fierté occupe une place prioritaire dans votre vie. Vous y avez travaillé, vous en avez rêvé, vous avez vu les autres à travers son filtre. Vous avez compté sur elle, négligeant peut-être vos autres facettes. Vous vous croiriez perdu sans elle et croyez en conséquence que les autres *vous estiment surtout pour elle.*

Si vous tirez fierté de votre beauté, vous risquez de croire que vos relations sont fondées sur elle. Vous croyez que les autres vous aiment pour votre belle apparence et se détacheront de vous si vous la perdez. Les dangers de ce type de projection sautent aux yeux: d'abord, il vous sera excessivement difficile de vieillir.

Si vous voulez savoir quelle est votre projection, demandez-vous quelle facette de votre personnalité vous procure la plus grande fierté.

Les qualités sur lesquelles vous avez tant travaillé engendrent des projections parce que vous leur attribuez presque à coup sûr vos succès. Chaque fois que vous mettez un nouveau succès sur le compte d'une de vos précieuses qualités, vous renforcez votre projection selon laquelle elle prend une importance démesurée aux yeux des autres.

Quel que soit votre point fort, vous avez tendance à le considérer comme essentiel à votre bonheur. Achetez un ensemble très coûteux en vue de passer une entrevue et vous ne serez pas loin de croire que c'est grâce à lui que vous avez obtenu l'emploi. Devenez une sommité en politique mondiale et vous imaginerez que vos amis viennent vous voir pour connaître votre opinion. Si vous croyez que c'est votre force maternelle qui protège vos enfants de toute épreuve, vous serez convaincue, lorsqu'ils apprendront à se débrouiller tout seuls, que vous n'avez plus aucune place dans leur vie. Dans chacun des cas ci-dessus, un point fort est à l'origine de la projection.

Résumé

Vos projections limitent votre champ de vision. Elles accentuent certaines caractéristiques et vous rendent aveugle à certaines autres. Elles vous empêchent de lire les gens correctement, tant vous craignez de manquer l'amour ou l'amitié qui passent. Vous les cherchez alors là où ils ne sont pas.

Les projections vous trompent sur les qualités et les défauts que vous imaginez voir chez les autres.

Comme vous agissez conformément à vos projections depuis des années, les renforçant par chacune de vos actions, ce que vous voyez vous semble très naturel. C'est pourquoi vous avez plus de difficulté à déceler vos propres projections que celles des autres. Lorsqu'on s'obstine à voir la vie à travers des lunettes roses, on oublie que l'on porte des verres colorés.

Le défi consiste à vous détacher de vous-même et à observer votre façon de percevoir les autres. Nous avons exposé six façons de le faire.

Vous pouvez déceler vos projections en *appliquant le test de l'universalité; en recherchant les sentiments que vous n'éprouvez jamais; en scrutant les erreurs que vous commettez à répétition; en employant la méthode de l'amplification; en étudiant vos limites et en faisant l'inventaire de vos points forts et des projections qu'ils engendrent chez vous.*

L'identification de vos projections précède leur transformation. Vous avez vu dans ce chapitre comment, en changeant ne serait-ce qu'une seule habitude, vous pouvez ouvrir la porte à une foule de découvertes sur vos véritables pensées.

En modifiant un ensemble de comportements, vous pouvez vous assurer une position avantageuse dans la vie et atteindre ce que des années de thérapie ne feraient que faire miroiter à vos yeux.

7

Comment modifier ses projections

Il est stupéfiant de penser que ce qu'on voit n'existe peut-être que dans notre imagination. Curieusement, il est souvent plus tentant de s'accrocher à une fausse image de quelqu'un que de la remettre en question. Toutefois, bien que le fait de modifier une projection puisse déranger temporairement notre équilibre, le jeu en vaut toujours la chandelle, comme c'est le cas lorsqu'on renonce à une habitude destructrice.

Une projection est une habitude mentale qui se fonde en général sur de nombreux comportements. Une fois que vous l'avez repérée et que vous avez décidé de la modifier, attendez-vous à subir toutes les séquelles qui accompagnent la lutte contre une habitude — et même plus, puisque vous comptez briser un ensemble d'habitudes et non pas une seule.

La projection de Raymond repose sur un conventionnalisme excessif. Depuis vingt ans, c'est la guerre froide entre sa femme et lui, mais il a l'impression que ses grands enfants et ses collègues le mépriseraient et le rejetteraient s'il divorçait. Il croit que sa femme va s'effondrer et peut-être mourir s'il la quitte. Avec de telles idées, il n'est pas étonnant qu'il soit resté fidèlement à ses côtés pendant toutes ces années, refusant même une liaison avec une femme qui l'attirait vraiment.

En réalité, tout le monde a de la peine pour Raymond, car il est visible qu'il souffre dans son mariage sans amour. Ses enfants aimeraient le voir heureux et sa femme remarquerait à peine son départ. En fait, elle adorerait ajouter l'abandon de Raymond à la liste de ses récriminations. Mais celui-ci refuse de s'en rendre compte.

Par contre, s'il la quittait et qu'il s'en rende compte de lui-même, nul doute qu'il se traiterait d'idiot pour être resté aussi longtemps avec elle, compte tenu des sacrifices qu'il a faits et du peu de satisfaction qu'il a reçu en échange. Il projette sur sa femme l'image fausse d'une personne fragile qui a besoin de lui; il croit que ses collègues exigent de lui qu'il ne change pas et qu'il demeure fidèle aux conventions; que ses enfants, qui fréquentent l'université, le détesteraient s'il quittait leur mère, alors que seul son bonheur compte pour eux. Il voit le mariage comme une prison. Mais si toutes ces projections lui sautaient enfin aux yeux, il serait contraint de voir qu'il a vécu dans le mensonge; le choc serait immense et il faudrait beaucoup de courage à Raymond pour surmonter cette épreuve.

Le désir d'éviter ce choc pousse Raymond à demeurer sur son chemin actuel. En restant auprès de sa femme, il évite de battre en brèche tous les tabous qu'il s'est imposés et de subir l'angoisse qui en résulterait. Il veut continuer à croire que le mariage, même lorsque les deux conjoints sont malheureux, est la *seule* façon de vivre, que c'est un moindre mal.

Parce qu'il est si conventionnel, Raymond fait ce qu'on attend de lui depuis toujours. Il a presque oublié ce qu'il veut *vraiment* faire de sa vie, quelle impulsion l'a mis dans ce pétrin au tout début.

Le cas de Raymond peut sembler extrême en ce sens qu'un ensemble de projections semble gouverner complètement sa vie. Cependant, les obstacles que Raymond devrait franchir pour reprendre sa vie en main sont, dans une certaine mesure, celles que nous devons tous affronter lorsque nous voulons modifier une habitude.

Rappelez-vous qu'une projection est une simple mauvaise habitude mentale, une façon de voir les gens qui vous fait du tort.

Vous nourrissez l'illusion que votre perception des gens est inébranlable. Vous pouvez dire que depuis votre enfance, vous voyez les gens sous un certain angle. Vous les trouvez effrayés, fatigués, pressés, exigeants, fragiles, faciles à mener par le bout du nez ou impossibles à satisfaire. Quelle que soit votre perception, elle remonte loin, *elle fait partie intégrante de votre personne.*

Comme elle vous suit depuis très longtemps, il est normal que vous ayez l'impression d'être incapable de vous en libérer. Il est tentant de conclure que tous vos comportements découlent de votre personnalité, de la vision fondamentale qui est la vôtre, et de croire qu'il vous sera impossible de changer.

Cependant vos actes ne découlent pas seulement de votre personnalité, ils la *créent* également. Ils ne font pas que refléter votre opinion, ils la *façonnent*.

AXIOME 26: Vos actes modèlent sans cesse votre façon de voir les autres, qui date de votre enfance.

AXIOME 27: Chaque fois que vous agissez conformément à une projection, même si elle date de l'enfance, vous la renforcez et vous l'appuyez. Sans cet appui constant, elle disparaîtrait.

Les parents de Raymond étaient des immigrants sérieux et travailleurs, auxquels il dut obéir au doigt et à l'œil lorsqu'il était petit. Ils croyaient que la meilleure façon de survivre dans un nouveau pays était de travailler sans relâche et de ne pas se faire remarquer. Raymond reçut donc la consigne de ne pas se quereller en public, de ne jamais mettre l'autorité en doute, de ne pas traiter à la légère les cérémonies civiques comme le mariage ou la citoyenneté, et de laisser les autres passer devant lui. On lui apprit à reconnaître ses erreurs et à ne pas courir de risques. Il se soumit, sachant qu'il n'avait pas d'autre choix.

Cela l'arrangeait lorsqu'il était encore enfant. Il voulait la paix avec ses parents, et il l'eut. Mais cela n'explique pas pourquoi, à l'âge de cinquante ans, Raymond souhaite encore la paix à tout prix. Il a abandonné bien d'autres croyances qui datent de son enfance, alors pourquoi s'accroche-t-il à celle-ci?

La réponse tient au fait que, tout au long de sa vie, en se conformant, Raymond a renforcé l'image qu'il projetait sur les autres, c'est-à-dire qu'ils exigent sa conformité.

Ses parents moururent alors qu'il avait vingt-trois ans. Ils n'étaient plus là pour lui souffler à l'oreille d'épouser une femme de sa religion, ou de son quartier, au lieu de celle qu'il avait rencontrée pendant ses vacances en Grèce et qu'il aimait vraiment; ils n'étaient plus là pour insister afin qu'il devienne cadre dans une banque au lieu de lancer l'entreprise de gestion immobilière dont il avait toujours rêvé; ils n'étaient plus là pour lui dire qu'on doit rester avec une femme même si on ne l'aime plus.

C'est de son propre chef que Raymond a fait tout cela, conformément à sa projection. *Et tous ces comportements ont entretenu ses vieilles projections.*

Chaque fois que Raymond adopte un comportement conforme à son désir de se conformer, il renforce en lui-même une mauvaise habitude mentale.

Votre projection, votre perception des autres, qui date peut-être de votre enfance, est une habitude qui se nourrit de *vos actes*, mais qui *peut* être brisée. Vous n'êtes pas prisonnier de ce que vous êtes, ni de votre façon de percevoir le monde.

AXIOME 28: Comme chacune de vos projections est une habitude mentale qui se nourrit de vos actes, vous pouvez la désamorcer en remplaçant ces actes par d'autres actes.

Si Raymond n'était pas si conformiste, s'il en faisait à sa tête, il trouverait les gens moins restrictifs et moins exigeants.

Soit dit en passant, toute psychothérapie vise à permettre aux gens de se percevoir de manière plus positive, de voir les possibilités qui existent dans le monde et chez les autres, de modifier leurs projections. La personne en est arrivée à avoir une perception fixe d'elle-même et des autres. La seule façon pour elle de la modifier consiste à cesser d'accomplir les nombreuses activités qui appuient sa vision et à les remplacer par de nouvelles activités appuyant une nouvelle et meilleure image d'elle-même et des autres. La thérapie aura du succès dans la mesure où elle l'aidera à se fabriquer une nouvelle perception et à modifier ses projections.

Rares sont les personnes qui remettraient en question leur vision du monde ou d'elles-mêmes si elles n'étaient pas malheureuses.

Toutefois, en modifiant *votre propre* comportement, si vous savez précisément quels actes il vous faut modifier, *vous pouvez faire pour vous-même* beaucoup de ce que la thérapie prétend faire, et qu'elle réussit souvent à faire avec le temps. Vous pouvez modifier votre vision des choses et parvenir au but que vous avez toujours visé.

Comment modifier ses propres projections

1. *Mettre le doigt sur le comportement qui sous-tend la projection*

Un aspect de votre vie vous dérange — vos relations avec les autres ou votre incapacité de fonctionner. Vous examinez votre vision du monde à l'aide des six méthodes décrites au chapitre précédent et vous en concluez que votre perception des autres est tout à fait fausse!

Votre prochaine étape consiste à découvrir les comportements qui découlent de cette vision inadéquate du monde. *Demandez-vous ce que votre projection vous pousse à faire, que les autres ne feraient pas sans elle.*

Joël se prend pour le nombril du monde. Il perçoit les autres comme des personnes stupides et irresponsables et cela lui coûte cher. Comment agit-il en fonction de sa projection?

Joël excelle dans son domaine, la comptabilité, mais il croit également connaître un tas d'autres domaines. Il prend un grand nombre de décisions seul et beaucoup d'entre elles lui retombent sur le nez. Il n'écoute pas ce que ses collègues lui disent et ne pose jamais de questions.

Lorsqu'il décide de modifier le système électrique de son centre de loisirs, il refuse l'aide de son beau-frère qui est électricien et effectue lui-même le travail après avoir potassé pendant quelques heures un manuel pour amateur. Le filage brûle dans les murs et Joël doit payer une petite fortune pour faire corriger son travail bâclé. C'est à peine s'il écoute les électriciens; l'un d'entre eux lui crie: «Ne me dites pas comment effectuer *mon* travail!» Joël tente de cacher son échec pour pouvoir mieux se vanter plus tard d'avoir effectué le travail aussi efficacement qu'un professionnel.

Dans un autre cas, Pauline croit que sa patronne, Anne, veut la perdre et ne lui donnera jamais une chance de faire ses preuves. Pauline voit en toute figure d'autorité une personne agressive et sans pitié qui ne serait pas arrivée où elle est sans ces qualités. En vertu de cette projection, elle se conduit d'une manière étrange.

Bien avant de connaître Anne, Pauline affrontait déjà mentalement une patronne «sans pitié». Dans son curriculum vitæ, elle a menti à propos de son expérience antérieure. Dès le premier jour de bureau, elle s'est mise à questionner ses collègues sur les habitudes, les préférences et les aversions d'Anne, persuadée qu'elle était qu'il est bon de connaître les traits dominants d'une patronne à coup sûr irrationnelle. Les semaines passant, Pauline cachait systématiquement ses erreurs ou les imputait aux autres, plutôt que de laisser Anne croire qu'elle était irresponsable. Elle essaya de s'insinuer dans les bonnes grâces de celle-ci en lui racontant des blagues et en appuyant ouvertement ses lignes de conduite, même lorsqu'elle ne les approuvait pas. Elle cassait du sucre sur le dos de ses collègues afin de détourner d'elle-même l'inévitable colère d'Anne.

Tous ces comportements renforçaient sa terreur envers Anne et intensifiaient son sentiment d'être guettée par un danger imminent. En agissant selon sa projection, elle a réussi à se convaincre en moins d'un mois qu'elle serait congédiée si elle se comportait autrement.

Voilà seulement quelques-unes des actions associées aux projections de Joël et de Pauline. C'est en se posant les deux questions suivantes que ces derniers purent mettre le doigt sur le comportement qui découlait de leur projection: «*Qu'est-ce que ma projection me pousse à faire que je ne ferais pas en temps normal?*» et «*En quoi mon comportement diffère-t-il de celui des autres — ceux qui n'ont pas la même projection que moi?*»

Il est clair que si Joël n'avait pas projeté une image de stupidité sur les autres, il leur aurait demandé conseil, se serait moins vanté, aurait davantage écouté et aurait admis ses erreurs, comme tout autre mortel.

De même, si Pauline n'avait pas considéré tous les patrons comme des personnes malveillantes, elle n'aurait pas faussé son curriculum vitæ, elle aurait travaillé de son mieux et se serait épargné une enquête sur «la véritable personnalité» d'Anne. Elle aurait renoncé aux divers trucs qu'elle a employés pour gagner la confiance de sa patronne et aurait simplement attendu que cette dernière fasse une évaluation honnête de son travail.

Le mur du centre de loisirs de Joël serait resté intact et lui se serait épargné beaucoup d'ennuis et de frais. Le travail de Pauline aurait pu être amusant au lieu de donner lieu à une intolérable paranoïa.

Lorsque vous cherchez quels comportements changer afin de modifier une projection, *décrivez par écrit tous les comporte-*

ments qui découlent de celle-ci. Observez attentivement les personnes de votre entourage qui n'ont pas la même projection et voyez en quoi leur comportement diffère du vôtre.

2. Construire une «échelle» de changement

Vous possédez maintenant une liste d'activités associées à votre projection. Vous savez à peu près quels comportements modifier afin de changer votre vision du monde, mais vous ne pourrez pas le faire d'un seul coup. Vous subiriez un choc incroyable et vous céderiez probablement à la dépression avant même de vous être donné une véritable chance de changer.

Classez plutôt vos comportements suivant une «échelle» de difficulté. Certains d'entre eux seront relativement faciles à abandonner tandis que d'autres, situés au haut de l'échelle, vous paraîtront indéfectibles pour l'instant.

Par exemple, prenons le cas de Raymond, qui craint de remettre en question son mariage malheureux par crainte du qu'en-dira-t-on. Il est évident qu'il ne peut, du premier coup, quitter sa femme en disant: «Je me fiche carrément de ce que les autres pensent.» Même s'il a identifié sa projection, il sait également qu'il se soucie encore — trop — de l'opinion d'autrui, de sorte qu'il ne lui est pas possible d'effectuer un tel changement tout de suite.

Toutefois, à ce stade-ci, vous pouvez commencer par renoncer à certains petits gestes qui découlent de votre projection et qui se situent au bas de votre échelle.

Par exemple, Raymond pourrait cesser de clamer à la ronde qu'il est heureux en ménage. Il pourrait cesser de feindre la stupéfaction devant le divorce des autres et de traiter de «pauvres types» ses collègues divorcés. Il pourrait aussi renoncer à certains petits gestes conformistes de sa vie quotidienne, comme de se raser avant de jardiner chez lui ou de porter une cravate lorsqu'il se rend au bureau le samedi.

Ces changements sont «les plus faciles» parce qu'ils produisent moins d'angoisse et d'appréhension, mais Raymond sera étonné de voir à quel point il est malaisé de renoncer à ces petites habitudes.

Le deuxième échelon englobe les changements qui semblent inaccessibles pour l'instant, mais que vous pouvez tout de même imaginer effectuer un jour. Dès que vous aurez les pieds solidement établis sur le premier échelon et que vous n'aurez aucune peine à suivre votre programme, les changements du deuxième échelon deviendront réalisables.

Raymond pourra discuter avec sa compagne de leur incompatibilité; il pourra même travailler sur sa relation et, qui sait, la sauver en affrontant le problème. Peut-être qu'en essayant si fort de se conformer, il se rend incapable de lui dire que quelque chose cloche.

Si sa relation est vouée à l'échec, Raymond pourra peut-être, à ce deuxième échelon, trouver le courage de renouer des amitiés précieuses qu'il avait abandonnées à la demande de sa femme. Il pourra porter des jugements plus libres sur son travail, préférant la nouveauté à la routine, optant pour ce qu'il veut vraiment, même à ses propres risques.

Au troisième et dernier échelon, se trouvent les changements qui semblent tout à fait impossibles à réaliser pour l'instant. Toutefois, en gravissant l'échelle, vous aurez vous-même changé. Vous verrez les autres sous un autre jour et la dernière série de changements ne vous paraîtra pas plus ardue que les petites améliorations que vous aurez déjà apportées. À mesure que vous monterez dans votre échelle, votre point de vue et votre projection se transformeront de sorte que cette dernière étape ne vous paraîtra pas aussi difficile qu'à l'heure actuelle.

Remarquez que, dans certains cas, il s'agit d'omettre un comportement tandis que, dans d'autres, vous devez le modifier.

Ainsi, Pauline pourrait consacrer le temps qu'elle met à séduire Anne, à étudier son caractère et à médire de ses propres collègues, à mieux effectuer son travail.

L'échelle a pour but de vous aider à escalader la forteresse seul, à sortir vous-même de la prison de vos projections. Plus vous l'établirez honnêtement, en reconnaissant ce qu'il vous est possible ou impossible de changer sur-le-champ, plus l'escalade sera facile. Si vous vous attaquez trop précocement à une tâche ardue, vous aurez la tentation d'abandonner complètement la partie, alors qu'à chacun de vos succès, vous affaiblissez votre projection, ce qui vous facilitera l'étape suivante.

3. S'imaginer effectuer les premiers changements

Vous avez établi votre échelle et vous envisagez le premier changement à effectuer, au tout premier échelon. Comment vous sentez-vous?

L'idée de vous sentir anxieux parce que vous ne vous êtes pas rasé avant de jardiner peut très bien vous sembler ridicule. «Je ne suis pas *si* conformiste que ça», direz-vous.

Toutefois, lorsque vient le temps de le faire — *vous envisagez l'un des premiers changements de votre échelle* —, il se peut que vous éprouviez un véritable pincement au cœur. Votre cerveau s'emballe au moment où vous songez aux conséquences possibles de votre acte:

«Si mon patron venait à passer, il me prendrait pour un plouc.»

«Mon voisin va peut-être penser que je n'ai pas dormi de la nuit et que je me suis fourré dans un pétrin quelconque.»

«Et si un courtier immobilier me voyait? Il croirait que je suis pauvre et que je dévalue la propriété.»

Plus vos idées sont farfelues, plus elles indiquent que vous êtes aux prises avec une véritable projection. Servez-vous-en pour mettre le doigt sur vos craintes réelles. Votre monstre perdra un peu de son pouvoir si vous arrivez à le nommer.

4. Modifier le comportement

Vous vous préparez maintenant à désamorcer votre projection en modifiant les comportements qui en découlent et qui la nourrissent. Vous abandonnerez complètement certains d'entre eux et vous en remplacerez d'autres par de nouveaux.

Vous vous jetez à l'eau.

L'anxiété que vous avez ressentie lorsque vous avez décidé d'effectuer le changement *n'est rien* comparée à celle que vous éprouvez maintenant. Chaque fois que vous modifiez une de vos habitudes, vous pénétrez en terrain inconnu. Vous éprouverez une violente envie de rebrousser chemin, de reprendre vos vieilles habitudes, qui vous paraîtront bien entendu des plus sensées!

La première fois que Joël, qui avait toujours eu besoin de se prendre pour l'homme le plus intelligent de la terre et de voir les autres comme des débiles, reconnut son erreur, il sentit la panique le gagner. Il lui sembla soudain que cette tactique ne pouvait pas être valable.

De même, les premières fois que Pauline affronta sa patronne, sans arrière-pensées ni tactiques défensives, elle s'attendit à être congédiée. Lorsque Anne lui demanda son avis au sujet d'une nouvelle ligne de conduite et que Pauline exprima ouvertement son désaccord, elle était persuadée qu'Anne l'écraserait du talon par la suite.

Ces premières réactions chaotiques sont réelles et très puissantes. Elles vous signalent que vous vous opposez à vos perceptions, mais ce n'est pas une raison pour renoncer.

Freud et les premiers psychanalystes, qui affirmaient que notre comportement ne peut pas modifier notre perception des autres, ont déclaré que ces réactions sont insurmontables. Les psychanalystes croient «qu'on est ce qu'on est» intérieurement et que tous nos actes dérivent de ce noyau impossible à modifier.

Mais en réalité, «ce que vous êtes» est constamment renforcé par vos agissements. Vous devez vous accrocher à cette vérité pendant cette première période d'incertitude et d'inconfort. Si vous luttez contre la souffrance et que vous persistez dans vos nouveaux comportements, vous changerez «ce que vous êtes». En fait, votre anxiété elle-même est un signe que vous progressez et que vous vous transformez.

5. *Les associations libres*

À ce stade-ci, vous pouvez apprendre beaucoup sur vous-même et étoffer vos attaques futures contre votre projection si vous vous livrez au jeu des associations libres.

Écoutez attentivement la petite voix qui vous crie de reprendre vos vieilles habitudes, naturelles et sécurisantes. Elle vous apporte une panoplie de raisons détaillées qui mettent en évidence l'image de la personne que vous affrontez ou du monde tel que vous le voyez. En écoutant cette voix et en *l'interrogeant*, non seulement vous pourrez percevoir les multiples facettes de votre projection, mais vous découvrirez probablement son origine.

Lorsque Pauline exprima son désaccord à Anne en tremblant de peur, elle dut lutter contre la petite voix qui la poussait à se taire et à tout approuver.

De retour chez elle deux heures plus tard, Pauline était encore secouée. Elle se demanda ce qu'elle craignait précisément à ce moment-là. L'image d'une patronne criant après elle d'une voix suraiguë, frappant sur la table et pointant un doigt vers elle, lui traversa l'esprit. Or, Anne n'était pas du tout comme cela. Elle était douce et très professionnelle. Même sous l'emprise de la colère, elle n'élevait jamais la voix. Pauline poussa plus loin sa recherche: «Pourquoi Anne me crierait-elle après?» La réponse ne se fit pas attendre: «Elle me déteste parce que je suis jeune et jolie!» C'était ridicule. Anne était à peine plus âgée qu'elle et tout le monde la trouvait belle. D'où lui venait cette idée bizarre?

L'instant d'après, elle connut la réponse. Pauline revoyait sa mère la pointer du doigt en criant. Celle-ci dénigrait sans cesse les femmes jeunes et jolies sous prétexte qu'on leur pardonnait tout. Elle était exigeante et intolérante, et oscillait constamment entre l'acceptation et le rejet de Pauline.

Pauline avait donc appris, encore enfant, à demeurer dans les bonnes grâces de sa mère, et elle avait renforcé cette tactique en grandissant. Elle l'avait employée avec toutes les figures d'autorité (à l'école, à l'université, au travail) et s'était sentie en sécurité grâce à cela. Inconsciemment et à cause de son propre comportement, Pauline avait apposé sur chacun de ses supérieurs le tampon «mère hystérique».

Quant à Joël, l'image irrationnelle d'un homme haussant les épaules en signe de déception profonde lui traversa l'esprit lorsqu'il admit pour la première fois avoir commis une erreur devant son beau-frère.

Certes, les choses se passèrent autrement. Son beau-frère sourit cordialement et dit: «Nous faisons tous des erreurs.»

La réaction que Joël attendait était celle qu'il avait vue des douzaines de fois dans son enfance. Son père était si exigeant et si facile à décevoir que Joël avait appris que seule l'excellence, réelle ou simulée, pourrait le faire avancer dans la vie.

Lorsqu'on cherche à modifier un comportement découlant d'une projection, l'association libre au sujet de l'autre personne suscite souvent des images en apparence farfelues. *En un sens, plus elles sont farfelues, plus vous pourrez en apprendre sur vous-même.*

À partir de ces images fragmentaires, vous pouvez obtenir un portrait complet de votre projection et même, dans bien des cas, découvrir son origine. Ce portrait constitue votre objectif. C'est une illusion, un mensonge sur l'autre personne ou sur le monde qui gouverne votre vie et qui vous nuit depuis des années.

Et si l'on continue à étudier l'illusion et les personnages de l'enfance qui se tiennent derrière elle, on en apprend encore davantage. Ayant compris qu'elle voyait sa mère dans chaque figure d'autorité, Pauline a cherché les autres tactiques qu'elle avait employées avec sa mère et qui, aujourd'hui, faisaient naturellement partie de ses comportements à l'égard de sa patronne. Elle vit qu'elle avait développé une fausse timidité afin d'obtenir la pitié de sa mère, qu'elle se tenait le dos voûté pour ne pas menacer celle-ci par son apparence. Très jeune, elle avait adopté un sourire factice. Elle résolut de perdre toutes ces manies reliées à sa projection.

Joël se rappela qu'il se vantait auprès de son père et se jura de cesser immédiatement toute exagération avec les autres.

Toutes ces découvertes sur soi constituent des munitions. Plus vous pouvez identifier de comportements reliés à votre projection, plus il vous sera facile de les éliminer ou de les remplacer par ordre de difficulté, et de modifier votre projection.

6. *Affronter son vertige en gravissant l'échelle*

Chaque fois que vous montez d'un échelon, vous éprouvez un sentiment d'étrangeté et d'incertitude face à votre nouveau rôle. Selon la nature de votre projection, vous aurez peut-être l'impression, au début, que tout le monde se moque de vous, vous juge ou cherche à profiter de vous, ou encore que les autres sont fragiles et susceptibles et que vous dépassez les bornes. Vos sentiments varieront de l'anxiété jusqu'à l'humiliation, en passant par la terreur.

Votre détresse peut être plus profonde que tout ce que vous avez ressenti depuis des années, alors que vous renforciez votre projection en adoptant des habitudes infructueuses. Pendant toutes ces années, vous avez peut-être perdu des partenaires amoureux, des amis et des emplois, vos relations vous ont laissé un goût amer et vous avez peut-être même eu l'impression que votre vie était gâchée.

Tenez bon. Votre peur disparaîtra si vous persévérez.

À chaque nouvel échelon, vous vous demanderez peut-être: «Pourquoi un changement mineur me trouble-t-il davantage que mon ancienne perception erronée des autres?» Vous vous demanderez si vous êtes sur la bonne voie, et si oui, comment il se fait que vous ayez l'impression de vous être mis le doigt dans l'œil.

Le changement est toujours difficile, étrange, et semble curieusement incorrect même s'il précède une amélioration. Ne vous découragez pas.

Vous étiez comme une personne boulimique qui ne souffrait pas tant qu'elle mangeait, mais qui se méprisait en voyant son reflet dans le miroir chaque matin et qui se tenait loin de tout amoureux éventuel. Ou comme un fumeur qui appréciait chaque bouffée de cigarette, mais qui se faisait de la bile en lisant les statistiques et en entendant sa propre toux, de plus en plus déchirante. *Votre comportement ne vous dérangeait pas, mais ses conséquences vous paraissaient affreuses.*

La personne boulimique et le fumeur traversent un enfer lorsqu'ils décident de ne pas céder à leur penchant et de perdre leur habitude destructrice. Ne lâchez pas!

Rappelez-vous qu'une projection est une mauvaise habitude mentale. En la combattant, attendez-vous à éprouver de la douleur, de l'anxiété et à vous sentir désorienté, comme vous le seriez si vous adoptiez une diète sévère ou que vous cessiez brusquement de fumer.

Souvenez-vous aussi que vous combattez beaucoup d'habitudes en même temps. Une projection, contrairement à la boulimie ou au tabagisme, ne se compose pas d'une seule activité indésirable. Néanmoins, vous êtes en train de combattre des habitudes et votre souffrance vous indique que vous êtes sur la bonne voie. Votre vision du monde s'améliore déjà, même si vous ne vous en rendez pas encore compte. Au début, les seuls signes d'amélioration, à part la douleur, sont certains petites indices montrant que votre situation a légèrement changé.

En ce qui concerne Raymond, dès qu'il se mettra à effectuer quelques changements au premier échelon, il commencera à mettre en doute le bien-fondé de son attitude qui consiste à s'accrocher à son mariage. Lorsqu'il perdra l'habitude, liée à sa projection, de déprécier toutes les personnes qui divorcent, et qu'il admettra qu'elles ont agi pour le mieux, *il se sentira un peu ridicule de rester avec une personne qu'il n'a jamais aimée.*

Lorsqu'il cessera de considérer les gens divorcés comme des criminels ou des minables et qu'il acceptera de voir que nombre d'entre eux bénéficient de relations nouvelles et plus enrichissantes et sont même en bons termes avec leurs ex-conjoints, heureux eux aussi, Raymond sera forcé de modifier son image *de lui-même en tant que divorcé potentiel.* Au lieu de se voir ostracisé et vivant dans une chambre minable, il comprendra qu'il pourrait mener une vie aussi confortable que maintenant, proche de ses enfants et en aimant une personne qui lui rendrait son amour.

Dans le passé, en respectant et en «protégeant» sa projection qui exigeait de lui qu'il soit conformiste, en la nourrissant et en la renforçant au moyen d'activités connexes, Raymond s'arrangeait pour souffrir le moins possible. Il était beaucoup plus facile pour lui d'endurer son sort lorsqu'il se conformait à son choix et qu'il renforçait ses croyances conformistes. Tant qu'il se voyait en divorcé dont la vie est gâchée, il n'éprouvait aucun conflit; il se résignait à son sort, étouffant toute pensée lui soufflant qu'il pourrait un jour être différent. Lorsqu'il avait failli tomber amoureux d'une autre femme, il l'avait rabaissée en pensée en se disant qu'elle menaçait son foyer.

Aujourd'hui, alors qu'il commence à ressentir de la souffrance, il se permet d'envisager la possibilité d'une solution de rechange et contribue ainsi à affaiblir sa projection, car les projections prospèrent grâce à l'élimination des solutions de rechange.

Chaque fois que l'on essaye de perdre une série d'habitudes — de relâcher une projection —, on éprouve une violente envie de reprendre l'activité que l'on a abandonnée. À mesure que cette envie s'accroît, on a l'impression que l'on ne peut pas survivre sans elle. On se retrouve obsédé par des activités désormais interdites ou par les horribles dangers qui nous menacent sans la protection de notre comportement. Notre tête ne tardera pas à nous fournir de bonnes justifications.

À l'instar du fumeur qui se dit: «Impossible d'écrire ce rapport si je ne fume pas» ou de la personne boulimique qui a l'impression qu'elle mourra si elle ne mange pas de viande sur-le-champ, vous trouverez mille et une raisons de justifier ces béquilles.

Mais comme nous l'avons vu, lorsque vous écoutez ce que votre envie vous dit, vous obtenez une série d'images, parfois cauchemardesques, qui composent votre projection. Rappelez-vous surtout que vous ne devez pas satisfaire ces envies, car elles font partie du système d'illusions que vous créez vous-même afin de justifier un retour à vos vieux comportements autodestructeurs.

Servez-vous de cette «envie illusoire» pour en apprendre davantage sur vos peurs; en nommant celles-ci, ôtez-leur une partie de leur mystère et de leur pouvoir. L'envie illusoire indique aussi que vous progressez, que vous cessez de vous adonner à une activité vraiment nuisible et que vous assurez votre assise sur cet échelon de votre échelle.

Dans certains cas, le sentiment de perte qui vous a poussé à identifier votre projection se manifestait comme une douleur sourde et persistante. Peut-être avez-vous pu l'oublier jusqu'à ce que vous perdiez de nouveau votre emploi ou votre partenaire. Dans d'autres cas, votre détresse est si chronique qu'elle est devenue une habitude quotidienne. Pour Pauline, travailler était un cauchemar quotidien et inévitable, puisque pour elle, *tous* les patrons étaient pareils.

À mesure que vous gravissez votre échelle, vous éprouverez une souffrance différente chaque fois que vous entreprendrez de modifier un nouveau comportement. Elle sera beaucoup plus aiguë, mais *temporaire*. C'est la douleur temporaire qui accompagne chaque habitude abandonnée.

Vous êtes en train de retaper votre comportement tout entier. Vous ébranlez ainsi votre système nerveux, bercé par vos vieilles habitudes, et votre souffrance provient du fait que ce que vous faites est totalement nouveau. Votre souffrance s'estompera en même temps que la nouveauté et votre système nerveux reviendra à la normale. De nouvelles habitudes mentales *saines* auront remplacé les mauvaises.

Pour gravir son échelle avec succès, il importe de savoir à quoi s'attendre. Vous éprouverez une souffrance *aiguë mais brève* à chaque échelon. Plus vous répéterez votre nouveau comportement, plus il vous viendra facilement, une nouvelle bonne habitude en remplaçant une mauvaise.

Ne vaut-il pas mieux endurer une anxiété temporaire et résister à son envie de retomber dans une vieille habitude destructrice que de se voir commettre sans cesse les mêmes erreurs avec les gens, les craindre sans arrêt, perdre l'amour et, en général, profiter de moins en moins de la vie?

7. Affronter l'opposition des autres

Dès que votre attitude commencera à changer, attendez-vous à subir les réactions de votre entourage. En fait, vous posez des gestes qu'eux-mêmes et tous ceux qui les entourent font tout naturellement, sauf que chez vous, ils ont l'air déplacé.

Ainsi, vous combattez par exemple la projection qui vous fait voir les autres comme supérieurs à vous en vous efforçant de donner votre opinion. À votre grand étonnement, un de vos amis déclare que vous parlez à tort et à travers.

Ou encore vous vous voyez comme une «chiffe molle que les autres malmènent et raillent», mais, pour la première fois, vous osez vous fâcher lorsqu'on rit à vos dépens. Un «ami» qui vous a souvent insulté vous fait observer: «Tu étais drôle avant. Que t'est-il arrivé? Pourquoi es-tu soudain si sérieux et si ennuyeux?»

En règle générale, vous pouvez deviner lesquels de vos proches s'opposeront à votre nouvelle image. Souvent, ce sont les personnes que vous aimez le plus et qui vous connaissent depuis longtemps.

Évidemment, vous n'abandonnerez pas, après tous les efforts que vous venez d'accomplir pour changer. Rappelez-vous cependant qu'au fil des ans vous avez vous-même contribué à forger la fausse impression que nourrissent les autres à votre égard.

Félicitez-vous lorsque vous rencontrez une certaine résistance, car elle prouve que vous êtes vraiment en train de changer! Plus farouche est la résistance, plus radical devra être votre changement.

Examinons le cas suivant.

Johanne dit à sa sœur Hélène: «J'aimerais mieux ne pas te voir si tôt samedi, car je voudrais faire la grasse matinée.» Ce à quoi Hélène réplique méchamment: «Pas avant midi? Eh bien! Madame se prend pour une princesse!»

Hélène elle-même a souvent interdit qu'on l'appelle avant midi certains week-ends. Comme elle est fière de sa vie sociale, elle taquine souvent Johanne en mentionnant, par exemple, qu'elle est épuisée parce qu'elle a dansé jusqu'aux petites heures ou qu'elle est allée à deux réceptions fantastiques le même soir.

Devant les reproches de son aînée, Johanne se rappelle ces moments et se demande pourquoi elle n'aurait pas le droit de dormir tard, elle aussi.

Il est évident qu'elle en a le droit, mais Hélène n'est pas de cet avis car elle ne la voit que comme une petite sœur un peu terne et sans vie sociale. Où irait-elle, et qui l'y emmènerait?

Depuis son enfance, Johanne projette sur sa sœur l'image d'une «personnalité en vue, séduisante et populaire». Lorsque Hélène étudiait à l'école secondaire, Johanne l'a souvent aidée à enfiler les tenues chics qu'elle portait à ses nombreuses soirées. Elle écarquillait les yeux en entendant sa sœur lui décrire tous les garçons qui étaient amoureux d'elle et les clubs scolaires qui sollicitaient son adhésion. À cette époque, Johanne filtrait parfois les appels destinés à sa sœur et racontait des bobards aux garçons que celle-ci souhaitait évincer.

Lorsque Hélène entra à l'université, Johanne la voyait comme la reine du campus, vision qu'Hélène entretenait.

Le récent divorce de celle-ci la surprit. Il était sans doute difficile pour Hélène de trouver un homme assez passionnant.

Dernièrement, Johanne a rencontré un homme qu'elle aime beaucoup, un étudiant en maîtrise. Elle s'est tout de suite bien entendu avec lui et a hâte de le présenter à sa sœur.

Quelle n'est pas sa surprise de voir qu'Hélène n'est pas du tout impressionnée. Tout ce qu'elle a trouvé à dire après coup, c'est: «Il n'a pas l'air trop mal.»

Le pire, c'est que Johanne a fait à son ami l'éloge de sa sœur, mais maintenant, elle ne peut s'empêcher de penser que si Hélène était vraiment si extraordinaire, elle aurait manifesté un intérêt plus grand à l'égard de son amoureux.

Quant à ce dernier, il est loin d'être impressionné par Hélène. Il a vertement semoncé Johanne pour avoir porté sa sœur aux nues et s'être rabaissée. Johanne se rend à l'évidence. Elle ne s'apprécie pas à sa juste mesure tout en projetant sur sa sœur un attrait et une allure magiques.

C'est grâce à cette découverte que Johanne commença à repérer certains comportements destructeurs chez elle. Elle ne s'habillait jamais de manière à se mettre en valeur, ne portait jamais de grands chapeaux, par exemple, bien qu'elle les admirât chez les autres femmes. Elle laissait souvent ses amies choisir leurs lieux de rencontre, comme si elles connaissaient mieux qu'elle les endroits à la mode. En groupe, elle parlait peu. Si elle conversait avec un homme et qu'une femme se joignait à eux, elle s'écartait discrètement. Elle présentait à d'autres femmes des hommes qui l'attiraient, parce qu'elle les jugeait trop beaux ou trop mondains pour elle.

Johanne classa ces comportements sur une échelle en commençant par les plus faciles à changer. Elle avait compris tout de suite que ses manières avec les autres femmes se situaient sur les premiers échelons, tandis qu'il lui serait extrêmement difficile de modifier son attitude envers sa sœur, bien qu'elle ignorât pourquoi.

Son premier changement consista à suggérer un restaurant dont elle avait entendu vanter les mérites lorsque son amie et elle parlèrent d'inviter sa cousine pour son anniversaire. En route vers ce restaurant, Johanne n'en menait pas large: «Et si elles détestaient cet endroit?» Elle les imaginait lui crier des injures et l'abandonner.

Elle avait eu des visions du même genre lorsqu'elle s'était acheté une robe noire décolletée. En se rendant à la soirée, elle imaginait le brusque silence suivi d'un éclat de rire général qui saluerait son entrée. Elle s'obligea à faire des associations libres en se servant de cette image comme tremplin. Elle entendait les observations suivantes: «Pour qui se prend-elle en attirant l'attention ainsi? Elle est ridicule.» Puis, une scène de son enfance lui revint en mémoire. Elle avait enfilé une robe qu'un oncle lui avait offerte pour Noël et qu'elle adorait. Sa mère avait fait la grimace: «Donne cette robe à ta sœur, avait-elle ordonné sans hésitation. Elle est bien trop élégante pour toi, elle t'écrase. Tu devrais te contenter de vêtements plus sobres.» Johanne avait obtempéré.

Elle résista à tous ces doutes et à l'envie de rebrousser chemin et de redevenir confortablement terne. Elle pénétra dans la pièce et personne ne rit. En fait, deux femmes, l'air admiratif, lui demandèrent même où elle avait acheté sa robe. Petit à petit, elle se mit à choisir des vêtements plus séduisants, à organiser des soirées pour ses amis et à s'exprimer ouvertement en présence d'autres femmes.

Jusqu'à ce point, c'est avec elle-même que Johanne avait lutté. Personne ne s'était opposé à sa nouvelle personnalité extravertie et on l'appréciait même davantage.

Elle se trouvait maintenant tout au haut de son échelle. Elle savait depuis le début qu'elle aurait de la difficulté à modifier son attitude envers sa sœur. En fait, depuis quelques semaines, à mesure que le retour d'Hélène, partie en Europe, approchait, Johanne était en proie à une nervosité croissante.

Elle appréhendait de lui annoncer qu'elle allait vivre avec son ami. Sa sœur n'aimerait pas constater que sa benjamine avait grandi et elle lui ferait peut-être la morale ou dénigrerait son ami.

Elle et son ami s'étaient entendus pour qu'elle rencontre d'abord sa sœur seule. Johanne avait appelé sa sœur afin de la mettre au courant de sa décision. Les deux sœurs ayant décidé de se rencontrer le samedi suivant, Hélène avait annoncé à Johanne qu'étant occupée ce jour-là, elle ne pourrait la voir que vers dix heures du matin.

Sans réfléchir, Johanne avait répondu qu'elle n'était pas libre avant midi. Elle était loin de s'attendre à l'avalanche d'insultes qui suivit. Elle avait prévu une réaction sarcastique lorsqu'elle annoncerait son intention de vivre avec son amoureux, mais elle n'eut pas aussitôt ouvert la bouche qu'Hélène se déchaîna! Elle tint bon.

Cette sorte d'opposition a une double signification. En premier lieu, elle vous invite sans équivoque à persévérer si vous ne voulez pas être renversé ni revenir à la case départ. En second lieu, elle indique que vous avez déjà changé. La violence disproportionnée de la réaction d'Hélène face à une modeste requête révèle que son univers vient de s'effondrer. Hélène a compris tout de suite qu'elle avait affaire à une personne différente, que sa sœur s'était hissée à son niveau, qu'elle ne la voyait plus comme une princesse et que, désormais, elle désirerait être traitée en égale.

En escaladant votre échelle, ne laissez jamais le désarroi des autres vous inciter à reprendre vos vieux modèles de comportement.

Vous aurez peut-être la tentation de vous dire: «Si cela bouleverse tant mon mari, pourquoi m'entêterais-je à vouloir cet emploi?» ou: «Si ma fille doit avoir honte de moi, aussi bien ne pas me remarier». Rappelez-vous cependant que cette attitude vous a causé et vous causera encore beaucoup de tort.

Parfois, l'opposition prend la forme de conseils:

«C'est mauvais pour toi de t'exprimer aussi ouvertement au bureau.»

«Il est dangereux de quitter son emploi pour devenir pigiste.»

«Tu ne devrais te fier à aucun homme, et encore moins à celui que tu aimes!»

Ce type de conseil peut rendre encore plus alléchante l'idée de réendosser votre vieille personnalité confortable, mais *n'en faites surtout rien!* Prenez-le plutôt pour un compliment implicite, un signe que vous avez vraiment changé.

Inutile de dire que les opposants les plus forcenés à toute transformation fondamentale de votre personnalité seront vos parents. Non qu'ils soient nécessairement contre vous, mais ils observent votre caractère dépendant, peu assuré depuis longtemps et ils ont l'habitude de jouer un rôle précis dans votre vie. Votre maturité peut susciter une crise chez eux.

Quoi qu'il en soit, presque tous vos opposants nourrissent des projections envers vous et s'imaginent qu'ils seront perdants si vous changez. Mais en réalité, c'est plutôt le contraire.

En fait, Hélène perdait une adoratrice au moment où sa sœur est devenue son égale, mais elle y gagnait une amie.

La meilleure façon d'affronter l'opposition consiste à avoir confiance en soi. Sachez qu'elle est temporaire, au même titre que les autres formes de malaise que vous ressentez. Si vous persévérez, les autres s'habitueront à vous et, s'ils ne le font pas, cela n'aura bientôt plus d'importance à vos yeux.

8. *Le succès*

Vous avez donc escaladé votre échelle, fort de l'assurance acquise à force de pratiquer les nouveaux comportements destinés à remplacer votre projection destructrice. En échange, ceux-ci vous sont devenus familiers et vous procurent une meilleure vision du monde alliée à une perception plus réaliste d'autrui. L'anxiété temporaire résultant de la perte de vos vieilles habitudes a disparu et vous avez du mal à vous rappeler votre ancienne perception des autres.

Vous n'avez plus l'impression de travailler à bâtir une vision du monde. En fait, en vertu de la loi de la consonance, vous continuerez inconsciemment à adopter des comportements conformes avec votre nouvelle perception. Vous vous sentirez à l'aise, et la seule différence, c'est que vous apprécierez désormais et vos actions, et leurs conséquences.

Ainsi, plus Joël a pris l'habitude d'afficher son incertitude, de demander de l'aide, d'admettre ses erreurs et de ne pas se vanter, plus il a pu constater que les autres l'aimaient comme il était et qu'il n'avait nul besoin de se montrer prétentieux. Il surmonta sa crainte d'être raillé ou rejeté s'il gaffait. Il noua des relations beaucoup plus intimes parce que l'éventualité d'un échec ne l'obsédait plus.

Quant à Pauline, plus elle voyait sa patronne comme une personne unique, plus elle aimait son travail. Elle renonça à toutes ses manigances en vue de s'attirer ses bonnes grâces et s'appliqua plutôt à bien faire son travail. Elle fut ravie de la réaction d'Anne qui fit son éloge en public et lui accorda une promotion. Petit à petit, il devenait impossible pour Pauline d'imaginer qu'Anne la jugerait autrement qu'en fonction de son rendement. En constatant que sa carrière était entre ses propres mains, Pauline se sentait aussi plus libre de s'adresser à Anne comme à un être humain. Elle se rendit compte que celle-ci n'avait rien d'une belle-mère malfaisante, mais qu'elle était une bonne amie presque de son âge. Le comportement même qui avait modifié sa perception, maîtrisé au prix d'une angoisse considérable, semblait désormais comme l'expression naturelle de ses sentiments envers Anne. Lorsqu'elle-même accéda à un poste de cadre, elle savait clairement quelle sorte de patronne elle voulait être et voyait nettement lesquels de ses collègues possédaient des aptitudes à diriger.

Toute psychothérapie, dans la mesure où elle aide le patient à acquérir de nouvelles perceptions des autres, agit de la façon même que nous avons décrite. Le patient identifie sa perception, c'est-à-dire sa projection, et détermine les nombreux comportements qui la nourrissent. En règle générale, comme le thérapeute appartient à une certaine école de pensée, il peut expliquer pourquoi le patient voit les autres de cette façon en vertu d'une certaine théorie. «Pauline, tu détestes ton patron parce que tu souffres d'un complexe d'Œdipe qui te pousse à concurrencer ta mère.» Ou: «Comme tu souffres d'un complexe d'infériorité adlérien, tu détestes toutes les figures d'autorité féminines.» Le thérapeute aide le patient à déceler une douzaine de ses comportements qui illustrent son problème. En discutant avec son thérapeute de son enfance (la prétendue cause du problème), il modifie son comportement, souvent de son propre gré. *Quelle que soit la théorie évoquée, les actes du patient sont la véritable cause de son changement de perception.* Son nouveau comportement le rend anxieux de prime abord, mais graduellement sa perception se transforme.

Entre-temps, analyste et patient continuent de discuter de la racine du problème, complexe d'Œdipe ou d'infériorité, traumatisme natal ou autre. Ce qu'il y a d'ironique dans ces attitudes, c'est que lorsque le patient acquiert une nouvelle perception et qu'il résoud son problème, lui et son analyste attribuent sa guérison à leur profonde compréhension de la cause imaginaire du problème. Le thérapeute œdipien croit avoir trouvé les raisons du complexe d'Œdipe, tandis que son homologue s'imagine avoir mis au jour les racines du complexe d'infériorité. Mais dans chaque cas, le patient est lui-même l'auteur de sa guérison de la manière précise décrite dans le présent chapitre.

Toute thérapie réussie suit le même modèle: le patient se guérit lui-même en identifiant sa perception erronée et le comportement qui lui est associé; en modifiant celui-ci, il transforme sa perception.

Résumé

Vous pouvez modifier vos perceptions, pour la simple raison que les projections exigent une nourriture constante et que si vous n'agissez pas de manière à les renforcer, elles meurent.

Ayant identifié la projection que vous voulez modifier, vous devez déterminer le plus grand nombre possible des comportements qui y sont reliés. Lorsque vous décidez d'étouffer une projection, c'est tout un ensemble de mauvaises habitudes que vous démantelez.

Classez celles-ci sur une échelle allant de la plus facile à perdre à la plus difficile. Comprenez qu'il vous faudra éliminer complètement certains comportements, tandis que vous en remplacerez d'autres par de nouveaux.

Attendez-vous à ressentir une profonde angoisse en chemin. Tout changement est difficile, et même changer pour le mieux peut nous paraître parfois étrange et incorrect. Rappelez-vous toutefois que votre anxiété actuelle est uniquement un symp-

tôme de sevrage et qu'elle est temporaire. Plus vous vous fami-
liariserez avec vos nouveaux comportements, plus elle s'atté-
nuera pour disparaître complètement.

Lorsque vous atteindrez enfin le haut de votre échelle, après
avoir assuré votre position à chaque échelon, vous serez vérita-
blement une nouvelle personne dotée d'une vision du monde
libre, assurée et saine. Vous constaterez que l'amour et l'amitié
sont à votre portée et vous saurez précisément qui choisir et qui
éviter.

Malheureusement, votre nouvelle perception ne s'accompagne pas d'une garantie à vie, mais vous pouvez vous
fournir vous-même cette garantie à la lumière de quelques faits
supplémentaires.

8

Comment demeurer lucide face aux autres

Imaginons deux personnes emprisonnées séparément pendant une longue période. Chacune reçoit un jeu de cartes avec lequel elle peut faire des réussites. La première joue de son mieux, en respectant les règles et en notant soigneusement ses succès et ses échecs tandis que la seconde, déçue par ses résultats, se met à tricher.

Le joueur honnête s'est donné un but à atteindre. Aussitôt son petit déjeuner avalé, il est impatient de jouer. Il essaie chaque jour de battre son record et il gagne aujourd'hui une partie qu'il aurait perdue la semaine précédente. Il cherche constamment à s'améliorer.

Le tricheur, pour sa part, a détruit le jeu, qui ne présente plus aucun défi ni intérêt à ses yeux. Il cherche maintenant d'autres façons de tuer le temps, mais il manque d'imagination. Il s'ennuie et se sent déprimé, et sa vie est vide comparée à celle de l'autre prisonnier.

Ce dernier projette valeur et espoir sur un banal jeu de patience. Il lui rend justice en respectant ses règles et reçoit beaucoup en retour. Le tricheur, pour sa part, a détruit l'utilité du jeu dans sa vie et s'est privé d'une activité potentiellement amusante et significative. Il projette sur le jeu de patience, comme sur toute sa vie, l'idée d'une perte de temps.

Nous connaissons tous des gens qui se plaignent de ne jamais trouver chaussure à leur pied en amour. Au début, ils nous rendent fou en s'extasiant sur celui ou celle qu'ils viennent

123

de rencontrer; quelques mois plus tard, ils ne savent plus comment s'en débarrasser.

De même, nous connaissons tous une personne qui change d'emploi chaque année; ses espoirs, énormes lorsqu'elle commence, sont réduits à rien lorsqu'elle part. Le patron n'était pas le «visionnaire» qu'il paraissait être et l'emploi n'était donc pas à la hauteur de ses attentes.

Le même scénario se produit également dans le cas de l'amitié. Certaines personnes vantent sans cesse les mérites de leurs récentes connaissances, mais sont incapables de nommer une personne dont elles ont été proches pendant cinq ans.

Toutes ces personnes souffrent du même problème: elles n'agissent pas de manière à projeter une certaine valeur, une certaine importance ou un certain charme sur les autres.

L'homme qui cesse d'aimer, si l'on suppose qu'il n'a pas fait des choix impossibles chaque fois, omet l'ingrédient essentiel à une histoire d'amour durable: il n'agit pas de manière à attiser son amour. Il se dit: «Qu'est-ce que ça me fiche de rester amoureux? Ces femmes étaient toutes ennuyeuses comme la pluie.» Cependant, ses premières impressions n'étaient pas toujours fausses. Certaines de ces femmes au moins étaient attirantes et énergiques, deux qualités qu'il recherchait chez une compagne et qu'il croyait avoir trouvées. Ce n'était pas la *femme* qui avait changé, c'était *sa vision à lui* qui s'était transformée. En n'agissant pas de manière à projeter l'image d'une femme «bien-aimée» sur ses partenaires, il s'habituait graduellement à les voir comme des femmes «insuffisantes». En se persuadant qu'elles n'étaient pas dignes d'être aimées, il se privait lui-même d'amour.

Le même principe s'applique au fait de rester «amoureux» d'un patron, d'un ami, d'une idée ou de l'humanité elle-même.

Si vous en êtes incapable, vous vous privez de tout ce que vous avez toujours désiré. Vous ressemblez à la personne que son amoureux délaisse ou qui est incapable de trouver l'amour; vous êtes en aussi mauvaise posture que la personne sans cesse congédiée pour son incompétence ou incapable de nouer des amitiés en raison de son asociabilité. La seule différence, c'est que *vous êtes seul responsable de votre situation.* Tous les ingrédients de votre bonheur étaient là, mais vous les avez empoisonnés petit à petit. *Incapable de supporter votre bonheur, vous avez cessé d'être heureux.*

Ce principe est subtil. Il ne s'agit pas ici de «voir le bon côté des choses» ou de se contenter de moins. Nous parlons de la nécessité de préserver ce qui est vraiment précieux à nos yeux.

AXIOME 29: Vous seul pouvez préserver le charme d'une relation à vos yeux.

AXIOME 30: Par le fait même, il est en *votre* pouvoir d'empoisonner votre bonheur en privant vos relations de leur charme. Par le biais de vos actes, vous pouvez vous persuader qu'elles ne vous sont pas si précieuses, après tout.

Édifier des relations durables

Nombre de personnes se plaignent que leurs relations ne durent pas, mais c'est parce qu'elles les bâtissent sur du sable. Nous choisissons des voitures qui ne dureront que quelques années, et certains d'entre nous font de même avec leurs amis et leurs amoureux. Nous nous donnons rarement la peine d'apprendre à édifier des amitiés ou des relations amoureuses ou sexuelles durables, cherchant plutôt à obtenir ce nous voulons le plus tôt possible et à le garder jusqu'à ce que cela soit hors d'usage.

Ce n'est pas uniquement parce que nous choisissons mal nos amis, nos partenaires et nos autres relations. Même s'ils ont choisi la «bonne» personne, ceux qui croient que tout est «jetable» *traitent* souvent leurs partenaires de manière à ce qu'ils *perdent leur charme initial à leurs yeux.*

L'amant ou l'ami que nous chérissions autrefois n'a peut-être pas changé, mais nos comportements à son égard nous donnent cette impression. Il nous paraît désormais ennuyeux, grippe-sou ou malhonnête. Il est crucial pour notre bonheur d'apprendre à préserver, par le biais de nos comportements, le charme que nous avons remarqué chez les autres.

Nombre de ceux qui se disent malchanceux en amour ou en amitié affirment que mieux connaître une personne, c'est s'exposer à être déçu. L'amitié est fragile; l'amour et la sexualité ont une fin inéluctable. Souvent, ces gens possèdent une liste de personnes qu'elles ont aimées autrefois, y compris un ex-amoureux ou deux, et qui ont, presque dès le début de la relation, révélé un nouveau défaut. Ils peuvent aussi nommer des amis qui semblaient passionnants au début, mais qui se révélèrent ennuyeux, ainsi que des emplois en apparence fabuleux devenus fades après quelques mois.

À l'autre extrême, on trouve des personnes accoutumées à édifier des relations durables. Elles s'ouvrent prudemment, mais leur attitude naturelle encourage l'amitié à grandir et à durer. Elles s'efforcent de surmonter les difficultés qui attendent toute amitié ou union durable et en émergent plus proches de l'autre que jamais. Au crépuscule de leur vie, elles sont entourées d'une foule d'amis plus ou moins proches, depuis les simples connaissances jusqu'aux âmes sœurs, en passant par les confidents.

La lucidité qui leur permet de conserver les avantages de l'amitié les éloigne naturellement des personnes susceptibles de les affaiblir ou de les blesser. Elles fuient les parasites et les êtres malveillants. Elles ont le courage de leurs opinions et ne se cramponnent pas à des relations médiocres par peur de la solitude. La clairvoyance qui les rend sensibles à la bienveillance de leurs amis les prévient des mauvaises intentions des autres. Elles reconnaissent les personnes susceptibles de les empoisonner. Elles ne prétendent pas que tout baigne dans l'huile lorsque ce n'est pas le cas, pas plus qu'elles ne se censurent lorsqu'elles ont des ennuis. Elles rabaissent automatiquement dans leur estime les personnes qui les maltraitent ou violent leurs principes moraux. Elles sont capables de rompre une relation sur-le-champ en cas d'offense.

L'aptitude de ces personnes à distinguer le bien du mal est précieuse pour leurs vrais amis, qui se sentent toujours estimés et compris. Elles apprécient les relations durables, accordant une sorte d'ancienneté à ceux et à celles qui se sont montrés loyaux envers elles.

Tant les personnes qui construisent des relations durables que celles qui intègrent un mécanisme d'autodestruction dans chaque nouvelle relation croient qu'elles voient les gens comme ils sont et les traitent en conséquence. En général, elles ignorent le rôle que jouent leurs propres comportements. En effet, les premières *rehaussent* les autres dans leur estime tandis que les secondes les *déprécient*, projetant sur eux des traits qui les déçoivent. Inconsciemment, les premières s'arrangent pour s'estimer chanceuses tandis que les secondes, en sabotant ce qui leur est offert, finissent par se convaincre de leur malchance.

AXIOME 31: Toute relation réussie exige qu'on rehausse l'autre personne dans son estime. Si, au contraire, on la déprécie, on finira par considérer sa relation avec elle comme non souhaitable ni importante.

Si vous avez l'habitude de transformer les autres en «déceptions», vos chances sont minces de former et d'entretenir des relations heureuses. En outre, comme les gens déçus ne sont guère populaires, vous souffrirez d'être vous-même peu apprécié.

AXIOME 32: Afin d'éviter de dévaloriser les autres à vos propres yeux et de détruire votre vision des gens capables de vous rendre heureux, vous devez éviter toute action susceptible de les rabaisser dans votre estime et de vous désillusionner à leur égard.

Un certain nombre de comportements risquent de produire ce résultat. Par exemple, vous vous éreintez pour votre amoureux ou votre ami et vous finissez par lui en vouloir; ou vous demandez tellement que vous finissez par percevoir l'autre comme une commodité. En lui mentant ou en le trompant régulièrement, vous risquez de le trouver stupide, de même qu'en l'insultant ou en le négligeant constamment vous apprendrez à le mépriser, et ainsi de suite.

L'autre personne, si elle est incapable de défendre son image, sera presque à coup sûr victime de votre dénigrement.

Sans y être pour rien, elle perdra son charme à vos yeux. Bien sûr, vous y perdrez, vous aussi, que vous la blâmiez ou non pour vous avoir déçu. Si, au contraire, vous l'aviez valorisée dans votre esprit, vous auriez pu vous délecter de ses qualités pendant toute votre vie et vous clameriez maintenant votre bonheur de la connaître.

L'incapacité de discerner les qualités des autres n'est jamais un signe de valeur personnelle.

Il ne suffit pas d'avoir une relation agréable; vous devez *protéger* le charme de ce que vous possédez. De même que vous achetez un système de sécurité pour protéger votre foyer et les êtres qui vous sont chers, vous devez prendre des précautions pour protéger votre capacité *d'apprécier* les personnes que vous chérissez.

La loi de l'économie

La façon la plus courante de dévaloriser les autres inconsciemment consiste à succomber à ce qu'on appelle la loi de l'économie.

Chacun de nous possède au fond de soi le désir de simplifier et d'organiser son comportement. Lorsque nous apprenons un comportement, nous avons tendance à réduire au minimum les gestes nécessaires à son exécution et à laisser tomber ceux que nous jugeons superflus.

Ainsi, lorsque vous avez appris à cuisiner, vous avez commencé par mesurer tous vos ingrédients à l'avance avec précision. Vous consultiez souvent la recette parce que vous manquiez de confiance en vous. Petit à petit, vous avez épuré votre performance en laissant tomber les gestes inutiles. Aujourd'hui, vous pouvez apprêter vos mets favoris sans recette ni tasse à mesurer. Si on vous demande une recette, vous n'avez plus d'effort à faire pour vous rappeler chacun de vos gestes, qui sont devenus automatiques.

Tout apprentissage comporte ce processus d'épuration, cette économie de gestes.

Plus vous perfectionnez l'activité, plus vous épurez. Tout en simplifiant le processus, vous devenez moins conscient de vos gestes. Vous agissez simplement, qu'il s'agisse de marcher, de cuisiner, de dactylographier une lettre ou de conduire une voiture. Enfant, une tâche simple comme vous coiffer exigeait de vous énormément d'attention, alors qu'aujourd'hui vous vous coiffez automatiquement en réfléchissant à vos activités de la journée ou en bavardant.

Cette économie de gestes, nous l'appliquons à toute activité mentale ou physique que nous apprenons. Nous commençons par agir gauchement, en faisant des mouvements inutiles, et en nous concentrant, nous finissons par l'exécuter sans y penser. Cette simplification, jadis nécessaire à la survie de nos ancêtres, nous est encore utile aujourd'hui. Si nous n'apprenions pas à épurer ainsi nos comportements, nous passerions la journée englués dans une poignée de gestes aussi simples que celui de nouer un lacet.

Nos rapports avec les autres font aussi ressortir cette tendance à «économiser», mais une réduction de nos efforts peut s'avérer dangereuse dans ce domaine.

Laurent, bel homme de trente-trois ans, était l'une de ces personnes éternellement déçues par l'amour. Il se plaignait du fait que ses relations, après des débuts enchanteurs, dépérissaient inmanquablement. Il avait beau essayer de repousser ses premiers doutes, avant de s'en rendre compte, il se maudissait pour avoir trop promis à une femme qui n'était pas la bonne. Puis, il rompait.

Il se voyait tout à fait comme une victime des femmes qui le décevaient. Sa quête du grand amour lui semblait aussi vraie que celle de Perceval pour le Saint-Graal. Lorsqu'il fit la connaissance d'Olivia, il était persuadé d'avoir trouvé la femme de ses rêves. Elle tenait la chronique littéraire d'un quotidien réputé, et Laurent rayonnait chaque fois qu'elle le complimentait sur son langage. La vue de sa signature dans le journal le transportait de joie chaque jour. Il dévorait chaque ligne de ses articles et la complimentait lorsqu'il lui téléphonait ou déjeunait avec elle.

Ses fonctions de professeur à l'université laissaient à Laurent peu de temps libre pendant la semaine. D'habitude, il consacrait ses week-ends à la rédaction d'un roman et ce temps lui était précieux. Pourtant, il s'en priva pendant de nombreux week-ends qu'il passa avec Olivia. Il l'invitait à assister à ses cours et lui lisait de la poésie. Il finit par lui déclarer son amour.

Elle lui expliqua alors qu'elle n'était pas sûre de l'aimer, n'étant pas encore remise d'une récente rupture. Mais au bout de trois mois, elle put lui dire qu'elle l'aimait.

C'est à ce moment que Laurent ressentit le besoin de s'atteler de nouveau à son roman. Il lui expliqua qu'il avait éludé ses responsabilités face à lui-même, et elle comprit très bien.

Au début, il l'avertissait plusieurs heures à l'avance lorsqu'il désirait annuler un rendez-vous avec elle parce qu'il était immergé dans son travail. Bientôt, il lui servit la même excuse lorsque des amis venaient regarder la télévision chez lui. Il leur demandait simplement de baisser le son afin qu'Olivia croie qu'il était en train d'écrire. Cela lui semblait plus économique que de lui expliquer la situation.

Au bout de six mois, il négligeait souvent d'appeler son amie, ce qui aurait permis à celle-ci de faire d'autres projets, sachant qu'il était occupé. Il cessa aussi de lire ses chroniques: son roman avançait mal et il trouvait pénible d'entendre parler des auteurs à succès.

À ce stade, Laurent ne s'efforçait plus du tout de plaire à Olivia. En fait, il cherchait comment s'*éviter* des efforts puisqu'il commença à lui demander de faire des courses pour lui «puisque tu es en ville». Il avait réduit ses rapports avec elle aux seules activités nécessaires pour l'apaiser et l'empêcher de le plaquer.

Ce n'est pas que Laurent n'était plus amoureux, mais son souci d'«économie» faussait l'image de «femme de ses rêves» qu'il avait projetée au départ sur Olivia. En la négligeant de plus en plus, il s'habituait à la voir comme une commodité et non comme la femme avec qui partager sa vie. Quant à Olivia, elle renforçait cette nouvelle identité en s'accommodant de son attitude.

Au début, Laurent ne fut que légèrement déçu. Ses doutes surgissaient et s'évanouissaient aussitôt. Après tout, il aimait faire l'amour avec Olivia, bien qu'il y consacrât moins de temps, et il appréciait sa compagnie certains week-ends. En outre, il écrivait plus facilement lorsqu'elle était là, dans l'autre pièce, et qu'il la savait disponible dès l'instant où il quitterait sa machine à écrire.

Un jour, Laurent reçut une dure lettre de refus d'un rédacteur en chef à qui il avait envoyé un article. Dépité, il sollicita l'opinion d'Olivia qui exprima son désaccord avec le rédacteur et fit l'éloge du talent de Laurent. Celui-ci se mit alors dans une colère terrible, défendant la position du rédacteur en chef et accusant Olivia de vouloir le rassurer à tout prix.

«Lorsque je travaille mal, les éloges sont la dernière chose dont j'ai besoin», dit-il. Olivia fondit en larmes.

Il s'imagina bientôt avec une autre femme. Il ne donnait presque plus rien à Olivia. Moins il lui donnait, moins il l'aimait, ou même l'appréciait. Il exigea une séparation de trois mois destinée à leur permettre de réfléchir chacun de leur côté.

Elle protesta avec véhémence, ce qui ne contribua qu'à diminuer davantage le respect que lui portait son amant.

Un mois plus tard, Laurent reçut un message d'Olivia sur son répondeur, mais il ne rappela pas.

Puis, Olivia l'appela pour lui annoncer qu'elle était amoureuse d'un jeune écrivain prospère qu'elle avait interviewée et qu'elle comptait épouser.

Laurent n'en crut pas ses oreilles. Quelle erreur avait-il commise? Il revit en pensée les premiers jours magiques avec elle où il lui lisait Proust lors de promenades sur le lac, ces jours où ils envisageaient de vivre ensemble. Il tenta de se consoler en se remettant à son roman, poursuivant son histoire d'amour tout seul pour la postérité maintenant qu'Olivia l'avait quitté. Mais il se sentait terriblement seul. Il comprit qu'il serait plus facilement entré dans la postérité avec Olivia à ses côtés.

Comme tant de fois auparavant, Laurent avait cessé d'aimer. Il n'avait pas perdu Olivia parce qu'il ne s'était pas montré à la hauteur ou qu'il l'avait contrariée. Le problème, c'est qu'il avait cessé de faire le nécessaire pour attiser son amour, détruisant ainsi son charme à ses propres yeux. Il avait cru s'en tirer en faisant uniquement ce qui l'arrangeait. Toutefois, en «économisant» ses gestes envers elle, il avait gâché l'image glorieuse qu'il avait d'elle et la qualité unique de leur relation. Pour citer Jean-Paul Sartre: «Il n'y a pas d'amour, il n'y a que des actes d'amour.»

Il faut comprendre que Laurent était vraiment amoureux d'Olivia à l'époque où celle-ci lui avait avoué son amour. Il avait été transporté de joie. Son erreur fut de réduire ses efforts, ses soins et le temps passé avec elle; il avait cru qu'il pouvait agir ainsi impunément, qu'elle lui était acquise. Ce déclin l'a amené à *voir* Olivia sous un nouveau jour défavorable. Par ses *actions*, Laurent se convainquit qu'Olivia n'était pas sa bien-aimée.

Dès qu'ils furent séparés, Laurent ne put plus maltraiter Olivia ni «économiser» à ses dépens de sorte qu'elle retrouva la glorieuse aura dont il l'entourait au début. Au cours des mois qui suivirent l'appel d'Olivia, il trouvait son amoureux «privilégié» et Olivia, «merveilleuse». Jamais il n'en connaîtrait une autre comme elle, se disait-il.

La plupart d'entre nous connaissent des personnes comme Laurent, dont les relations suivent ce modèle d'économie suivi d'une désillusion. Nous ne comprenons pas pourquoi des hommes ou des femmes aussi beaux, intelligents et prospères, qui semblent souhaiter une relation, manquent si souvent leur coup.

Souvent, dans leur cas, on peut voir au travail la loi de l'économie. La personne est amoureuse d'un être inaccessible pour une raison ou pour une autre: le partenaire de ses rêves est parti, décédé, évanoui dans le passé ou marié à quelqu'un d'autre. Au cours d'une de leurs premières sorties, Laurent avait avoué à Olivia qu'il avait toujours eu un béguin pour la femme d'un collègue, mais celle-ci adorait son mari que Laurent trouvait plutôt insignifiant. Pendant des années, il avait dû se contenter de ne la voir qu'aux soirées de la faculté chaque trimestre.

D'autres personnes n'aiment que des personnes plus jeunes ou plus vieilles qu'elles qui ne les prendront jamais au sérieux. Elles ne peuvent chérir une personne que si elles n'ont jamais eu l'occasion de la déprécier au cours de leurs rapports. Non que la familiarité engendre le mépris, mais elle nous donne la possibilité de le créer.

Presque chaque «liberté» que nous prenons, fondée ne serait-ce que sur une légère baisse du respect pour l'autre, dévalorise celui-ci encore davantage à nos yeux. Cette privauté que nous nous accordons peut être aussi flagrante qu'une liaison ou aussi subtile qu'une observation sarcastique à son sujet formulée à une tierce personne. On peut aussi discuter d'un sujet dont l'autre nous a prié de ne pas parler, donner un ordre brusque, cesser de préparer le café du matin, prier l'autre d'éteindre les lumières que nous avons laissées allumées, le harceler ou se montrer exigeant.

En soi, aucune action isolée n'a beaucoup de signification, mais une série de gestes comme ceux-là, que nous n'aurions pas osé faire au début de la relation, rend l'autre personne plus banale, moins digne de sacrifices et moins précieuse à nos yeux.

Appliquée à la lettre, la loi de l'économie nous porterait à épurer tous nos comportements à l'égard des autres et à négliger ceux-ci de plus en plus jusqu'à ne faire que les gestes jugés essentiels pour parvenir à nos fins.

Au début, nous achetons des présents pour notre partenaire, nous faisons des politesses, nous l'appelons pour savoir comment s'est déroulée sa journée, faisons l'amour avec beaucoup d'attention et avec art, pour ensuite «simplifier» ces comportements avec le temps. Petit à petit, nous omettons les présents et les politesses. Nos rapports sexuels perdent de leur subtilité et de leur intensité; désormais, nous allons droit au but. Succombant à la loi de l'économie, nous privons la relation de ce qui la rendait unique, de sa richesse, la rendant aussi ennuyeuse que nos activités routinières.

En fait, nous devons comprendre que tous nos actes, qu'ils soient secondaires ou essentiels, possèdent une valeur intrinsèque et ne doivent pas être omis. Les conséquences réelles de nos actes (dire s'il vous plaît ou merci, choisir ses vêtements avec soin, prendre des nouvelles de l'autre, faire l'amour, assister à un mariage ou à des funérailles) ajoutent leurs répercussions à *notre perception des autres* et à *nos relations avec eux.*

Des milliers de personnes qui ne saisissent pas l'importance profonde de certains petits gestes sont victimes de la loi de l'économie dans leurs relations. En réduisant leurs efforts lorsque tout semble assez bien fonctionner, elles détruisent le sentiment spécial qu'elles éprouvaient pour l'autre personne. Cette économie est en fait beaucoup plus coûteuse qu'elles ne le croient.

Souvent, la réduction de nos efforts, qui est à la fois la cause et le résultat d'une baisse de l'estime que nous portons à l'autre personne, répond à un signal précis.

Dans le cas de Laurent, c'est la déclaration d'amour d'Olivia qui constitua le signal décisif. Certains hommes changent d'attitude vis-à-vis de la femme qu'ils aiment lorsqu'elle tombe enceinte ou qu'ils ont des enfants. Ils remplacent le rire et la liberté qui accompagnent l'amour romantique par une nouvelle vénération, tuant ainsi leur désir sexuel et leurs sentiments romantiques à l'égard de leur femme.

Ce signal peut aussi prendre la forme d'un ouï-dire concernant notre partenaire. Nous apprenons par exemple qu'une personne que nous avons jusque-là estimée a déjà été inculpée. Même s'il y a longtemps de cela et que sa conduite est irréprochable, notre attitude change. Nous la voyons désormais non comme la personne à part entière qu'elle est, mais comme un ex-détenu. La découverte de n'importe quel fait au sujet d'une personne peut nous inciter à la voir d'une manière stéréotypée.

Si nous voulons lui conserver notre estime et ne pas perdre son amitié, mieux vaut ne pas modifier notre attitude envers elle en réaction à cette découverte.

AXIOME 33: Que ce soit en réaction à un signal précis, comme une déclaration d'amour, ou par un réflexe général qui vient avec le temps dans nos relations, se mettre à négliger un ami ou l'être aimé représente toujours une fausse économie.

AXIOME 34: En réservant ses efforts pour d'autres activités au détriment d'un ami ou d'un partenaire, on abaisse l'estime qu'on lui porte, courant ainsi le risque d'être déçu et de perdre le bonheur qu'on pourrait partager avec lui.

L'imitation

Une deuxième habitude courante qui a pour effet d'engendrer des projections destructrices consiste à imiter des comportements auxquels on ne croit pas vraiment, pour la simple raison que «tout le monde le fait».

Afin de conserver une perception lucide, il importe d'agir conformément à ses propres normes en évitant de traiter les gens ou les institutions de manière à les rabaisser dans notre estime par simple souci d'imiter les autres.

Rappelez-vous qu'en fin de compte c'est vous qui devrez endurer toute projection que vous créez. Peu importe ce que les autres font ou vous exhortent à faire, c'est vous qui souffrirez de la perte de vos relations et de votre manque d'orientation dans la vie, si vous agissez de manière à détruire votre joie de vivre. Vous risquez de voir le monde comme un lieu chaotique où seuls ceux qui s'efforcent de contourner le système peuvent survivre.

Certaines personnes adoptent des comportements à la mode qui seraient odieux dans un monde idéal. Votre partenaire agit peut-être de manière à vous dévaloriser: il essaie de provoquer votre jalousie ou un sentiment de culpabilité en vous, afin de vous inciter à lui donner plus que vous ne voulez. Opposez-vous à ces manipulations, mais ne les imitez pas, car cela reviendrait à les excuser et vous risqueriez d'en déprendre vous-même.

La tentation peut être grande d'imiter certains comportements au bureau, où l'on a parfois l'impression qu'on peut faire certains gestes qu'on n'envisagerait jamais dans sa vie privée.

Ainsi, Évelyne aime bien son travail, et son patron est équitable avec elle. Elle voit certains employés voler des articles de bureau ou partir avant l'heure sous prétexte qu'ils sont malades. Elle est l'une des rares personnes à être honnête, et cela n'est pas toujours facile.

Les cyniques la traitent de folle parce qu'elle est consciencieuse dans son travail. Elle essaie de faire la sourde oreille, mais elle souffre lorsque, en dépit de ses efforts sincères, le patron favorise un hypocrite qui l'a bien eu avec ses manigances.

Évelyne songe à exposer sa situation à son patron, mais s'en abstient. Au lieu de cela, elle prend un verre avec quelques collègues mécontents qui lui conseillent de se venger en gonflant sa note de frais. «Tout le monde le fait», lui rappelle l'un d'eux.

Pendant qu'Évelyne réfléchit, les autres font chorus: «Tu serais folle de ne pas le faire»; «Il le ferait lui-même à ta place. Comment crois-tu qu'il en est arrivé là où il est maintenant?»

Évelyne s'est toujours méfiée de ce petit groupe, en particulier de ce jeune homme qui la pousse à mal agir. Elle n'aime pas beaucoup son attitude au travail ni, d'ailleurs, la façon dont il s'adresse à sa femme lorsqu'elle vient le chercher. Toutefois, l'idée de gonfler sa note de frais commence à faire son chemin et ne lui paraît plus si mauvaise. Une compagnie plus importante lui verserait un bien meilleur salaire pour le même travail. Bien des patrons lui auraient confié de gros clients. Peut-être serait-il juste qu'elle se rattrape en gonflant sa note de frais.

De nouveau, le meneur du groupe la pousse: «Pourquoi pas?»

Le dilemme se précise. Les raisons de gagner un peu plus d'argent sont si évidentes qu'un enfant les comprendrait. Évelyne pourrait remplacer sa chaîne stéréophonique et acheter des vêtements pour sa fille.

Par ailleurs, les raisons de ne pas le faire sont plus subtiles, puisqu'elles touchent *les répercussions de cet acte sur son attitude.*

Déjà, elle entrevoit qu'il influera sur son estime de soi, sa perception du patron et des gens en général. Elle éprouve une vague appréhension, comme si elle se préparait à adopter un autre mode de vie. Se sentant soudain épuisée, elle décide de rentrer chez elle.

Si elle connaissait le principe de la projection, Évelyne pourrait voir précisément pourquoi l'idée de tricher la vide autant. Si elle adoptait ce nouveau style de vie et prenait l'habitude de la malhonnêteté, elle finirait par croire quelle *n'avait pas le choix*. Sa vision des autres et du monde changerait radicalement. Elle ne jugerait plus ses collègues malhonnêtes; ils font le nécessaire, se dirait-elle. Sa perception des quelques employés honnêtes se transformerait elle aussi et elle les jugerait stupides ou trop timides pour s'occuper de leurs intérêts comme les personnes futées le font. Le patron lui-même deviendrait son ennemi; en outre, comme son nouveau comportement détruirait la haute opinion qu'elle avait de lui auparavant, elle trouverait difficile de l'affronter directement et de lui exposer ses besoins.

Son attitude entraînerait également des conséquences plus profondes, une modification de sa vision de l'humanité en général et du monde en tant que milieu de vie. Si Évelyne finissait par tromper la confiance de son patron, le monde lui apparaîtrait comme un lieu dangereux qui exige une constante vigilance.

Lorsqu'on viole un principe moral, on détériore inévitablement son propre sens du *devoir*. En adoptant et en répétant un comportement malhonnête qui vous semblait incorrect autrefois, vous conférez un caractère essentiel à la malhonnêteté et vous vous compliquez inutilement la vie. Ne croyant plus à la bonté humaine, vous vous condamnez à une vie de faux-fuyant où vous devrez sans cesse vous protéger et planifier vos moindres gestes. Vous avez l'impression que rien de bon ne peut vous arriver si vous ne l'obtenez pas par la ruse.

Chaque imitation d'un acte qui vous paraît louche, même d'un seul, nourrira quelque peu cette projection.

AXIOME 35: Le fait d'adopter un comportement que vous désapprouviez auparavant, sous prétexte que «tout le monde le fait», modifiera votre perception et brouillera votre vision des êtres humains et du monde. Le problème ne tient pas au fait que ce comportement vous paraîtra toujours incorrect, mais au fait que vous le jugerez bientôt correct et nécessaire.

Une forme courante et presque toujours destructrice d'imitation est la *vengeance*, qui consiste à commettre un acte que l'on réprouvait quand on en a soi-même subi les conséquences. La vengeance est satisfaisante sur le coup, mais elle engendre une projection nuisible puisqu'elle *excuse* en quelque sorte la blessure qu'on vous a infligée.

Votre partenaire a une aventure avec quelqu'un de votre entourage. Vous vous vengez en lui rendant la pareille. Votre meilleur ami ne vous invite pas à son chalet. Vous ripostez en le rayant de votre liste d'invités pour le dîner de Noël tout en sachant fort bien qu'il sera seul ce soir-là.

Ce faisant, vous ne faites que céder à *l'illusion* de vous venger. En fait, le comportement de votre ami vous a blessé, mais vous essayez de vous convaincre, par votre comportement, que le sien a été acceptable: il doit l'être, puisque vous l'imitez. Cette attitude est particulièrement nuisible. Tant que vous jugez le comportement de l'autre inacceptable, injustifié, méchant, vous prenez une distance face à la personne. Cette personne demeure unique au lieu de représenter l'humanité en général.

Curieusement, bien que ce ne soit pas votre intention, vous pardonnez en fait à l'autre lorsque vous lui rendez la monnaie de sa pièce. Vous lui donnez plus d'importance dans votre esprit et, en général, vous exagérez la valeur de son opinion à votre égard.

Malcolm X, qui a donné sa vie pour combattre les injustices faites aux Noires, suppliait les employés noirs de ne pas voler leurs employeurs blancs. Il disait que, pendant des siècles, les esclaves noirs s'étaient vengés de leurs maîtres en commettant de petits larcins qui compensaient bien mal la brutalité des Blancs à leur égard. Toutefois, disait-il, les Noirs ne devaient pas affaiblir leur propre sens de l'honneur, leur sens de la justice. En se vengeant ainsi, ils repoussaient le jour où ils seraient assez puissants pour combattre les vraies injustices qu'on leur infligeait. Malcolm X avait mis dans le mille en ce qui concerne le principe de la projection.

Si nous voulons préserver notre sens de l'honneur, du mérite et de la justice, nous devons éviter d'utiliser des moyens que nous réprouvons par simple désir d'imiter les autres ou de nous venger.

Votre projection sur la vie en général

Tant que vous vivez, votre bonheur est entre vos mains. Vous pouvez choisir de valoriser ou de dévaloriser le monde de sorte qu'il vous paraisse magnifique ou lugubre.

En réalité, le monde abrite toujours le même nombre d'espoirs et de personnes créatrices, généreuses, héroïques, amoureuses et loyales. Mais si vous avez toujours visé les gains à court terme et déprécié les autres, en particulier vos proches, vous deviendrez aveugle à la beauté des gens et perdrez ainsi votre capacité d'être touché par eux.

Si vous choisissez la voie facile de la circonspection, du pessimisme et du doute et que vous cessiez de courir des risques, les autres s'éloigneront de vous. Plutôt que de vous offrir leur amitié, ils éviteront la déception qu'ils associent à votre image. Qui voudrait offrir un emploi ou son amour à quelqu'un qui ne croit ni à la réussite ni à l'amour? Ils se rabattront plutôt sur une personne moins intelligente ou moins attirante, capable d'ensoleiller leur journée et de participer aux jeux de hasard de la vie. Vous faites en sorte que rien de mauvais ne vous arrive, mais rien de bon ne vous arrive non plus. Alors vous pourrez difficilement dire que vous avez vraiment vécu.

Rappelez-vous le joyeux optimisme qui vous caractérisait dans l'enfance, votre aptitude à voir la beauté et à ne pas vous laisser désarmer par la malhonnêteté ou l'envie. Aujourd'hui, cette attitude vous semble bien naïve et fausse au regard de votre vision actuelle.

En fait, c'est le contraire. Au fil des ans, vous avez remplacé votre attitude exubérante et optimiste par une vision des gens et de la vie à peu près dénuée de charme. Inconsciemment, vous avez *détruit* petit à petit votre vision initiale grâce aux comportements que vous avez choisis.

Il ne s'agit même pas de déterminer quelle attitude est la plus réaliste. Pour chaque pessimiste qui voit le monde comme un «théâtre de péché et de souffrance» (ainsi que l'a décrit le philosophe allemand Arthur Schopenhauer), il y a d'autres personnes qui le voient progresser vers un âge d'or.

Si vous avez le courage de conserver un regard neuf, un regard que certains appelleraient «naïf», sur le monde, alors les autres seront attirés par votre éternelle jeunesse. Si vous faites confiance aux gens, que vous courez des risques et que vous exprimez votre exubérance, les autres graviteront autour de vous et vous accueilleront comme une force positive dans leur vie. Vous perdrez uniquement le respect des cyniques et des pessimistes invétérés dont la vie se résume habituellement à un échec.

Résumé

Votre bonheur et votre joie de vivre reposent entre vos mains.

Si vous êtes systématiquement déçu par les autres, vos chances d'établir et de conserver une relation heureuse sont minces. Votre attitude à l'égard de vos proches détermine le fait que vous *continuez* ou non de les aimer.

Résistez à l'envie de réduire vos efforts dès que vous sentez qu'une personne vous aime. Notre tendance naturelle à «économiser» dans toutes nos entreprises constitue un danger réel lorsqu'on s'y abandonne et qu'on «épure» ses relations à outrance.

L'habitude de prendre des libertés avec une personne proche de soi risque d'éroder notre attirance envers cette personne. Un ensemble de privautés peut détruire une relation.

En outre, résistez aux incitations à agir d'une certaine manière sous prétexte que «les autres le font». Si vous succombez à la tentation d'imiter des comportements que vous réprouvez, vous risquez de modifier votre vision du monde et des autres. Ce n'est pas que ce comportement vous paraîtra *toujours* incorrect, mais plutôt qu'il vous semblera bientôt correct et nécessaire.

Si vous valorisez les autres à vos yeux en les traitant bien, vous continuerez de les apprécier et d'être heureux avec eux. Par contre, si vous les dépréciez à vos yeux en les maltraitant, vous les «gâcherez» dans votre esprit et perdrez de vue vos chances de bonheur, qui se trouvent peut-être à portée de votre main.

9

Vivre, aimer et mentir

Maintenant que vous comprenez le principe de la projection, vous pouvez envisager sous un jour tout à fait nouveau une vaste gamme de comportements quotidiens. Le principe de la projection met en lumière ce qu'on se fait *vraiment* à soi-même et aux autres en employant certaines tactiques très courantes.

Il existe de nombreux ouvrages sur la valeur des stratégies que nous employons avec les autres, en affaires, en amour ou avec nos amis. Ces stratégies visent presque toutes à nous faire aimer des autres. Celles qui réussissent sont considérées comme efficaces par opposition à celles qui éloignent les gens.

Toutefois, vous avez peut-être déjà compris qu'elles contribuent à simplifier le problème à outrance. Votre instinct vous a probablement dit que la plupart des tactiques destinées à provoquer une réaction, bien qu'efficaces à court terme, à long terme n'apportent qu'un piètre résultat. Même si l'autre personne réagit sur le moment selon vos désirs, vous avez, en recourant à une tactique, introduit un élément douteux dans votre relation. Avec le temps, vous finirez par en payer le prix et votre relation en souffrira à la longue.

Par ailleurs, vous sentez peut-être qu'une approche ouverte et directe est la meilleure. Ayant compris que nos actes créent et renforcent nos projections, vous en saisirez aisément la raison. Dans nos relations avec les autres, il se passe beaucoup plus de choses sous la surface qu'on ne l'imagine. Chaque fois que nous employons une tactique, efficace ou non, nous obtenons un effet *visible*. Mais elle produit aussi un effet *invisible*: elle influence notre perception. Même lorsqu'une stratégie produit les résul-

140

tats escomptés, elle a sur notre relation des effets néfastes qui dépassent largement les bénéfices retirés.

Si, tout en gagnant la faveur d'une personne (en l'amenant, par exemple, à vous aimer), vous apprenez à la mépriser, vous aurez perdu la partie. D'accord, la personne vous aimera, mais si vous-même ne l'aimez plus, vous aurez échoué aussi lamentablement que si elle vous avait laissé tomber.

Dans un même ordre d'idées, on utilise pour parvenir à ses fins un grand nombre de tactiques qui semblent déloyales aux yeux des personnes sensibles. Jusqu'à maintenant, ceux d'entre nous qui dénonçaient ces méthodes se fondaient uniquement sur des principes moraux; mais le principe de la projection nous offre un fondement psychologique qui nous permet de prouver que nous avions raison de nous fier à notre sentiment.

En appliquant le principe de la projection à des activités précises afin d'en établir les conséquences réelles, on s'aperçoit dans bien des cas que les apparences sont trompeuses.

Dans le présent chapitre, nous allons examiner des comportements fondamentaux en ce qui concerne les projections qui les sous-tendent, notamment: la manipulation, l'hypocrisie, le don calculé et plusieurs formes courantes de malhonnêteté.

La manipulation

Les professionnels de la santé mentale parlent beaucoup de la *manipulation* en vertu de laquelle une personne traite une autre personne d'une manière calculatrice afin de prendre le contrôle sur son comportement. Voici trois exemples de manipulation:

«Bonjour, Daniel. C'est Lise à l'appareil. Mon téléphone sonnait lorsque je suis rentrée et je n'ai pas pu répondre à temps. J'ai pensé que ce pouvait être toi, puisque tu avais l'habitude d'appeler vers cette heure-là.»

Ici, Lise dissimule la vraie raison de son appel, qui est de communiquer avec Daniel afin de l'inviter à sortir. Daniel lui avait demandé de ne pas l'appeler, assurant qu'il l'appellerait lui-même lorsqu'il serait prêt. Lise craint que, si elle lui avoue le motif de son appel, il ne la laisse tomber.

«Comme je suis contente, Geneviève, que tu ailles passer deux semaines au Mexique avec ton ami. J'ai vu le médecin aujourd'hui et il m'a dit que je ne risque pas de faire une crise cardiaque pour l'instant. Il faudra bien qu'il se décide à m'opérer bientôt.»

La mère de Geneviève a déjà eu un léger souffle au cœur, mais elle est entièrement remise. Elle se sent surtout seule et n'aime pas voir sa fille lui préférer la compagnie d'un homme.

«Si tu prenais vraiment notre entreprise à cœur, Joëlle, tu ne demanderais pas à être rémunérée pour les heures supplémentaires dans les cas d'urgence. Simplement parce que c'est le week-end! Je travaille, moi aussi, tu sais!»

Un patron rusé peut tirer doublement parti d'une observation comme celle-là. En instillant un sentiment de culpabilité chez son employé, il peut l'amener à faire des heures supplémentaires sans rémunération. En outre, ce même sentiment empêchera l'employé de solliciter une augmentation bien méritée. Après tout, il se sent pris en faute d'avoir été prêt à laisser tomber sa «famille professionnelle».

Ce qui caractérise la manipulation, c'est que votre motif réel est caché de sorte que l'autre personne fait ce que vous voulez *sans savoir que c'est ce que vous voulez.*

Bien que l'idée d'une manipulation rebute tout le monde, rares sont ceux d'entre nous qui arrivent à l'éviter entièrement. Elle est l'essence même de la publicité et nous ne sommes même plus surpris de voir les hommes politiques et les avocats y recourir. Vous voulez annoncer votre produit de manière à concurrencer celui de votre rival. Vous incitez votre avocat à utiliser certaines ruses afin de compenser celles de ce concurrent.

Cependant, plus une relation est intime, plus la manipulation semble répugnante. Nous avons presque tous l'impression qu'il est mal de manipuler ceux qu'on aime, en particulier dans le domaine du sexe, comme l'illustre cette promesse classique: «Je t'aiderai dans ton travail si tu couches avec moi.»

En outre, être manipulé n'a rien d'agréable, puisqu'on se sent privé de sa liberté ou sous-estimé. La plupart d'entre nous essaient de décourager cette attitude, mais les psychologues, qui s'intéressent peu aux répercussions d'un acte sur son auteur, demeurent silencieux sur la manière dont cette tactique nuit au manipulateur lui-même.

Or, le principe de la projection met ceci nettement en lumière. Toute manipulation est fondée sur l'idée qu'en pressant les bons boutons on peut forcer une personne à faire ce que l'on attend d'elle. On la voit alors comme un robot qui dépend de notre seule volonté. Les actes de manipulation confèrent à la réaction suscitée chez l'autre personne un caractère mécanique et contraint plutôt que réel et librement consenti.

La personne manipulée semble toujours moins libre, moins humaine et moins sensible à votre valeur. Vous avez l'impression qu'elle se contente de faire ce qu'elle a à faire, qu'elle ne vous apprécierait pas ni ne vous donnerait ce que vous lui demandez si vous *n'aviez pas* recours à la manipulation.

Dans les exemples précités, tout le monde est perdant, même si la tactique «réussit». Lise sera toujours faible face à Daniel, comme si elle devait activer son intérêt pour elle afin de préserver leur relation. Même si Daniel avait vraiment eu l'intention de l'appeler, qu'il *voulait* vraiment la voir, Lise ne le saura jamais parce qu'elle ne lui a pas laissé le temps d'appeler. C'est ainsi qu'une manipulation en entraîne une autre.

La mère qui appelle sa fille pour parler de ses faux troubles cardiaques se condamne elle-même à se sentir indésirable. Si sa fille va au Mexique comme prévu, la mère verra ce départ comme l'expression manifeste de son indifférence envers elle. Par contre, si sa fille *reste* en réaction à son appel, la mère se sentira indésirable de toute façon, puisqu'elle sait que sa fille ne reste que sous la contrainte.

Dans le cas du patron qui méprise de toute façon ses employés, son aptitude à les manipuler ne fait que confirmer leur sottise et leur dépendance à ses yeux. Il apprécie peut-être l'argent que lui rapporte son entreprise, mais *non* les personnes avec qui il passe ses journées.

Lorsqu'on manipule les gens, on ne se sent ni aimé ni digne de l'être en général. Multipliez un seul cas de manipulation par cent, par *dix mille* même et vous comprendrez pourquoi le manipulateur semble si froid, et se sent si isolé et si peu aimé.

Les punitions découlant de la manipulation sont toujours pires si on aime l'autre personne, s'il est important pour nous qu'elle nous aime ou nous apprécie vraiment et si ses gestes à notre égard viennent du cœur.

Les conséquences de la manipulation sont illustrées de manière dramatique dans l'histoire d'amour entre Svengali, hypnotiseur, et la jeune et belle Trilby, qui est mannequin. Le charme de Svengali envoûte Trilby, qui quitte son fiancé pour se sauver avec lui et devient la chanteuse la plus talentueuse d'Europe.

Pendant des années, elle parcourt le continent, au faîte de sa renommée, chantant dans des théâtres bondés. Svengali l'aime profondément et ne la quitte pas d'une semelle.

Toutefois, quelque chose le tourmente. Chaque nuit, il demande à sa bien-aimée: «Trilby, m'aimes-tu?» Et chaque nuit, elle lui répond machinalement: «Oui, je t'aime.» Mais, pour l'hypnotiseur, qui l'a ensorcelée, cette réponse ne signifie rien. Il n'est pas convaincu et, chaque soir, il se dit avec une grande tristesse: «Voilà encore Svengali qui se parle à lui-même.»

L'histoire se termine ainsi: Svengali fait une crise cardiaque et voit Trilby *échapper à son contrôle*. N'ayant même pas la force de lui poser sa triste question nocturne et sachant qu'enfin, elle est libre, il l'entend murmurer: «Je t'aime, Svengali», et à l'article de la mort, il comprend qu'elle dit vrai et reconnaît enfin l'amour que ses manipulations l'avaient empêchée de sentir pendant toutes ces années.

Le principe de la projection explique donc le prix élevé associé à la manipulation, que beaucoup comprennent intuitivement mais qu'il est difficile d'expliquer clairement sans lui.

AXIOME 36: Si vous *manipulez* les autres, vous vous condamnez à vivre entièrement seul dans un univers de robots, un lieu stérile que vous aurez vous-même créé.

Voilà la principale raison pour laquelle il faut éviter la manipulation et laisser les autres agir à leur guise. C'est à cette seule condition qu'on peut savoir si on est vraiment aimé et apprécié pour ce qu'on est.

Mieux vaut pratiquer le contraire de la manipulation en demeurant ouvert aux autres, en évitant la dissimulation et en espérant qu'ils réagiront comme on le souhaiterait. Cette attitude n'offre aucune garantie et, par le fait même, elle est plus risquée. Mais en vertu de l'honnêteté, *la personne que vous êtes* mérite d'obtenir ce qu'elle veut. Mieux vaut savoir qu'on est vraiment précieux pour un petit cercle d'amis et de proches que d'avoir une armée de connaissances prêtes à nous laisser tomber dès que nous ne marchons plus dans leurs combines. C'est seulement en évitant la manipulation qu'on peut se sentir désiré et aimé.

L'hypocrisie

L'hypocrisie est une forme particulière de manipulation, si courante qu'elle mérite une attention spéciale.

En apparence, il n'y a rien de mal à mentir sur son âge, son revenu, son niveau d'instruction ou tout autre fait «inoffensif» afin de produire une meilleure impression.

Les comédies musicales, les opéras, les pièces de théâtre et les films regorgent de charmants scénarios dans lesquels deux personnes se rencontrent et dissimulent leur véritable identité. La femme prétend faire ses premiers pas dans le monde tandis que l'homme s'annonce comme un riche héritier; en fait, elle est une pauvre comédienne en mal de travail et il est un chanteur sans le sou. Après deux heures d'intrigues au cours desquelles les deux personnages luttent pour préserver leur imposture, leurs masques tombent simultanément et ils découvrent qu'ils s'aiment de toute façon. Les personnages comme l'auditoire éprouvent un immense soulagement et tout est bien qui finit bien.

Mais ça, c'est du cinéma. Dans la vraie vie, dès que vous rehaussez votre image en feignant d'être ce que vous n'êtes pas, vous amorcez une projection susceptible de faire peser une énorme tension sur vous et parfois de détruire votre relation.

Ainsi, prenons le cas de Solange, qui cherche un homme riche à épouser. Comme elle souhaite convaincre les candidats éventuels qu'elle est issue d'une famille riche et qu'elle poursuit une brillante carrière, elle s'installe dans un quartier huppé. Elle se fait passer pour une conseillère en relations publiques à l'agence où elle travaille (alors qu'elle n'est en fait qu'assistante). Elle complète sa fausse image en babillant sans arrêt sur son voyage en Europe, son adhésion à un club de tennis et un musée d'art, son désir de faire de la voile plus souvent et les hommes riches qu'elle a plaqués parce qu'ils étaient «trop bêtes». Heureusement pour elle, ses parents, de simples travailleurs, vivent à l'autre extrémité du pays de sorte qu'elle n'a pas besoin de les présenter.

Elle espère qu'un homme prospère et issu d'une famille aisée verra en elle une alliée naturelle, rejetant les autres femmes en faveur de celle qui cadre si bien avec son milieu social.

Elle fait des économies tout l'été pour se rendre, à l'automne, dans un endroit chic où, paraît-il, abondent les riches célibataires qui veulent profiter des derniers beaux jours pour faire de la voile.

Le week-end est une réussite. Dès le vendredi soir, elle fait la connaissance de Martin, futur courtier en bourse. Il manie bien la voile, possède une bonne culture et attire naturellement les gens. Il ne fait pas grand cas de son argent ni de sa situation sociale. Les deux jeunes gens passent toute la journée du samedi en bateau et, le soir venu, Martin enseigne à Solange un jeu de société. Le dimanche, il part, après le petit déjeuner, chez des amis.

Solange est-elle déjà amoureuse? Elle craint de le perdre, donc il est vraisemblable qu'elle l'aime bien. En repensant à son week-end, elle se rend compte que Martin a très peu parlé de lui. Elle a parlé presque tout le temps de son passé, de son travail, de ses passe-temps et de sa vision de la vie. En fait, elle aurait pu aussi bien parler d'une autre personne.

Elle ressent déjà les conséquences de ses mensonges sur elle-même et commence à projeter sur Martin l'identité d'un homme brillant qui ne voudrait pas de la vraie Solange.

En apprenant que Martin habite non loin de chez elle, Solange songe à l'inviter à dîner, mais soudain, elle se met à mépriser son appartement et tout ce qu'il contient. Comment peut-elle inviter Martin alors qu'elle ne possède pas d'argenterie, à laquelle il est sûrement habitué, même lors de dîners improvisés, et que sa vaisselle n'est pas de la fine porcelaine de Chine? Et que dire de ses meubles! Aucun d'eux n'est antique! Elle l'imagine venant chez elle et supportant poliment une soirée en compagnie d'une personne d'une classe inférieure. Il ne voudra jamais revenir.

Solange possède cependant un atout en la personne de son amie Bérénice. Celle-ci accepterait peut-être d'organiser un dîner intime pour eux. Bérénice est d'accord, Martin accepte volontiers l'invitation, et tout le monde s'amuse, sauf Solange. L'aisance avec laquelle Martin profite des agréments que leur procure la fortune de Bérénice convainc Solange qu'il sera stupéfait lorsqu'il verra son appartement.

Solange se voit à travers ce qu'elle imagine être le regard de Martin. Elle ne s'identifie pas vraiment à lui, mais elle fait ce que les psychologues appellent de «l'identification projective», c'est-à-dire qu'elle projette une partie de sa perception à elle sur Martin.

La semaine suivante, Solange rend visite à Martin. Ils passent la nuit ensemble et Martin lui donne vraiment l'impression qu'elle lui plaît. Les biens matériels le laissent plutôt indifférent (pour lui, la bourse est surtout un jeu), mais il aime échanger des idées; Solange aurait donc tout lieu de croire qu'il apprécie sa sensibilité, sa loyauté, son intelligence, son altruisme, qualités qu'elle possède vraiment. Au lieu de cela, elle est terrifiée. Elle se sent comme une espionne en territoire ennemi sur le point d'être découverte et déportée, sinon abattue.

Lorsque Martin vient chez elle, elle est extrêmement tendue et s'excuse pour tout. Bien qu'elle se soit endettée pour acheter de nouveaux objets en vue de la visite de Martin, elle pense encore qu'il va prendre son appartement pour un taudis. De nouveau, elle croit voir à travers ses yeux à lui et l'endroit lui paraît minable. Elle interprète chaque commentaire gentil de Martin comme un signe de pitié. Elle est certaine qu'il la taquine, mais n'oserait pas l'en accuser.

Au cours des deux mois qui suivent, elle se sent de plus en plus comme une fraudeuse indigne de Martin. Lorsqu'il est absorbé par des affaires familiales et passe deux jours sans téléphoner, elle est convaincue que la lumière s'est faite dans son esprit et qu'il se prépare à la laisser tomber en faveur d'une femme de sa propre condition. Peut-être a-t-il parlé d'elle à ses parents qui ont éclairé sa lanterne. Lorsqu'il appelle, elle prend une voix aussi mesurée et «de la haute» que possible. Elle est très artificielle lorsqu'ils sont ensemble. Elle évite peu à peu toute spontanéité afin de ne pas risquer de faire un faux pas.

Elle consulte tous ses amis afin de connaître la manière de bien se conduire avec une personne comme Martin. Elle étudie de près le comportement de Bérénice. Elle est constamment sur la défensive en présence de son ami.

Elle finit par se croire tout à fait indigne de cet homme. Son attitude envers Martin fait paraître celui-ci rigide, exigeant, insensible, intolérant, bref, l'archétype d'un aristocrate altier. Il n'y a certainement pas de place pour elle auprès d'un tel homme et c'est une vraie torture pour elle d'essayer de s'en tailler une, mais elle tient bon.

Au bout de quatre mois, Solange a perdu sa sensibilité, sa spontanéité, toutes les qualités que Martin chérissait en elle au début. Lorsqu'elle sort avec les amis de celui-ci, elle est tellement préoccupée par le désir de *paraître* qu'elle ne leur pose pas de questions sur eux-mêmes. Persuadée que Martin compte la quitter, elle devient jalouse et accusatrice. Elle se persuade que Martin est amoureux d'une riche amie d'enfance et se dit qu'ils doivent coucher ensemble régulièrement. «Pourquoi pas? Ils appartiennent l'un et l'autre au même milieu. Ils peuvent discuter ensemble de leurs fonds fiduciaires», songe-t-elle avec ironie.

En raison de sa projection selon laquelle Martin la considère comme une amourette insignifiante, elle trouve la vie insupportable. Sa paranoïa la rend malheureuse et elle ronge son frein la nuit, se demandant comment tout cela va finir. Aussi est-elle à peine étonnée lorsque Martin lui dit: «Je t'aime beaucoup, mais ça ne va pas. Je pense que nous devrions voir d'autres gens.» Ce à quoi elle réplique: «J'ai toujours su que cela finirait ainsi.»

Après quelques jours de tourment, elle est soulagée de voir que Martin est sorti de sa vie. Elle sait qu'il l'a gentiment laissée tomber. Il ne lui reste qu'à régler les factures des nouveaux meubles et des vêtements que lui a coûtés cette aventure.

Lorsqu'il y a de l'hypocrisie dans une relation, on se convainc jusqu'à un certain point qu'elle est nécessaire. Car pourquoi prendre la peine de dissimuler, si cela n'est ni nécessaire ni utile à la relation?

AXIOME 37: Dissimuler un défaut réel ou imaginaire, c'est porter une accusation, fondée ou non, contre l'autre personne. En agissant ainsi, vous projetez l'idée que cette personne vous

estimerait moins ou qu'elle vous rejetterait si elle connaissait la vérité.

Le désir de dissimuler ses défauts est à l'origine de *toutes les paranoïas* et il entraîne le sentiment injustifiable que l'autre personne nous rejetterait si elle nous voyait tels que nous sommes. Ces tentatives de dissimulation peuvent déboucher sur une projection qu'on pourrait qualifier de «mini-paranoïa»: une personne qui a fabulé pendant son entrevue en vue d'obtenir un emploi craint ensuite que le patron ne s'en rende compte et ne la congédie. Certaines tentatives de dissimulation entraînent même une psychose paranoïaque. La personne dissimule de plus en plus et projette sur son entourage l'image d'ennemis mortels.

C'est en relation avec la paranoïa qu'on a employé le terme «projection» pour la première fois, mais on n'a jamais vraiment compris que nos projections sont le résultat de nos actions. On croyait que la paranoïa était une maladie «interne» dont les symptômes se manifestaient à travers nos actes. En fait, nos actes découlant de peurs naissantes contribuent à la fois à créer et à renforcer nos projections paranoïaques.

AXIOME 38: Si vous vous rendez compte que vous souffrez d'une forme de paranoïa, cherchez ce que vous dissimulez. Laissez tomber tous les comportements qui visent à dissimuler ce que vous êtes vraiment et, après une période angoissante, votre projection disparaîtra.

Si, à un moment donné, Solange avait cessé toute dissimulation pour être tout à fait naturelle avec Martin, si elle lui avait exprimé ses craintes concernant ses modestes origines, Martin l'aurait sans doute rassurée en lui disant que cela n'avait pas d'importance. Il aurait peut-être même saisi cette occasion de mieux la connaître et de lui prouver qu'il l'aimait pour ce qu'elle était.

Il est clair que le «désavantage» social de Solange ne représentait pas le handicap qu'elle croyait pour sa relation. Ce qui a refroidi Martin, c'est l'attitude artificielle de Solange, sa contrainte générale, son obsession d'elle-même et le souci qu'elle avait de son apparence.

Mensonge et abus de confiance

N'importe quel mensonge, et pas seulement la dissimulation, risque de nous emprisonner dans une projection qui nous fait voir l'autre personne comme étant affreuse ou dangereuse.

On ment surtout pour deux raisons: tout d'abord, pour éviter d'encourir un blâme pour ce qu'on a fait; ensuite, pour braver une interdiction plus facilement. Il nous est probablement arrivé à tous de mentir pour l'une ou l'autre de ces raisons.

Liliane a épousé un homme qui la rabroue constamment pour la moindre erreur. Il n'a que les mots «Tu devrais» et «J'aimerais bien que tu...» à la bouche. Il aime sa femme mais il lui fait la morale à propos de tout, en particulier en ce qui concerne sa maison et ses biens. Liliane, qui dirige à domicile une entreprise de commandes postales, possède une nature anxieuse. Sa mère était méticuleuse et irascible, de sorte qu'enfant Liliane a appris qu'il valait mieux trouver des excuses qu'admettre ses erreurs. Chaque soir, elle mettait automatiquement de l'ordre sur son bureau et sur celui de son mari afin d'éviter ses récriminations. Un jour, elle heurte un vase qui se renverse; l'eau se répand sur une lettre que son mari a passé des heures à rédiger. Au retour de celui-ci, avant même qu'il constate les dégâts, elle en déclare le chat responsable. Son mari se renfrogne mais il ne peut tout de même pas faire la morale au chat.

Liliane marche ainsi sur des œufs depuis des années. Examinons maintenant l'image qu'elle projette sur son mari: «Il piquerait une de ces crises s'il savait! Dieu sait ce qu'il dirait ou comment il réagirait, si je lui disais que c'est moi qui ai fait ces dégâts.»

Liliane accentue son malheur en nourrissant cette projection. Elle voit son mari comme un personnage tout-puissant et elle est convaincue que le ciel lui tomberait sur la tête s'il se fâchait contre elle.

Même au risque d'être ébranlée par une confrontation directe, Liliane pourrait recouvrer le bonheur et la liberté si elle suscitait une crise en disant la vérité. Si elle attendait que son mari entre et s'assoie avant de lui parler et qu'elle lui avouait simplement que c'est un accident et que c'est elle la coupable, ou bien il garderait son sang-froid, ou bien il deviendrait fou furieux. Mais même dans ce dernier cas, si elle tenait bon ou si elle hurlait à son tour, son mari verrait bien combien il est irrationnel. Dans le pire des cas, même s'ils ne se parlaient plus pendant deux jours, Liliane aurait dégonflé sa projection et serait en passe d'amender sa relation avec son mari. Elle sait bien, au fond, que son mariage n'est pas en danger.

AXIOME 39: Les personnes qui mentent pour éviter le blâme ou les récriminations souffrent souvent mille morts alors qu'elles s'en tireraient peut-être indemnes en avouant la vérité.

Peut-être qu'on a mis des gants blancs avec vous et qu'on vous a menti en croyant que vous sortiriez de vos gonds si on vous disait la vérité. Cela vous a blessé. Vous étiez dégoûté de voir qu'on vous croyait impitoyable et irrationnel.

Comment avez-vous *su* ce qui se passait? L'autre personne employait peut-être régulièrement des euphémismes en s'adressant à vous: «J'ai *prêté* deux cents dollars à mon frère.» (En réalité, «le frère» en question ne lui remettra jamais cet argent, car c'était un cadeau.)

«Il *se peut* que le patron vienne faire un tour samedi soir.» (Vous savez parfaitement bien que le patron a déjà *prévu* de venir, mais l'autre vous dévoile les faits au compte-gouttes.)

Votre partenaire a peut-être l'habitude de *retarder* la divulgation de certaines nouvelles. Pire est la nouvelle, plus tard vous êtes mis au courant: «Désolé, chérie, mais nous ne pouvons pas aller à la campagne demain après-midi, car je dois travailler.» (Vous savez fort bien que sa décision est prise depuis plusieurs jours.)

Ou votre partenaire vous annonce d'importantes nouvelles sur un ton tout à fait léger: «En passant...» Une voix douce qui lui est inhabituelle peut constituer un indice; il essaie de ne pas vous alarmer afin que vous ne cassiez pas les meubles.

Votre partenaire va parfois jusqu'à faire précéder sa remarque de ces mots: «Je t'en prie, ne te fâche pas, mais...» Ou il invite des amis pour l'appuyer et vous obliger à garder votre calme, du moins partiellement.

Lorsque vous découvrez qu'un personne projette sur vous cette attitude irrationnelle et irascible, suivez les règles destinées à stopper une projection. Parlez-lui de son comportement et demandez-lui d'arrêter. Si elle refuse, insistez. Il est important qu'elle vous voie comme vous êtes. On ne sait jamais si ce type de personne dit la vérité ou non. Si elle vous ment, elle risque de libérer toutes vos impulsions irrationnelles. Fait ironique, en réaction à ce traitement, on a tendance à endosser le rôle que le manipulateur nous attribue.

L'autre forme de mensonge est fondée non pas sur la peur mais sur l'opportunisme.

David ment régulièrement à sa femme Françoise en lui disant qu'il doit aller jouer au golf pour discuter d'affaires. En fait, il n'a que de très rares contacts professionnels lorsqu'il joue. S'il voulait faire progresser ses affaires, il ferait mieux de se rendre au bureau pour effectuer des appels téléphoniques. Mais il croit que si Françoise sait qu'il a du temps libre, elle voudra l'emmener faire des courses ou lui proposera des travaux de rénovation.

Depuis plus de vingt ans de mariage, David part jouer au golf «sans problème», tout en récoltant en prime l'admiration de sa femme pour son dévouement envers sa famille.

David ne se rend même plus compte qu'il ment lorsqu'il parle à Françoise, alors qu'il compte scrupuleusement ses points au golf et qu'il ne tromperait jamais ses amis.

Il est vrai que Françoise a tendance à s'accrocher, mais à force d'employer cette tactique depuis des années, David a fini par se convaincre qu'elle est enquiquineuse et qu'il doit lui mentir afin d'avoir un peu de liberté. En fait, il croit désormais que le rôle de l'homme est de mentir à sa femme pour que le mariage soit heureux.

Remarquez que David s'est enchaîné lui-même par le biais de sa projection. En réalité, il travaille fort, gagne un bon salaire, prend soin de sa famille et mérite d'avoir des loisirs agréables. Il ferait mieux d'en parler ouvertement à Françoise: «Écoute, ma chérie, je t'aime, mais j'aime aussi jouer au golf. Cela n'a rien à voir avec les enfants ni avec toi.»

Si Françoise ne comprend pas cela, il ferait bien de lui expliquer qu'elle le retient prisonnier. Pourquoi devrait-il consacrer tous ses moments libres à faire des courses pour elle, ou même en sa compagnie? Il est probable que s'il insiste, Françoise comprendra qu'il ne cherche pas à la blesser. Elle a sûrement senti qu'il la fuyait. La vérité les libérera tous deux.

AXIOME 40: En mentant aux autres par opportunisme, on projette sur eux l'image d'obstacles. On se convainc qu'ils n'entendront pas raison ou qu'ils refuseront de changer, et on se complique la vie inutilement.

Les pénalités sont toujours plus grandes lorsqu'on ment à son partenaire. Le fait de projeter sur son voisin l'idée qu'on ne doit lui dire que ce qu'il veut entendre ne peut pas nous causer grand tort; mais se convaincre qu'il en est de même avec la personne qu'on aime, c'est signer la fin de sa relation amoureuse.

On est souvent tenté de détruire la confiance de ceux qu'on aime. Chaque relation amoureuse est fondée sur une compréhension implicite entre les partenaires. Ainsi, votre partenaire prend sans doute pour acquis que vous ne dénigrerez pas vos rapports sexuels devant des tiers; ou encore que ce sujet est trop précieux et trop personnel pour que vous en parliez, même en bien. Il est entendu que vous ne divulguerez pas la situation financière de votre partenaire, pas plus que vous ne discuterez d'un défaut qu'il essaie de corriger et qui constitue un point très sensible. Vous ne blâmerez pas non plus votre partenaire pour les décisions que vous avez prises conjointement: «Désolée, mais nous ne pouvons pas vous rendre visite; Nicolas n'a envie de voir personne.» Dans toute relation sérieuse, il est entendu que vous ne flirterez pas outrageusement avec d'autres, pas plus que vous n'aurez de liaison secrète.

Tout manquement à ces règles implicites, qu'il soit connu ou non de votre partenaire, nuit à la relation en le rabaissant dans votre estime. En parlant à tort et à travers de votre vie sexuelle, vous lui ôtez son cachet exclusif et romantique. En discutant de la dernière bourde financière de votre partenaire, vous vous exercez à le voir comme une personne incompétente et risible. En discutant de la façon dont il essaie de corriger un défaut, susceptibilité, mollesse ou quoi que ce soit d'autre, vous renforcez dans votre esprit l'image d'une personne mentalement dérangée et non pas celle d'un amoureux ou d'une amoureuse.

Le simple fait de demander conseil à des amis sur la façon de traiter votre partenaire risque de rompre une entente implicite. C'est en réglant vos problèmes ensemble en privé que vous nourrissez le grand amour qui imprègne votre relation.

La trahison amoureuse, qu'elle soit aussi subtile que l'achat d'un objet qui déplairait à votre partenaire ou aussi flagrante qu'une liaison susceptible de l'anéantir, est dangereuse parce que votre partenaire ne voit pas l'acte en question et ne peut pas y mettre un terme. Chaque trahison dévalorise la personne dans votre esprit et prépare la suivante. Lorsque votre partenaire se rend compte de ce qui se passe, il est devenu tellement insignifiant à vos yeux que vous n'êtes même pas tenté de tenir compte de ses objections.

De nombreux couples sont formés d'un partenaire scrupuleusement honnête et confiant et d'un partenaire à l'humeur inégale. Le premier nourrit constamment son bonheur et son amour tandis que le second finit par les détruire.

Florence a confiance en René, son mari. Elle le croit sur parole, organise leur vie sociale et l'aide même dans son travail. Elle crée dans son esprit une projection d'amour éternel. René, de son côté, dit à ses amis: «Florence s'est mariée il y a huit ans, mais pas moi.» Il flirte, il a des liaisons, il joue l'argent que le couple a décidé d'épargner et ment à Florence comme il respire. L'image loyale que celle-ci projette sur son mariage, renforcée par son propre comportement, est si puissante qu'elle ne peut pas imaginer que son mari la trompe.

Par ailleurs, celui-ci l'a réduite au rôle de secrétaire et de servante. Il ne l'apprécie plus du tout et déteste même rentrer chez lui. Non seulement Florence l'ennuie, mais toutes les femmes lui paraissent stupides et naïves. Il est incapable d'avoir de relations sexuelles plus de trois fois avec la même femme.

En vertu de leurs projections contraires, René est le plus malheureux des deux et c'est lui qui demande le divorce. Une fois divorcé, il séduit les femmes uniquement pour les plaquer parce qu'il est déçu, sauf que désormais il n'a plus ni foyer ni secrétaire. À cause de sa projection, Florence est anéantie par le divorce. Elle n'a jamais rien fait pour dévaloriser son mari ni sa foi en leur relation. Elle continue de considérer René comme l'homme de sa vie.

Après quelques mois, ses amies essaient de la consoler en lui présentant des hommes seuls, mais elle se sent paralysée et déloyale envers René.

Dans des cas semblables, il est précieux de comprendre le principe de la projection. *De même que vous pouvez l'utiliser pour nourrir votre amour, vous pouvez aussi, le cas échéant, vous en servir pour vous détacher de la personne que vous aimez sans retour.*

Florence doit commencer à faire des gestes qui équivalent à des «mini-trahisons» de la mémoire de René. Elle doit cesser de le défendre lorsque ses amies le critiquent et s'efforcer plutôt d'acquiescer quand elles ont raison. En ce qui touche la question de la pension alimentaire, elle doit demander le montant auquel elle a droit et non pas se contenter de moins pour montrer à René qu'elle l'aime encore. Quand elle sort avec un homme, elle doit faire un effort pour ne pas le comparer avec René, favorablement ou non. Son mari ne doit plus représenter l'étalon d'après lequel elle évalue les autres et elle-même. Si elle est attirée vers un homme mais que sa «loyauté» envers René l'empêche de coucher avec lui, elle doit faire ce qu'*elle* veut vraiment plutôt que de respecter un souvenir. Elle ne doit pas éviter leur restaurant favori, mais bien le fréquenter. Il serait utile également qu'elle cesse de parler de René et qu'elle évite en particulier les commentaires du style: «René adorait cette sorte de gâteau» ou: «René aimerait beaucoup ce spectacle».

Tous les comportements de Florence à l'égard de René doivent à tout prix *exclure* toute idée de loyauté. Si on la questionne sur René, elle doit se forcer soit à se taire, soit à le blâmer pour l'échec de leur mariage. Elle doit éviter *tout* acte de loyauté susceptible de faire renaître sa vieille projection et de prolonger sa souffrance et son isolement.

Le principe de la projection nous permet de comprendre pourquoi le souvenir de certaines personnes demeure vivant dans notre esprit, s'intensifiant même avec le temps. Le même mécanisme qui nous permet de rester amoureux peut, si on sait comment l'utiliser, nous aider à bannir les souvenirs trop vivaces. C'est ainsi que, grâce au principe de la projection, nous pouvons maîtriser même les souvenirs qui hantent nos vies.

AXIOME 41: Toute trahison même légère dévalorise l'autre personne à vos yeux.

Si vous êtes en relation et que vous sentez soudain que, sans raison apparente, votre partenaire vous estime ou vous aime moins, il est possible qu'il ait commis en cachette des actes qui vous ont dévalorisé dans son esprit. Il peut s'agir de tromperies délibérées comme de manquements minimes et symboliques à vos attentes et désirs.

Il est essentiel que vous ne fermiez pas les yeux sur ce qui ressemble à une dégradation dans votre relation. Il est vrai que les projections fondées sur des trahisons sont particulièrement coriaces puisqu'elles sont créées et renforcées à votre insu. Mais comme pour toute projection, plus vite vous agirez, mieux cela vaudra, de sorte que vous devriez exprimer vos sentiments dès que vous devinez un problème.

Vous pouvez aborder la question d'une manière aussi vague que votre impression: «Je sens que les choses ne vont plus comme avant entre nous, Michel. Y a-t-il quelque chose qui te rend malheureux?» Il est évident que vous ne pouvez pas poser ce type de questions régulièrement sans passer pour une personne paranoïaque ou enquiquineuse. C'est ce qui rend cette intervention si difficile. Si votre partenaire modifie son comportement, votre relation s'améliorera sans doute. Mais s'il ne change pas, vous devez insister comme vous le feriez pour mettre fin à une autre projection: «Il est évident qu'il se passe quelque chose dans ta vie, Michel. Ou dans ta tête. Moi, je n'aime pas la façon dont tu me parles ces jours-ci, ni le fait que tu sembles vouloir m'éviter autant que possible.»

Si votre relation est encore jeune, vous proposerez sans doute une séparation temporaire ou l'espacement de vos rencontres. Par contre, si elle dure depuis quelques années, vous voudrez peut-être parler de ses lacunes et des pièges qui vous attendent si vous ne faites rien. Mais que votre intervention réussisse ou qu'elle échoue, vous éviterez, en prenant les devants, d'être une victime passive. Au moins, en luttant contre les abus cachés, vous vous sentirez mieux.

AXIOME 42: Si une personne semble vous estimer moins sans raison apparente, pensez qu'elle projette peut-être sur vous une nouvelle image fondée sur les privautés qu'elle prend à votre insu. Intervenez comme vous le feriez pour toute autre projection.

Les informateurs

Chaque fois que vous mentez, que vous dissimulez ce que vous êtes ou que vous trahissez quelqu'un, vous conférez à certaines personnes le pouvoir de vous menacer ou même de vous détruire. Vous créez, à partir de rien, un *informateur psychologique*.

On appelle informateur toute personne dont la présence vous rappelle ou vous dévoile la vérité.

Dans certains cas, l'informateur peut susciter de la crainte chez le dissimulateur parce qu'il *sait* que celui-ci a proféré un mensonge ou qu'il connaît des détails susceptibles d'exposer ce mensonge, même fortuitement. Ou si vous faites l'hypocrite, l'informateur peut mettre vos limites en évidence. Parce qu'il possède la vérité, il peut compromettre votre mensonge. Dans certains cas, il peut avoir été témoin de vos tromperies. Dans les romans policiers, qui mettent souvent en vedette une «personne qui en sait trop», il arrive que les informateurs soient assassinés parce qu'ils ont été témoins d'un grave méfait ou qu'on a *cru* qu'ils l'avaient été. Dans certains scénarios, l'informateur ne se serait jamais servi du renseignement ou ignorait carrément même être en sa possession.

Il existe également une variété plus subtile d'infor-mateurs psychologiques. En effet, certaines personnes en disent très long sur nous par le fait même de leur existence.

Margot était malheureuse en ménage depuis de nombreuses années. Au début, l'idée de divorcer lui avait effleuré l'esprit, mais l'appel de la maternité l'avait poussée à avoir des enfants. Elle avait cherché à «consolider» son mariage en militant pour des groupes civiques avec son mari, en le traînant contre son gré devant le conseiller matrimonial et en insistant pour qu'il voie un psychanalyste afin de «grandir». Elle savait qu'il avait déjà eu une liaison sérieuse et s'employait à prévenir une récidive en l'éloignant constamment des femmes seules. Elle passait beaucoup de temps à lui faire des discours sur le mariage et sur la responsabilité personnelle, et à dénigrer les célibataires. Sa vie était un tissu épuisant de dissimulations.

Elle entretenait de bonnes relations, quoique ennuyeuses, avec des personnes se trouvant dans sa situation et avec quelques couples mariés de son quartier. Cependant, elle éprouvait presque chaque jour une souffrance aiguë, car elle était constamment poignardée par des *informateurs,* c'est-à-dire des personnes dont *l'existence même* lui rappelait les mensonges qu'elle se faisait à elle-même tout en lui montrant les solutions de rechange possibles à la vie qu'elle avait choisie.

Un jeune couple s'installa non loin de chez Margot; la jeune femme confia à celle-ci qu'elle et son ami voulaient vivre ensemble pendant un certain temps avant de se marier *afin d'être vraiment certains l'un de l'autre.* À ces mots, Margot se sentit mal à l'aise et se lança dans une diatribe sur les dangers de retarder le mariage. En réalité, elle ne pouvait pas supporter l'idée qu'on ait le bon sens de résister à la pression de se marier rapidement. Peut-être que si elle-même avait agi ainsi... Mais les mentalités étaient plus strictes il y a quinze ans et, de toute façon, on trouvait risqué, à cette époque, d'avoir des enfants passé la trentaine. En conséquence, elle évita le couple, qui lui rappelait constamment ses erreurs passées et, pis encore, ses mensonges actuels. Bien sûr, la jeune femme ne se doutait nullement qu'elle représentait une informatrice dangereuse dans le contexte de la projection de Margot.

Paulette, l'une des amies les plus intimes de Margot, se changea un soir en informatrice encore plus dangereuse. Margot savait depuis quelques années que Paulette n'était pas heureuse avec son mari, mais elle supposait qu'elle allait tenir le coup et qu'elle se considérait bien chanceuse d'avoir un homme à la maison. Un jour, Paulette avait tenté de lui expliquer que, même si son mariage présentait bien des aspects positifs, la vie n'était pas toujours rose et elle avait terminé en disant: «Cela ne marche vraiment pas entre nous.» Margot l'enjoignit de ne pas parler ainsi et de tirer le meilleur parti de sa situation, comme tout le monde. Mais ses paroles tombèrent de toute évidence dans l'oreille d'une sourde, car soudain Paulette lui annonça son divorce. Voilà qu'elle était prête à dissoudre une union plus satisfaisante que celle de Margot, à se débrouiller seule avec aussi peu d'argent que Margot en aurait si elle divorçait et deux fils à l'université. Margot en fut stupéfaite. La décision de son amie ressemblait à une déclaration publique: Margot vivait dans le mensonge, un mensonge inutile, et en plus elle était lâche. Ayant fait en vain des remontrances à son amie, elle ne songea plus qu'à l'éloigner de son propre mari de peur que celui-ci n'ait la même idée qu'elle, comme s'il ne connaissait pas de femmes divorcées.

Pratiquement tout le monde rappelle au dissimulateur que sa maison est érigée sur des sables mouvants. Ainsi, Margot voyait des informateurs dans les gens qui hésitaient avant de se marier ou qui refusaient de le faire, dans les divorcés, les homosexuels qui optaient pour une vie différente et n'importe qui d'un peu anticonformiste. En outre, les gens qui appréciaient leur vie sexuelle devenaient des informateurs, de même que ceux qui connaissaient la *félicité conjugale*. En fait, presque tous les gens qu'elle rencontrait étaient des informateurs pour Margot, qui avait du mal à trouver un cadre protecteur formé de personnes aussi malheureuses qu'elle.

Le mensonge de Margot dévorait toute sa vie. Or, lorsqu'on se ment à soi-même, peu importe le sujet ou l'ampleur du mensonge, on crée de sombres informateurs autour de soi. En règle générale, ceux-ci sont des gens qui se conduisent avec dignité là où l'on se rabaisse; qui sont ce que l'on fait semblant d'être; qui mènent la vie heureuse et prospère que l'on juge inaccessible pour soi-même.

Vous vous vantez de posséder un talent ou une compétence dans un certain domaine. Arrive un véritable expert, il se transforme en informateur. Vous prétendez être indispensable: vos enfants sont tout à fait impuissants sans vous, votre patron serait perdu si vous partiez en vacances. Vos enfants deviennent des informateurs en grandissant et en acquérant de l'autonomie, de même qu'un employé temporaire qui répond parfaitement aux exigences de votre patron pendant que vous êtes en voyage en Europe.

Il est probable qu'une grande partie des peines infligées pour les crimes sans victime et de l'ostracisme exercé à l'endroit de certains groupes sont motivés par la haine des informateurs: les homosexuels qui choisissent de ne pas avoir d'enfants; les femmes qui veulent la même liberté sexuelle que les hommes et qui l'obtiennent; les pauvres qui, souvent, sont aussi heureux que ceux qui ont consacré leur vie à s'enrichir.

Or, comme les informateurs causent sans le vouloir de grandes souffrances aux personnes qui vivraient tout autrement si elles étaient honnêtes avec elles-mêmes et un peu plus courageuses, on a exercé à leur endroit une brutalité inouïe au cours des siècles. On a brûlé les athées, ostracisé les femmes qui avaient le courage d'aimer un homme qu'elles ne pouvaient pas épouser; en outre, comme nous le savons tous, les membres des minorités capables de vivre à l'extérieur du réseau traditionnel sont encore trop souvent pénalisés.

Chaque fois qu'un innocent vous met mal à l'aise, c'est probablement qu'il joue le rôle d'un informateur. Si vous vous sentez troublé par une personne dont le comportement ne justifie pas votre anxiété, évitez de la critiquer et faites votre examen de conscience. Posez-vous en particulier les questions suivantes: «Qu'est-ce que je désire faire que cette personne fait maintenant avec succès?»; «Qu'est-ce que je cherche à me cacher à moi et aux autres, dont cette personne me fait prendre conscience?»

AXIOME 43: Mieux vaut se servir des informateurs pour sortir de son mensonge que de les éviter ou de chercher à les éliminer. En fait, si on les écoute, nos informateurs peuvent compter parmi nos meilleurs maîtres.

Le don

Le don illustre bien comment le *motif* que cache un acte détermine la *projection* qu'il sous-tend. Nous donnons pour diverses raisons qui engendrent différentes images des bénéficiaires de nos dons.

Par exemple, on peut donner parce qu'on se sent inférieur et pour compenser en soi cette lacune. Ou, consciemment ou non, pour obliger l'autre personne. On peut aussi donner par simple peur du rejet si nos dons se tarissent. Ou par souci d'abnégation, à l'instar des martyrs. Mais on peut aussi donner par générosité et dans le seul but de faire plaisir.

Chacun de ces dons crée ou renforce une projection différente et susceptible de modifier votre relation.

Jeanne est une talentueuse décoratrice d'intérieur qui vient tout juste de recommencer à travailler après son divorce. Sa clientèle adore son travail et la recommande chaudement. Si elle se détendait un peu, elle aurait une entreprise florissante en peu de temps. Mais elle est persuadée qu'elle est restée si longtemps sans travailler que mieux vaut ne pas tenter le diable, et «donner» le plus possible à sa clientèle. Ses tarifs sont ridicules et elle accepte rarement plus d'une commande à la fois de crainte de ne pas pouvoir accorder à sa clientèle l'attention qu'elle mérite.

Son attitude est particulièrement déplacée envers Emma, une richissime veuve dont Jeanne a récemment redécoré la maison de campagne. Comme Emma aime beaucoup Jeanne et qu'elle est enthousiasmée par son travail, elle cherche à lui trouver de nouvelles clientes en affirmant qu'elle rend service à ses *amies* en leur parlant de Jeanne.

Toutes ces éloges rendent Jeanne plus nerveuse que jamais. A-t-elle leurré Emma? Elle commence à craindre qu'Emma ne la comprenne pas vraiment et qu'elle ne soit mal à l'aise si des visiteurs constatent que son travail manque de professionnalisme.

Chaque semaine ou presque, Jeanne a de nouvelles idées au sujet de la maison de campagne pourtant terminée, et elle fait les cent kilomètres qui l'en séparent afin de perfectionner son travail à titre gracieux. Emma est incapable de retenir Jeanne ou même de lui payer les objets que cette dernière insiste pour lui offrir. Comme elle s'intéresse de près à la vie de Jeanne, celle-ci se sent obligée de se mettre en quatre pour elle, passant une journée entière à chercher un livre de recettes qu'Emma a mentionné dans une conversation.

Tout ce dévouement, motivé par ses doutes sur elle-même et par sa peur panique de décevoir sa cliente, est désastreux pour Jeanne qui projette sur Emma l'image non pas d'une «véritable amie», mais bien d'une «cliente exigeante» qui, malgré sa générosité, attend d'elle un rendement impeccable à chaque instant. En raison de cette projection, Jeanne n'accepte pas les éloges sincères d'Emma. Ou encore, lorsqu'elle la croit sincère, elle juge qu'elle manque d'intelligence ou de raffinement pour ce qui a trait à la décoration.

La projection de Jeanne complique également la vie d'Emma qui, à l'âge de soixante ans, est à peine plus vieille que Jeanne. Emma se moque du statut social de celle-ci et souhaiterait être son amie. Elle se sent un peu seule et Jeanne et elle possèdent de nombreux intérêts communs. Elle éprouve un sentiment de rejet lorsque Jeanne persiste à la traiter comme une employeuse et à refuser ses invitations. C'est comme si Jeanne *voulait* un déséquilibre entre leurs dons respectifs, et ce déséquilibre éloigne Emma et lui donne le sentiment d'être trompée. Jeanne lui refuse le plaisir de donner à une bénéficiaire reconnaissante. Les deux femmes ne peuvent donc pas nouer de véritable relation.

Lorsqu'on donne dans le but d'obliger une personne, on projette l'idée que celle-ci ne se pliera pas à nos désirs si on ne lui donne rien, mais qu'elle *sera obligée* de le faire si on se dévoue pour elle. Dans bien des cas, on se convainc que la personne nous aime beaucoup moins qu'en réalité et on se force à faire des sacrifices inutiles.

Certains se dévouent sans compter pour une personne pendant toute leur vie, se rendant malheureux à tenter de gagner son amour. À la fin de leur vie, ils s'aperçoivent que la personne s'est sentie étouffée par leur dévouement et en a décelé le motif depuis belle lurette. Ou alors ils se rendent compte qu'elle les aimait vraiment et qu'elle l'aurait fait avec ou sans don excessif, et qu'elle est heureuse de pouvoir leur rendre les soins qu'ils lui ont prodigués toute leur vie. Bref, donner avec une intention précise produit rarement les résultats escomptés, mais c'est toujours une source d'anxiété.

Nous connaissons tous des couples dans lequel un partenaire fait des sacrifices ridicules par peur de perdre l'autre; ou des parents, des amoureux et même des amis qui font preuve d'un dévouement excessif afin de prouver leur altruisme et leur valeur.

Certes le don idéal vise simplement à procurer à l'autre réconfort, empathie, conseil, aide ou argent. Grâce à cette attitude, on projette sur l'autre personne l'image d'une personne «précieuse», «chérie» et «digne d'être comblée».

Seule cette forme de don peut être anonyme: c'est celui que les parents font à leurs enfants, que la plupart des amoureux se font réciproquement et qu'on accorde aux animaux domestiques. Ce don n'est pas une tactique mais l'expression naturelle d'un sentiment, une manière fondamentale de prendre soin des autres et de percevoir leur beauté.

Résumé

Le principe de la projection peut vous aider à comprendre les véritables conséquences de presque toutes les tactiques employées dans une relation.

Lorsqu'on manipule les autres, on ne peut pas vraiment se faire aimer d'eux. On les transforme en robots qui réagissent à nos techniques mécaniques et on se condamne ainsi à un sentiment d'isolement.

Lorsqu'on a recours à la dissimulation afin «d'améliorer» une relation, on suppose que les autres sont intolérants et nous rejetteraient s'ils nous connaissaient vraiment. La dissimulation et la négation de la réalité sont les pierres de touche des projections paranoïaques. Il importe de dépister ces comportements et de les abandonner aussitôt.

Le mensonge et la trahison contribuent toujours à dévaloriser l'autre personne à nos yeux. On peut détruire sa foi, son respect ou son amour pour quelqu'un tout à fait à son insu. C'est pourquoi, si vous soupçonnez que votre partenaire vous trompe derrière votre dos, vous devez à tout prix avoir une confrontation avec lui ou elle avant qu'il ne soit trop tard.

Toute dissimulation malhonnête d'un défaut vous fait craindre les «informateurs», c'est-à-dire les personnes dont la seule présence vous rappelle la réalité. Vous leur conférez le pouvoir de vous causer une vive souffrance. Il est préférable de sonder cette souffrance et de tenter d'y remédier que de continuer à bannir les informateurs de sa vie.

Même un acte en apparence aussi simple que de donner peut, selon le motif qui le sous-tend, entraîner une grande variété de projections. Donner pour le mauvais motif risque de vous éloigner de l'autre personne ou même de détruire votre relation avec elle, tandis que donner dans le but d'exprimer un sentiment sincère peut améliorer votre perception de cette personne et solidifier votre relation.

10

Les projections au travail

Nous passons presque tous la majeure partie de notre vie au travail, dans un milieu où nous pouvons soit nous exprimer librement et de façon créatrice tout en vous sentant à l'aise, soit subir une multitude de pressions et compter les jours qui nous séparent de la retraite.

Que vous soyez cadre ou subalterne, une grande part de votre réussite et de votre bonheur quotidien dépend de la manière dont *vous* voyez votre travail et dont *les autres* vous perçoivent. Bien sûr, chaque emploi comporte un certain nombre d'impondérables: règlements de la compagnie, exigences de la charge de travail, échelle de rémunération, et il y a toujours le collègue récalcitrant que personne ne changera jamais. Toutefois, à la lumière de ce que vous avez appris sur le principe de la projection, vous pouvez exercer un contrôle accru sur votre situation, sur votre attitude face au travail et sur le traitement que vos collègues vous infligent.

Vous n'avez peut-être jamais songé au fait que *vous* pouvez exercer une certaine influence sur le fait qu'on vous assigne un travail intéressant, qu'on vous invite aux réunions, qu'on vous accorde une promotion, qu'on vous traite avec déférence ou qu'on sollicite votre avis. Tous ces éléments, et d'autres encore, dépendent de la perception que les autres ont de vous, et le principe de la projection démontre que vous avez votre mot à dire dans tout cela.

Naturellement, vous pouvez aussi modifier *votre* façon de voir les autres et votre travail. Même des événements en apparence insignifiants et de brèves interactions peuvent déclencher des projections à votre endroit et à celui des autres.

164

Dans le présent chapitre, nous examinerons d'abord comment *vous* pouvez entretenir des relations saines avec votre travail et vos collègues, puis plusieurs sortes d'interaction susceptibles d'influencer la perception des autres à votre égard.

Adopter une perception saine

Grégoire, jeune diplômé compétent et ambitieux, fut engagé par un grand cabinet d'avocats. Il était ébloui par le prestige de ce cabinet, par sa taille et les énormes sommes d'argent qui y circulaient, par son luxe (moquettes moelleuses, antiquités) et par son équipement haut de gamme. Venant d'une petite ville, Grégoire était stupéfait de voir que le cabinet demeurait ouvert jour et nuit et de les notaires commençaient leur journée à trois heures du matin.

Il se joignit à une équipe qui effectuait des recherches juridiques et peina pendant trois mois sans même croiser l'un des principaux associés dont les portraits ornaient les murs.

Tard un vendredi après-midi, quatre mois après son entrée en fonction, Grégoire se rendit soudainement compte qu'il était affamé et épuisé. Il s'était lancé tôt le matin dans des recherches compliquées et sa vision commençait à s'embrouiller. Il décida donc de faire une pause, prit une tablette de chocolat dans sa mallette, se servit un café et s'installa à son bureau pour lire le journal.

À ce moment précis, la porte s'ouvrit pour laisser entrer Serge G., un des associés principaux! Grégoire le reconnut immédiatement pour avoir vu son portrait dans la salle du conseil.

En un éclair, il songea: «Ah non! Après tout le boulot que j'ai abattu, voilà qu'il survient au moment où je lis le journal en mangeant du chocolat. Que faire? Il pourrait me congédier, mais il n'a pas encore vu le journal et le chocolat.»

L'esprit en ébullition, Grégoire tâtonna sous son bureau afin de glisser les objets compromettants dans sa mallette.

Passant derrière lui, Serge G. demanda avec désinvolture: «Jeune homme, Lydia est-elle déjà partie? J'ai besoin de sa signature.» Lydia était la supérieure hiérarchique de Grégoire.

«Non, monsieur, s'empressa de répondre Grégoire. Je suis resté à mon bureau toute la journée et je ne l'ai pas vue sortir. Elle doit être dans son bureau.»

Grégoire avait à peine fini sa phrase que Serge G. avait déjà quitté la pièce. Après cet incident, Grégoire n'osa pas reprendre son goûter et il essaya de se remettre au travail, mais il repensait sans cesse à son échange avec le grand patron.

Les minutes passant, il lui semblait de plus en plus probable que Serge G. ait vu le journal et le chocolat et, pis encore, ses efforts pour les dissimuler. Et qu'avait-il voulu dire par ces mots: «Lydia est-elle déjà partie?» Peut-être avait-il voulu laisser paraître son dégoût à l'idée qu'on puisse esquiver ses responsabilités ou partir tôt un vendredi après-midi. Si c'était le cas, ces paroles s'adressaient sûrement à lui. Soudain, il remarqua la tasse de café qui trônait sur son bureau! «Serge G. l'a certainement vue. Et moi qui lui ai dit avoir passé la journée à mon bureau. Il saura que j'ai menti puisque j'ai dû m'absenter pour aller chercher le café.» Grégoire passa un très mauvais week-end.

En quelques instants, Grégoire avait agi de deux façons susceptibles de projeter sur Serge G. l'image d'un homme exigeant, peu sympathique et gardant à l'œil chaque employé.

La première de ses actions avait été, bien sûr, de cacher ses objets de détente «illicites». En agissant par peur et avec la conviction que le patron *pourrait* se montrer exagérément sévère, Grégoire *a renforcé* cette perception. Il a en quelque sorte confirmé son doute, à savoir que si Serge G. l'avait vu manger à son bureau, il aurait été très fâché et n'aurait pas compris que Grégoire n'avait pas déjeuné. Remarquez que par son comportement, Grégoire a «confirmé» un point dans son esprit, malgré l'absence de preuve à cet égard.

Le second comportement paranoïaque de Grégoire consiste à affirmer qu'il n'est pas sorti de son bureau de la journée. Pourquoi aurait-il employé cette ruse si Serge G. n'était pas un patron tyrannique? Le mensonge de Grégoire confirmait ses craintes à cet égard. Pis encore, il faisait naître en lui une autre idée cauchemardesque voulant qu'à force d'exploiter son personnel, Serge G. ait développé la capacité de lire dans ses pensées. Fait ironique, le mensonge de Grégoire lui donna l'impression d'être transparent.

La semaine suivante, Grégoire se mit à étudier les commentaires de Lydia et même ses mimiques afin de voir si Serge G. s'était plaint de son comportement. Il ne constata rien de spécial, mais une professionnelle aussi avertie que Lydia ne dévoilerait sûrement pas le fond de sa pensée. Croyant s'être mis dans de mauvais draps, il essaya d'attirer les bonnes grâces de Lydia en lui faisant remarquer la quantité de travail qu'il emportait à la maison.

Il se faisait un point d'honneur d'arriver avant Lydia et de partir après elle, allant même jusqu'à annuler un rendez-vous amoureux afin de rester plus tard que sa patronne. Il prit l'habitude de lui citer le moindre compliment qu'il recevait de la part d'autres avocats et fit plusieurs allusions à son adhésion à une association prestigieuse. Lorsque Lydia avait l'esprit ailleurs, Grégoire prenait son indifférence pour l'affirmation suivante: «Ton petit jeu me déplaît.»

L'emploi de Grégoire n'était pas vraiment menacé, mais il l'ignorait; il avait l'impression de couler à pic.

Huit semaines plus tard, Grégoire était devenu vraiment paranoïaque. Il se sentait persécuté, rejeté. Il projetait sur Lydia et ses autres patrons une rigueur qui lui rendait la vie presque insupportable. Il commença à chercher un nouvel emploi, croyant qu'il en aurait besoin très bientôt.

La paranoïa est de loin la principale maladie professionnelle. Quiconque travaille dans un milieu fermé dont il a besoin pour se sentir en sécurité peut y être sujet. En croyant à l'éventualité d'un danger, vous pouvez facilement renforcer la projection selon laquelle les autres sont contre vous, qu'ils n'ont pas besoin de vous ou même qu'ils vous ont déjà trouvé un remplaçant.

L'art de travailler dans une organisation consiste à être aussi honnête et ouvert que dans sa vie personnelle. Affrontez vos collègues et vos patrons avec équitabilité et hardiesse. Considérez-les surtout comme des personnes *raisonnables*; puis, si certains ne le sont pas, vous pouvez les confronter ou régler certains détails avec eux, ou même changer d'emploi. Ce ne sera pas toujours facile, mais vous poursuivrez une carrière plus intéressante et vous entretiendrez de meilleures projections, sur vous-même et à l'égard des autres, si vous vous efforcez d'agir avec vos collègues et vos supérieurs comme si vous n'aviez *pas* besoin d'eux pour survivre.

Vous avez le choix de créer et de nourrir des projections justes à l'endroit de vos patrons et collègues et de les encourager à vous voir tel que vous êtes.

Supposons que Grégoire ait continué d'être détendu à son bureau, refusant de dissimuler un comportement qu'il savait ne pas être criminel. Au lieu de se convaincre que Serge G. est un tyran sans cœur, il l'aurait perçu comme un homme intelligent et capable de voir les choses telles qu'elles sont. Il se serait senti chez lui et aurait cru en ses possibilités d'avancement. Si, par malchance, Serge G. avait vraiment été un patron tyrannique, Grégoire aurait au moins su qu'il faisait, lui, plus que sa part et qu'il avait affaire à un fou. Il aurait préservé le sentiment du respect qui lui est dû.

De toute façon, il est probable que Serge G. était trop occupé pour faire attention à Grégoire.

AXIOME 44: Afin de conserver de saines projections à l'égard de votre patron, de vos employés et de vos collègues, il suffit de demeurer honnête et de ne pas laisser la peur vous guider et vous convaincre que votre travail est médiocre.

Pour ne pas se tromper, il est certainement très utile de dresser une liste des comportements qu'on adopte par peur d'une autre personne. La meilleure solution consiste à abandonner ces comportements et à laisser les autres se montrer sous leur vrai jour pendant que vous poursuivez votre chemin et que vous affrontez les imprévus au fur et à mesure.

Cependant, la vie professionnelle se complique lorsqu'il s'agit *d'influer sur la perception que les autres ont de vous*. Chaque geste, ou presque, des autres influence la façon dont ils vous voient. Même les plus innocents font plus qu'*exprimer* une perception puisqu'ils *intensifient* les idées qu'on se fait à votre sujet en les scellant dans des projections accomplies. C'est pourquoi il ne vous suffit pas d'exceller dans votre domaine; vous devez aussi rectifier sans cesse les perceptions des autres à votre égard.

L'image qu'on a de vous

Une grande partie des problèmes que vous connaissez au bureau peuvent être imputés à la «malchance». Votre entourage ne semble apprécier ni votre nature ni vos talents. Peut-être avez-vous l'impression que vous n'avez jamais eu la chance d'en faire la preuve ou qu'on ne vous regarde pas lorsque vous faites de votre mieux.

À titre de gérante du marketing, Laure était placée sous la tutelle de Paul S. Dans le cadre de ses fonctions, elle avait mémorisé l'emplacement de chaque dossier et le nom d'une personne-ressource dans vingt-six grandes villes. Son rôle consistait à dénouer des situations délicates: elle réglait les problèmes d'expédition du service des ventes, obtenait la collaboration de directeurs de service chatouilleux et pourvoyait aux besoins d'une clientèle irascible. On disait qu'elle était «l'âme» de l'entreprise, que rien ne marcherait sans elle.

Elle se réjouit pour Paul lorsqu'il trouva un poste plus important dans une autre entreprise, tout en sachant qu'il lui manquerait. À la soirée d'adieu organisée en son honneur, elle pleura lorsqu'il lui avoua qu'il n'aurait jamais pu en arriver là sans elle.

Allait-elle lui succéder? Cela était peu dire puisque Laure effectuait *déjà* très bien le travail qu'il faisait.

Mais au fil des semaines, elle n'entendit pas parler de promotion et se mit à douter de jamais obtenir le poste qu'elle méritait manifestement. Qui d'autre qu'elle pouvait l'occuper? Le nom de quelques concurrents éventuels au sein de l'entreprise lui vint à l'esprit. Ils étaient plutôt compétents, mais personne ne connaissait aussi bien qu'elle la routine du travail. Peut-être la haute direction cherchait-elle quelqu'un à l'extérieur?

Lorsque le nom de la candidate élue fut dévoilée, Laure fut anéantie. Micheline Bernier! Micheline dirigeait le service d'élaboration des produits d'une compagnie de moindre importance, elle n'avait jamais touché au marketing de sa vie et avait la réputation de se montrer intraitable avec son personnel. Rares étaient les clients qui avaient même entendu parler d'elle! La haute direction prenait vraiment un risque. Micheline était reconnue pour être une personne très manipulatrice qui parvenait toujours à ses fins.

Laure se sentait impuissante. Et même si elle protestait, qui l'écouterait? Que pouvait-elle faire? Aller dire au président qu'elle avait le cœur brisé? Qu'il avait choisi une femme ambitieuse qui se fichait sans doute de la compagnie? Ou qu'elle aurait fait le travail pour moitié moins d'argent? Bien sûr que non. Elle pouvait seulement espérer qu'il se rende compte de son erreur au bout de quelques mois.

Évidemment, Laure n'avait aucune idée de la perception qu'on avait d'elle au sein de la compagnie. Au fil des ans, elle avait laissé ses supérieurs et ses collègues la traiter de manière à la percevoir comme «une petite secrétaire». Par souci de diplomatie, elle avait permis aux chefs de service de la blâmer et de lui exprimer leur agressivité. Elle avait toujours accueilli les conseils avec plaisir, même de la part de subalternes moins compétents. Elle remerciait avec effusion qui la complimentait, même lorsque le compliment constituait une insulte déguisée. Elle se laissait interrompre par les employés qui s'arrangeaient pour afficher un air pressé. Lorsqu'on l'accusait d'avoir commis une erreur, elle s'excusait tout de suite et se justifiait. Croyant qu'il était crucial pour elle de multiplier les amitiés au sein de la compagnie, elle se montrait excessivement sociable lors des congrès et des soirées données à l'extérieur, laissant même les forts en gueule proférer à ses dépens des sous-entendus à connotation sexuelle.

Pour ne pas passer pour «difficile», elle demandait rarement des faveurs, laissant les chambres les plus confortables aux représentants commerciaux pendant les congrès et acceptant tout sans broncher, depuis les minces augmentations des années de vaches maigres jusqu'à un bureau beaucoup trop exigu pour ses besoins.

Micheline, quant à elle, appréciait sa réputation de prima donna qui lui avait valu des postes importants, des primes, un bureau spacieux et de luxueuses chambres d'hôtel pendant ses voyages d'affaires. On racontait qu'elle avait piqué une colère noire le jour où elle avait dû prendre un avion tard le soir et qu'elle avait exigé qu'une voiture avec chauffeur l'attende à l'aéroport à son arrivée. Si Laure pratiquait l'effacement, Micheline, par contre, poussait ses exigences jusqu'à la limite permise. Même si les deux femmes avaient à peu près le même âge, Micheline passait pour la plus âgée des deux.

Laissons de côté la question du mérite et comparons les projections de Laure et de Micheline.

Les collègues de Laure lui avaient donné tellement d'ordres et de conseils, elle s'était si souvent demandé devant eux ce qu'elle aurait fait sans Paul, qu'ils la croyaient incapable de prendre une décision. Peu importe qu'elle se soit montrée si efficace à certains moments. À cause du traitement qu'ils lui infligeaient, ses collègues avaient fini par projeter sur elle l'image d'une adjointe, compétente certes, mais sans plus. Comme ils ne l'avaient jamais traitée en égale, ils étaient incapables de l'apprécier à sa juste valeur.

La haute direction savait pertinemment que Micheline connaissait moins bien les rouages du système que Laure, et même qu'elle était moins dévouée. Mais elle cherchait une personne susceptible d'attirer une clientèle fortunée, à la présence imposante et à l'imagination créative. À ses yeux, Micheline incarnait tout cela et constituerait donc un atout. Elle projetait sur elle-même l'image d'une personne décidée, qui obtenait toujours ce qu'il y a de mieux et qui le méritait. Laure, la «petite secrétaire» fiable, pourrait très bien renseigner la «vedette» sur les détails.

La plupart des employés connaissaient Micheline uniquement de réputation. Ils n'avaient aucune chance de la déprécier dans leur esprit en agissant mal envers elle ou en lui cachant certaines données. Grâce à sa réputation de prima donna, Micheline fut traitée avec déférence au cours des entrevues et des négociations salariales. Dès le début, la haute direction l'éleva dans son estime et se compta chanceuse lorsqu'elle accepta l'emploi.

À l'instar des animaux, les êtres humains se battent pour établir une hiérarchie. Lorsque des personnes se retrouvent dans une situation de groupe où elles doivent s'affronter les unes les autres comme dans un troupeau, elles ont recours à des actes bénins afin d'établir un ordre implicite. Certaines personnes voient leur influence grandir tandis que d'autres perdent de leur pouvoir. Les animaux ont recours à la force, réelle ou symbolique; quant aux humains, ils adoptent certains comportements, évidents ou subtils, qui incitent les autres à projeter sur eux l'image d'une personne «supérieure» ou «inférieure».

Les demandes

Tout travailleur prospère sait qu'il est doublement utile de présenter des demandes. Non seulement il obtient ce qu'il veut, mais, en lui accordant ce qu'il demande, ses supérieurs l'en estiment davantage et projettent sur lui l'image d'une personne «habilitée à recevoir».

La clé d'une demande efficace consiste à aller jusqu'à la *limite* extrême de ce que l'on peut obtenir, sans jamais s'exposer à un *refus*.

Vous pouvez demander un bureau spacieux, un voyage d'affaires en première classe, une augmentation, une prime, un titre, un adjoint, un compte de frais plus élevé, un pouvoir de signature. En fait, vous *devez* demander ces privilèges si vos homologues en bénéficient ou si vous les jugez raisonnables et mérités. Dès que vous aurez obtenu gain de cause, vos supérieurs ne tarderont pas à justifier leur geste. En vertu de la loi de la consonance, ils jugeront que vous méritez ces privilèges, et même davantage, et pourraient fort bien, de leur propre gré, y en ajouter d'autres.

Ne pas demander tout ce qu'on mérite, c'est s'exposer à être victime de la loi de l'économie. En constatant que vous leur restez fidèle même s'ils vous en donnent moins, vos supérieurs seront tentés de vous priver encore davantage.

«Puisque Jacques ne s'est pas plaint lorsque nous avons donné son bureau au nouveau venu, c'est probablement lui que nous devrions exclure du prochain congrès sur les ventes. Après tout, notre budget est plutôt serré cette année et nous avons besoin de quelqu'un pour répondre au téléphone ici. Jacques ne rechignera pas puisqu'il sait qu'il n'a pas le même statut que les autres représentants.»

Rappelez-vous le danger lié aux refus répétés. Si vous prenez l'habitude de demander des faveurs excessives aux yeux de votre patron, il vous considérera comme un casse-pieds à qui il faut sans cesse dire non. Servez-vous de votre bon sens afin de déterminer vos chances d'obtenir ce que vous désirez.

Toutefois, ne vous bornez pas à demander des faveurs que vous êtes certain d'obtenir et ne vous laissez pas rebuter par la pensée qu'il vous faudra mener une dure bataille ou affronter le ressentiment de votre patron. Sans aucun doute, la première fois que Micheline demanda un privilège réservé aux prima donna, une première prime peut-être, elle n'était pas sûre de l'obtenir et son succès irrita certaines personnes. Mais «rien ne réussit comme le succès», affirmation qui jette une vive lumière sur le mécanisme de la projection. Par la suite, Micheline n'eut aucun mal à obtenir d'autres primes, puisqu'elle semblait les mériter. De même, la haute direction en vint à trouver tout naturel de lui accorder des bénéfices supplémentaires.

Si elle avait essuyé un refus la première fois, Micheline aurait mieux fait d'attendre un peu avant de récidiver et de bien choisir son moment afin de ne pas être perçue comme une personne «qui mérite un refus».

Les conseils

Il est clair qu'il vaut mieux demander conseil au besoin que de commettre une énorme bourde.

Par ailleurs, chaque fois qu'une personne vous montre quoi faire, si elle vous juge quelque peu incompétent, le fait même de vous conseiller renforcera cette idée dans son esprit. Les personnes indécises qui sollicitent sans cesse l'avis de leurs supérieurs ou de leurs collègues ne se rendent pas compte de ce que leur coûte cette attitude.

«Faut-il numéroter les pages au centre ou en haut à droite?»

«La photocopieuse fonctionnera-t-elle si j'appuie sur ce bouton?»

«Le patron veut-il qu'on trie son courrier trois fois par jour ou une seule fois?»

Bien vite, ces éternels questionneurs finissent par exaspérer leurs collègues et chaque réponse obtenue gruge un petit peu plus leur réputation.

Ne posez pas de question si vous êtes en mesure de trouver la réponse vous-même. Et ne demandez jamais conseil mine de rien ou dans le but de briser la glace. Votre interlocuteur vous répondra peut-être avec plaisir, mais il vous jugera incompétent, inférieur et certainement indigne d'une promotion. Il est vrai que si vous arrivez à attirer ainsi l'attention du patron, il apprendra peut-être votre nom bien avant celui de vos homologues. Cela vous flattera peut-être, mais vous avez tort. Demeurer invisible a ses bons côtés, de même qu'avoir l'air de faire son travail sans effort. Lorsque viendra le temps de désigner quelqu'un pour un travail délicat et urgent, le patron se rappellera la personne calme et indépendante qui semblait tout comprendre et qui savait s'y prendre. Manifestez-vous dans les moments profitables, par exemple lorsque vous demanderez un bureau plus vaste ou une prime. Évitez de le faire pour solliciter des conseils ou du réconfort.

Même lorsque vous avez *vraiment besoin* d'une réponse, réfléchissez bien afin de savoir à *qui* vous adresser. Consultez quelqu'un de l'extérieur, si possible. Appelez un ami ou une amie, ou appelez un expert si votre problème est complexe. Si c'est impossible, adressez-vous d'abord à un collègue ou même à un subalterne avec lequel vous entretenez des rapports chaleureux. Ne consultez votre patron qu'en dernier recours afin d'éviter qu'il ne vous prenne pour une personne qui compte sur les autres.

Les gens vraiment prospères préparent leur travail avec un très grand soin. Ils prennent soin de ne demander à leur patron que les renseignements qu'ils doivent connaître et qu'ils ne peuvent trouver ailleurs. Ils ne posent chaque question qu'une seule fois, se munissant à cette fin d'un bloc-notes ou d'un magnétophone. Ils font leur possible pour se débrouiller seuls sans faire appel aux autres.

Le donneur de conseils exerce naturellement de l'ascendant sur son interlocuteur. Il importe que vous sachiez cela afin de reconnaître les conseils qui constituent une insulte flagrante et susceptible de nuire à votre image. Vous connaissez sans doute un monsieur-je-sais-tout qui fait le tour des bureaux de ses collègues afin de leur suggérer quoi faire.

«Je crois savoir ce qui cloche dans votre service...»

«Savez-vous ce que vous oubliez systématiquement dans vos exposés?»

«Je pensais à vous hier soir et je m'inquiétais parce que...»

Ce personnage n'est qu'ennuyeux lorsqu'il surgit à l'improviste pour vous suggérer des «améliorations», mais il devient carrément un traître lorsqu'il formule ses conseils devant vos collègues. Ceux-ci pourraient supposer que vous en dépendez ou même que vous sollicitez régulièrement son avis.

Soulignez son comportement avec exagération et humour: «Mario, tu es le champion des conseillers. C'est le septième conseil que tu me donnes cette semaine.» Puis, laissez tomber. S'il vous en offre un huitième, dites-lui: «Cela fait huit.» S'il revient à la charge, insistez tout en soulignant chaleureusement sa manie de vouloir donner son avis.

Le vrai problème surgit la rare fois où ledit Mario a vraiment une opinion constructive. Il ne peut pas faire autrement que mettre dans le mille à l'occasion. Que vous ayez atteint la même conclusion de votre côté ou que votre sens du devoir vous incite à accepter son conseil malgré sa provenance, attendez-vous à ce que Mario se vante d'avoir sauvé votre service, sinon votre emploi. Ici encore, en caricaturant son comportement, vous l'aiderez à en prendre conscience: «J'aurais été complètement déboussolée sans toi, Mario. On m'aurait sans doute congédiée et je me serais tiré une balle dans la tête.»

Lorsqu'on sollicite votre opinion, souvenez-vous de Mario. Évitez de la donner en public et de regarder de haut quiconque demande votre aide. Si vous offrez un appui discret, les autres seront heureux de votre présence et vous rendront la pareille.

Les plaintes

Dans le milieu du travail, se plaindre constitue le passe-temps favori d'une petite poignée de perdants qui se réunissent au déjeuner pour discuter bruyamment. Personne n'écoute personne, chacun étant absorbé par ses propres lamentations. Ils font parfois preuve de commisération, comme pour dire: «Je suis d'accord avec toi, alors sois d'accord avec moi», mais la loyauté n'est pas leur fort. Se plaindre n'a rien de positif, exception faite du soulagement que cela procure à l'occasion. De même que l'alcool remonte temporairement, les récriminations finissent par aggraver la dépression et le sentiment d'impuissance de la personne qui s'y livre. Se lamenter sur son travail, son salaire, son bureau, ses avantages sociaux, son patron ou ses collègues confère un sentiment d'impuissance et l'im-pression d'avoir affaire à plus fort que soi.

Ce qui est pire, c'est que les autres voient le plaignard chronique comme un incompétent qui essaie de rationaliser ses échecs. Leur désir de consonance les porte à *croire* que le monde est ordonné et à *ne pas croire* le geignard: «Alain a passé la semaine à se lamenter parce qu'on ne lui assignait pas d'adjoint. Si on le lui refuse, c'est sûrement pour une bonne raison.»

Catherine, pour sa part, s'extasie sur la manière dont on la traite au bureau. Ses collègues se disent: «Catherine doit vraiment être estimée, pour qu'on la traite aussi bien!»

Non seulement les geignards sont infantiles et leur présence désagréable, mais ils sont pathétiquement mal avisés. Ils affichent leur égoïsme et croient que leurs collègues, qui ont bien d'autres chats à fouetter, laisseront tout tomber pour voler à leur secours.

Certaines personnes éprouvent d'abord invariablement de la pitié pour le geignard qu'elles consolent en le prenant pour un éternel malchanceux. Toutefois, le fait de consoler quelqu'un engendre automatiquement du mépris pour cette personne et on s'en lasse assez vite. Avant peu, la plupart des gens évitent le geignard, gravant ainsi dans leur esprit l'image d'une personne pénible et perdante. En conséquence, sa vue déclenche soit la commisération, soit la fuite, deux comportements qui renforcent dans l'esprit des autres leur mépris envers elle et envers ses aptitudes.

L'employé qui, à l'instar de l'amoureux, se fait un devoir de ne jamais se plaindre, demandant directement ce qu'il désire, ou se taisant, tout simplement, ou s'adressant ailleurs au besoin, ne peut pas se tromper.

Les interruptions

Le danger des interruptions, que vous en soyez l'auteur ou la victime, tient au fait qu'elles peuvent vous faire paraître futile ou peu maître de vous.

Une interruption a toujours un certain caractère urgent. Si vous êtes pressé, alors c'est que vous n'êtes pas maître de la situation.

Louis, chef de bureau dans une fabrique de peinture, se précipite sans cesse aux réunions sous prétexte qu'il doit à tout prix s'entretenir avec un des participants. Il a un acheteur au téléphone et il a besoin d'une réponse immédiate. La première fois qu'il a surgi à l'improviste dans une réunion, quelques employés l'ont cru haut placé. Mais maintenant, son air dramatique est devenu un objet de risée.

Louis a souvent l'habitude d'interrompre ses collègues. S'il a perdu une facture, il court en tous sens dans le bureau en dérangeant les gens pour les prier de regarder dans leurs dossiers, «au cas où». Lorsqu'on lui parle, il regarde autour de lui d'un air affolé et dit: «Garde ton idée pendant que je vais me chercher un café.» Il allume une cigarette dans les moments critiques, interrompant le discours de son interlocuteur. Bref, il se comporte comme s'il avait la continuité en horreur.

Aucun de ses collègues ne s'explique précisément pourquoi la présence de Louis les dérange autant ou pourquoi ils voient en lui un être agité et désordonné. Le patron lui-même, qui est gentil mais pas très psychologue, ne sait pas pourquoi Louis le déconcerte autant, puisqu'il effectue plutôt bien son travail. Tout le monde projette sur Louis l'image d'un homme qui fait de son mieux dans des circonstances épouvantables. Inutile de dire qu'il n'a aucune chance de succéder au patron.

La plupart des employés lui résistent, mais quelques femmes laissent tout tomber pour répondre à ses demandes. Ce sont celles qui ont appris que les femmes doivent se laisser interrompre. Il est probable qu'elles ont vu leur mère se mettre au garde-à-vous lorsque papa rentrait et demandait son journal. En se laissant interrompre, elles affichent leur *servilité*. Leur entourage, voyant combien il est facile de morceler leur journée, copie la tactique de Louis et projette ainsi sur elles l'image de «servantes», de «personnes de second ordre» et «d'adjointes inaptes à recevoir une promotion».

Celui ou celle qui interrompt transmet inconsciemment son anxiété aux personnes de son entourage, qui le voient alors comme un «agent perturbateur». Elles reculent automatiquement sans identifier son problème et, ce faisant, gravent dans leur esprit l'image d'une personne indésirable.

Ne vous laissez pas interrompre et, au besoin, reprenez la personne qui le fait: «Un peu de patience, Louis, je suis au téléphone.»

Si vous avez vous-même tendance à interrompre, examinez vos sentiments au moment où vous vous apprêtez à le faire. Au lieu de suivre votre impulsion, posez-vous les questions suivantes: «Pourquoi suis-je mal à l'aise en ce moment?»; «Ai-je un complexe d'infériorité?»; «Le sujet de discussion m'est-il pénible?»; «Est-ce que j'essaie de le changer parce que je crains d'avoir fait quelque chose de mal?»; «Est-ce que j'envie la personne qui parle, l'attention qu'elle recueille ou le succès dont elle jouit?»

Une bonne manière de changer cette habitude consiste à garder le silence pendant que l'autre personne parle, et quelques instants après qu'elle s'est tue. Plutôt que de placer aussitôt votre mot, reformulez ce qu'elle vient de dire. Vous lui montrerez ainsi que vous la suivez et cela vous aidera à ne pas perdre le fil.

Les compliments

Les compliments comptent parmi les actes les plus subtils du répertoire humain, surtout dans le milieu des affaires. Ainsi, la personne qui vous complimente pour des qualités qui n'exigent aucun effort de votre part et n'ont aucun lien avec votre travail pourrait bien en fait vous dénigrer.

Une femme a bûché ferme pour remettre son rapport à temps. Son patron le lit puis dit: «Vous êtes en beauté aujourd'hui.» Veut-il éviter de lui parler de son travail? Peut-être. Dans ce cas, son compliment pourrait bien être un signe de mépris et contribuer à la rabaisser encore davantage dans son estime. Elle devrait s'en formaliser et lui demander tout de go ce qu'il pense de son rapport.

Le sentiment de notre valeur découle de notre appréciation des qualités que nous maîtrisons et que nous avons cherché à développer: la compassion ou l'intégrité, par exemple. Être complimenté sans cesse sur des hasards de la vie, comme la beauté, la taille ou une chevelure rousse, c'est comme avaler une nourriture indigeste.

Nous nous rengorgeons tous sous les compliments. Mais ceux-ci sont dangereux car le plaisir que nous prenons à les recevoir nous rend vulnérables. Celui qui nous fait des éloges renforce sa perception de nous comme étant une personne dépendant de ses louanges et, à moins d'être attentifs, nous risquons de tomber dans le piège. Si nous ennoblissons la personne en croyant qu'elle sait vraiment de quoi elle parle, nous nous rabaissons du même coup.

Pensez à votre collègue qui vous complimente sans arrêt comme s'il était votre patron.

Douée d'un fort esprit de compétition, Claire veut faire croire à Anne qu'elle est dans les bonnes grâces de la haute direction et la couvre de compliments. Celle-ci la remercie et la traite même en amie, puisqu'elle lui montre une note de service qu'elle a rédigée. Voilà exactement ce que Claire souhaitait. Ses compliments répétés et l'acceptation souriante d'Anne conviennent à une relation entre supérieur et subalterne. Grâce à ses éloges, Claire projette sur Anne l'image d'une «employée dépendante». Cette dernière, en remerciant Claire et en se fiant implicitement à son jugement, se met dans une position d'infériorité par rapport à celle-ci.

Ainsi employés, les compliments représentent une dangereuse forme d'arrogance.

Au lieu de remercier Claire pour des éloges qui cachent son mépris, Anne ferait mieux de lui répondre ainsi: «Ne sois pas si fière de moi, comme si je descendais du ciel, Claire. Nous sommes égales, toi et moi.»

Elle peut apprécier l'opinion de Claire tout en la priant d'omettre toute évaluation personnelle. Elle ne devrait certainement pas chercher à gagner sa faveur en lui montrant les notes qu'elle rédige. Si Claire refuse d'abandonner cette façon d'agir, Anne devrait aller plus loin en exposant clairement le problème: «Merci, Claire. Mais tu n'as pas besoin d'encenser mes moindres gestes. Je ne travaille pas pour toi.»

Cela est plus difficile lorsque Claire agit de cette façon devant tout le personnel. Anne a élaboré un plan de marketing qu'elle présente au cours d'une réunion. Elle espère surtout qu'il emballera le directeur national des ventes et le contrôleur qu'elle respecte beaucoup. Mais avant même qu'ils ne comprennent son projet, Claire prend les devants et déclare: «Tu as fait du beau travail, Anne. Je suis très impressionnée», essayant de passer pour supérieure à Anne sur le plan du savoir et de l'expérience, sinon du rang.

Évidemment, Claire doit la remercier, mais elle peut le faire sans conviction pour ensuite solliciter l'avis de ceux qui comptent vraiment pour elle sans faire plus de cas de sa collègue. Si elle est habile, qu'elle n'apparaît ni dépendante ni hostile à Claire, elle montrera aux autres que celle-ci jouait un jeu et essayait d'usurper leur place.

Bien sûr, la plupart des gens sont sincères lorsqu'ils font des compliments et il ne s'agit pas de rechercher sans cesse la bête noire chez ceux qui parlent en bien de nous. En général, il faut accepter gracieusement les compliments. Votre interlocuteur sera blessé si vous haussez les épaules comme s'il était trop facile à impressionner ou à duper.

Les compliments font partie intégrante de toute relation satisfaisante. Non seulement *vous* appréciez le compliment, mais votre patron, votre collègue, votre employé ou *quiconque* vous fait un compliment sincère se persuade encore davantage de votre valeur et de votre mérite. Dans la plupart des cas, vous devriez encourager les autres à consolider leur opinion favorable à votre égard en vous complimentant.

Bien des gens évitent de complimenter les autres de peur de paraître maladroits ou naïfs. Ils craignent d'être embarrassés si l'autre personne se montre passive ou méfiante en disant: «Voyons, je fais cela tout le temps.» Ils ont peur en outre qu'elle se prenne pour le nombril du monde et se mette à leur donner des ordres. Mais le contraire est plutôt vrai. Lorsque vous faites un compliment, le bénéficiaire est enclin à penser que vous savez reconnaître son vrai mérite. Il *aime* penser qu'il a fait du bon travail, et vous lui dites justement que c'est le cas. Il vous choisira peut-être comme juge, vous rehaussant ainsi dans son estime. Il ne s'agit pas d'employer les compliments comme Claire, pour manipuler, mais de comprendre qu'ils peuvent jouer en votre faveur. Vous serez le premier à ressentir votre propre influence sur les autres.

Les accusations

La règle qui prévaut en ce qui concerne les accusations est simple: *n'en portez jamais*. Elles constituent le moyen le plus rapide de se faire des ennemis à vie. Les personnes que vous accusez ne réfuteront peut-être pas ouvertement vos propos, mais elles vous en voudront toute leur vie. Si vous occupez un poste d'autorité, vos victimes et les autres, qui verront leur tour venir, formeront un groupe clandestin de résistance contre vous. En dissimulant leurs erreurs réciproques, elles feront front pour vous percevoir comme une personne à craindre et à éviter. Même si elles ne disent rien, elles attendront que vous fassiez un faux pas, saisissant la moindre situation ambiguë pour vous faire perdre la face.

Lorsque vous accusez vos supérieurs ou vos collègues d'avoir commis un impair, vous cherchez les ennuis et vous vous heurterez bientôt à un mouvement de résistance. Cessez de croire que c'est en piétinant les autres que vous avancerez. Cette attitude se retournera à coup sûr contre vous, puisqu'ils vous verront comme un fauteur de troubles et un incompétent. Blâmer les autres pour ses propres erreurs est, bien entendu, la manière la plus sûre de se couler soi-même.

Si vous devez signaler une erreur à quelqu'un, arrangez-vous pour le faire en privé. Indiquez dès le début que ceci restera entre vous et que vous n'avez pas l'intention d'aller plus loin. Ne cherchez pas *pourquoi* la personne a commis l'erreur, mais proposez la meilleure solution. Si elle ne récidive pas, tenez votre promesse et n'en parlez plus, ni à elle ni à quiconque. Vous vous ferez ainsi un ami pour la vie plutôt qu'un ennemi.

Lorsqu'on *vous* accuse, commencez par déterminer si vous avez bien commis l'erreur qu'on vous impute. Dans l'affirmative, admettez-la. Reformulez les paroles de la personne qui vous l'a signalée pour qu'elle sache que vous l'avez comprise et que vous la réparerez. Avec de la classe, vous pouvez changer une quasi-défaite en victoire. Les autres vous verront comme une personne souple, ouverte et assez sûre d'elle et de son rendement pour admettre ses erreurs sans être anéantie par la critique.

Il est plus délicat d'affronter les accusations fondées pour la forme, mais non pour le fond.

Prenons l'exemple suivant: Bruno avait omis d'écrire une lettre importante. Son patron l'accusa de vouloir saboter le service et de se moquer de l'opinion que la haute direction avait de lui. «Si tu veux mon poste, une chose est certaine: ce n'est pas en me jouant dans le dos que tu l'auras!» Confus, Bruno resta sans voix lorsque le patron l'accusa devant tout le personnel. Par la suite, quelques personnes lui témoignèrent leur sympathie, mais sans succès. Il sentait qu'il avait eu tort et qu'il devait accepter la colère du patron.

À partir de ce moment, celui-ci l'écrasa de son mépris. Comme il l'avait déjà fustigé une fois en public, il lui était facile de recommencer. Il assignait à Bruno des tâches impossibles et lui passait un savon avant qu'il n'ait eu le temps de les accomplir. Trois mois plus tard Bruno fit une dépression nerveuse et donna sa démission.

Il s'était senti tellement coupable qu'il n'avait pas vu que son châtiment dépassait de loin son crime. Il est vrai qu'il avait commis une erreur, mais ce n'était pas de mauvaise foi. En découvrant son omission, il l'avait lui-même rapportée et il avait même suggéré une solution. Le patron avait sauté sur son erreur pour l'accuser en lui prêtant des intentions malveillantes, et cela devant tout le personnel. Si Bruno avait été plus perspicace, il aurait reconnu son erreur, mais aurait réfuté avec opiniâtreté l'accusation en ce qui concernait ses motifs. À la réunion, il aurait dit: «Vous avez raison de dire que j'ai commis une erreur. Congédiez-moi si vous le voulez, mais vous avez tout à fait tort quant à mes motifs.» Si son patron avait insisté, Bruno aurait pu lui dire qu'il se montrait injuste.

En ce qui a trait à la présence d'un auditoire, il aurait eu tort de s'y opposer ouvertement car il s'en serait lui-même servi. Toutefois, il aurait pu parler à son patron seul à seul plus tard et lui dire quelque chose comme: «Si je fais une erreur, je suis prêt à l'admettre. Mais c'est difficile pour moi de faire du bon travail si vous me traitez d'idiot devant mes collègues.»

Demandez-vous toujours quelle part de l'accusation portée contre vous est vraie. Méfiez-vous des gens qui vous expliquent quels ont été vos motifs. Personne n'en a le droit. Et on n'a certainement pas le droit de faire des suppositions sur vos motifs profonds afin de pouvoir vous attaquer. Opposez-vous à ces tactiques, sinon les autres projetteront sur vous l'image d'une personne méprisable et insignifiante.

De même, vous n'avez pas à subir passivement une démonstration de force contre vous: sarcasmes, engueulade, humiliation publique, rétrogradation ou retrait de privilège que vous croyez injustifiés. Aucun poste n'autorise les autres à vous traiter ainsi et vous vous devez à vous-même d'interdire ces actes de manière non équivoque. Rappelez-vous le bien-fondé de la sensibilité: désapprouvez et n'hésitez pas à vous adresser à la haute direction pour obtenir de l'aide, ou cherchez un nouvel emploi.

Si l'accusation est tout à fait fausse, réfutez-la sans vous excuser. Prouvez sa fausseté, mais n'essayez pas d'impliquer les autres en guise de fuite.

Qu'une accusation soit vraie, en partie vraie ou complètement fausse, ne soyez pas sur la défensive et ne vous excusez pas. En vous défendant à mort contre l'accusation d'une personne, vous vous mettez *en son pouvoir*. Admettez clairement votre erreur ou la *partie* qui vous incombe en niant fermement toute accusation fausse. Sinon, rejetez-la en bloc. Le problème réside rarement dans l'incident en soi, mais dans les projections engendrées par votre réaction face aux accusations.

Vous êtes le patron

Si vous occupez un poste de cadre, il ne fait nul doute qu'un grand nombre de vos subalternes ne vous voient pas tel que vous êtes. Si vous agissiez conformément à leur image de vous, vous auriez douze personnalités différentes. L'un vous trouve naïf, l'autre intraitable, un troisième très juste. Or, vos comportements ont sans doute très peu à voir avec la manière dont ces images se sont formées. Chaque employé qui nourrit une projection d'intransigeance à votre égard a probablement toujours perçu les figures d'autorité de la même façon. Il a commencé à travailler pour vous avec une attente légèrement faussée quant au genre de patron que vous *pourriez* être.

Lorsqu'il postula un emploi à l'agence immobilière de Linda, Benoît donna comme référence un parent éloigné pour qui il n'avait jamais travaillé. Lors de son entrevue avec Linda, il lui déclara qu'il serait très fier de travailler pour elle, ajoutant qu'elle jouissait d'une brillante réputation dans le milieu. En fait, Benoît n'avait jamais entendu parler d'elle et fut même incapable de dire si elle lui plaisait car il était trop occupé à la duper. Avec son petit jeu, il commençait déjà à graver dans son esprit l'image d'une femme naïve et stupide.

Peu de temps après son entrée en fonction, il commença à débiter des mensonges encore plus grossiers: sur le nombre de clients qui avaient visité tel appartement, sur la manière dont il s'y était pris pour qu'un client augmente son offre. Comme

Linda n'était pas paranoïaque et qu'elle accordait une certaine latitude à son personnel, elle n'y vit que du feu. Au bout de quelques mois, convaincu qu'elle était idiote, Benoît commença à se faire payer sous la table par les clients. À mesure que sa projection grossissait, ses délits devenaient plus flagrants. Heureusement, Linda découvrit le pot aux roses avant que Benoît ne lui fasse vraiment du tort et le congédia illico. Benoît s'était trompé: Linda n'était pas une idiote, elle n'était qu'un maillon d'une longue chaîne d'employeurs qui l'avaient congédié lorsqu'il les avait sous-estimés.

Le personnel de Linda comptait aussi une certaine Angèle, une femme honnête et vertueuse pour qui sa carrière comptait par-dessus tout. Elle excellait d'ailleurs dans son travail: les propriétaires la savaient honnête et elle inspirait confiance aux clients. Elle remplissait les contrats comme si c'était une question de vie ou de mort. Ses collègues, Benoît en particulier, la taquinaient sur son perfectionnisme. Elle était la première arrivée le matin et la dernière à partir, la journée terminée.

Six ans auparavant, Angèle avait avoué à Linda son inexpérience dans le domaine de l'immobilier, mais celle-ci lui avait promis de lui donner la chance de faire ses preuves. Le lendemain, tenaillée par la peur et le remords, Angèle avait appelé Linda: «Avant que vous ne m'engagiez, je dois vous faire un aveu. Il y a quelques années, je n'ai pas pu rembourser à temps un prêt bancaire. Je veux m'assurer que cela ne nuira pas à ma carrière. — Ne vous inquiétez pas et venez travailler lundi prochain», avait répondu Linda.

Au fil des ans, Angèle avait continué de s'inquiéter au sujet de tout et de rien. Elle avait *agi* en fonction de ses tourments qui avaient fini par régenter sa vie. Souvent, elle allait au bureau le samedi pour refaire ses calculs et s'assurer qu'elle n'avait pas fait d'erreur. Lorsque des entrepreneurs ou des électriciens lui offraient un cadeau de Noël, elle s'empressait de le donner à Linda qui, bien sûr, le refusait. Peu importaient les efforts de Linda pour rassurer Angèle sur sa situation: celle-ci s'obstinait à penser qu'elle n'avait pas encore «fait ses preuves». Par ses comportements compulsifs et sa peur de courir à sa perte au moindre oubli, Angèle entretenait sa conviction qu'elle devait craindre Linda. Lorsque Benoît fut congédié, elle ne douta plus que son tour viendrait.

Louise, la meilleure amie d'Angèle à l'agence, avait une toute autre perception de Linda. Elle avait travaillé dans plusieurs agences immobilières sous la férule de bons et de mauvais patrons. Elle avait tout vu: sexisme, ergotage, naïveté, alcoolisme. Elle voyait donc en Linda une patronne équitable pour qui il était agréable de travailler. «Ne vois-tu pas la différence entre Benoît et toi? demanda-t-elle à Angèle. Il volait à gauche et à droite et si Linda ne l'avait pas pris, nous aurions tous pu perdre nos permis!»

Dès le départ, Louise s'était montrée franche avec Linda, reconnaissant ses échecs autant que ses réussites. Son rendement égal renforçait sa perception de Linda comme une personne «juste et raisonnable». Un jour, persuadée d'avoir perdu de l'argent au cours d'une vente, elle demanda clairement à Linda la somme qu'elle croyait mériter et l'obtint. Une autre fois, elle admit qu'elle avait fait une mauvaise affaire en menant mal les négociations. Linda avait froncé les sourcils avant de déclarer: «Ne te fais pas de soucis. Nous faisons tous des erreurs.» Comme Louise se fiait toujours à son jugement, elle avait une perception très lucide de son patron.

Nous avons ici trois images différentes de la même personne. Les deux premières relèvent d'une projection: Linda n'avait rien fait pour donner à Benoît le droit de la considérer comme une idiote et à Angèle, celui de la voir comme un tyran. Seule Louise avait une vision réaliste de Linda, qui pouvait se détendre avec elle et solliciter ses conseils tout en se sentant comprise.

Comme dans presque tous les cas de projection, celles de Benoît et d'Angèle avaient une longue histoire.

Benoît avait grandi en dressant ses parents divorcés l'un contre l'autre. Il avait découvert les avantages de mentir à un parent à propos des faveurs que lui accordait l'autre: «Maman me laisse toujours regarder la télévision jusqu'à minuit pendant le week-end.» Il faisait planer la menace d'une perte de statut sur le parent qui ne lui donnait pas ce qu'il voulait: «Si tu ne m'achètes pas une nouvelle bicyclette, papa le fera sûrement.» Il couvrait d'éloges le parent avec qui il se trouvait. Tous ces comportements renforçaient sa conviction que ses parents étaient vraiment naïfs. Il fut donc tout naturel pour Benoît de reporter ses croyances et le comportement qui les sous-tendait sur son milieu de travail. Ses fraudes le convainquirent rapidement qu'il pouvait duper n'importe quelle figure d'autorité comme il avait dupé ses parents.

Quant aux parents d'Angèle, ils étaient de véritables tyrans. Ils ne la frappaient pas, mais l'ostracisaient et la privaient de sorties pendant plusieurs jours si elle refusait de faire ses devoirs ou si ses notes n'étaient pas assez élevées. Ils piquaient une colère si elle n'avouait pas l'entière vérité et l'avaient inscrite dans une école pour jeunes filles très sévère. Angèle avait épousé un homme que ses parents avaient presque choisi à sa place. Il était beaucoup plus âgé qu'elle et très exigeant. C'est à son décès qu'elle avait postulé un emploi à l'agence de Linda.

Elle était prête à considérer Linda comme une personne autoritaire et avait agi en conséquence. Son attitude envers Linda, destinée à lui épargner un désastre, projetait sur elle une identité à la fois de «mère» et de «directrice sévère».

Comme vos subalternes créeront leurs propres projections à votre égard, souvent par le biais de comportements que vous ne percevez même pas, ne vous attendez pas à être aimé de tous.

AXIOME 45: En tant que patron, vous serez confronté à diverses perceptions de vous, qui relèveront pour beaucoup de projections partielles ou complètes. Il se peut que vous soyez incapable de les désamorcer, alors attendez-vous-y et ne vous blâmez pas.

Contentez-vous de déterminer si la personne fait son travail sans saboter le vôtre ou celui des autres.

Efforcez-vous surtout d'agir avec équité et dignité. Les personnes qui nourrissent des projections vous accuseront peut-être de mal vous conduire à leur égard. Si vous avez affaire à une véritable projection, la personne ira sans doute jusqu'à vous attribuer non seulement de mauvaises actions, mais aussi des motifs que ses parents avaient ou semblaient avoir.

Si vous soupçonnez la présence d'une projection, vérifiez si c'est le cas en vous entretenant en privé avec la personne. Interrogez-la directement sur son attitude mal avisée. Laissez-la parler sans l'interrompre, puis questionnez-la sur les conclusions qu'elle a tirées tout en considérant les faits d'une manière aussi rationnelle que possible. Voici un exemple de dialogue:

Henri appelle Dorothée dans son bureau: «Vous semblez très mécontente de moi. Que se passe-t-il?»

Dorothée: «Vous n'avez jamais voulu de moi ici. Depuis le premier jour.»

Henri: «Qu'est-ce qui vous fait croire cela?»

Dorothée: «Plusieurs choses. D'abord, vous accordez la préférence aux hommes en leur réservant les tâches les plus intéressantes. Ils sont fous de vous. Vous avez un réseau de *vieux copains.*

— Continuez.

— Eh bien, je suis bien meilleure au téléphone que Philippe. Pourtant, c'est à lui que vous avez demandé d'appeler notre plus gros client, et pas à moi. Et pourquoi mon salaire est-il inférieur à celui de François? Il n'y a pas que l'expérience qui compte. Et pendant la réunion, lorsque vous avez remercié tout le monde, j'étais la dernière et vous n'aviez pas l'air très enthousiaste. Et puis, ce commentaire que vous avez fait lorsque j'ai demandé une augmentation: «Faites vos preuves.» Pourquoi devrais-je faire mes preuves? Est-ce que Philippe les a faites, lui?...»

Une foule de reparties se bousculent dans la tête d'Henri, à tel point qu'il lui est difficile de ne pas interrompre Dorothée. Mais elles l'anéantiraient s'il les formulait: «Vous n'êtes pas meilleure que Philippe, et François obtient de bien meilleurs résultats que vous. Sous-payée? Après tout ce babillage contre moi pendant les réunions, je vous aurais congédiée depuis longtemps sans le syndicat et la compassion déplacée que j'ai envers vous.»

Toutefois, la première responsabilité d'Henri en tant que patron consiste à réduire les tensions et à préserver la paix. Son meilleur atout consiste, à ce stade-ci, à réconforter son employée: «Écoutez, Dorothée, je suis heureux que vous m'exprimiez vos sentiments. Cela ne vous causera aucun tort. Vous avez détendu l'atmosphère puisque nous sentions tous deux une tension entre nous depuis un certain temps. Cependant, vous vous méprenez tout à fait sur mes motifs.»

Si Henri est totalement innocent, les accusations et les plaintes de Dorothée l'ont certainement écœuré. Une diatribe comme celle qu'elle lui a servie aurait certainement provoqué les pires impulsions chez tout autre que lui.

Cependant, dans ses efforts pour se contenir et se montrer équitable, Henri pourrait se demander *quels sentiments au juste* Dorothée suscite en lui. De la colère et un profond sentiment d'être incompris, de toute évidence. (Remarquez que si Henri était le thérapeute de Dorothée, il étudierait ses fausses perceptions à la loupe, repassant son enfance avec elle et l'aidant à voir comment elle influence les autres et pourquoi elle fausse la réalité. Dorothée a peut-être eu des parents sexistes qui la dépréciaient par rapport à ses frères, ou encore des parents abusifs et irrationnels envers tous leurs enfants.)

Mais Henri n'est pas le thérapeute de Dorothée, de sorte qu'il doit se soucier uniquement de la bonne marche de son affaire ainsi que de son influence sur le moral de ses employés. En identifiant les sentiments que Dorothée provoque en lui, il cherche à déterminer si elle nourrit une projection à son égard et, le cas échéant, la nature de celle-ci.

En scrutant ses réactions, Henri se rend compte qu'il se sent coupable et sur la sellette, tout en sachant fort bien qu'il traite Dorothée équitablement. En fait, il la traite presque avec déférence en raison de sa nature geignarde. En outre, il est en colère parce qu'il s'est éreinté à lui plaire au détriment d'autres employés plus méritants. Il s'aperçoit que lorsqu'il est en présence de Dorothée, il est tenaillé par le désir de se disculper et se sent écrasé par elle. Elle entretient vraiment une projection à son égard, puisqu'il ne s'est pas mal conduit avec elle.

En analysant ses propres réactions et en se rendant compte qu'il éprouve une vive inquiétude et une crainte exagérée de déplaire à Dorothée, il en conclut que sa projection lui est hostile. Elle le voit comme un ennemi qui essaie de la rouler à la moindre occasion.

Quelles que soient vos chances, en tant que patron, de désamorcer une projection, vous devez procéder de la façon habituelle: en amenant la personne à modifier son *comportement* à votre égard.

Il est inutile à ce moment-ci qu'Henri essaie de persuader Dorothée qu'elle a tort, mais il doit plutôt l'amener à modifier son comportement, ce qui aura pour effet de transformer sa perception de son patron, mais, d'abord, d'améliorer son rendement.

Voici ce qu'il pourrait lui dire: «Veuillez ne pas parler en mal de moi pendant les réunions, ni dire à un client que je suis difficile. Cela ne facilite pas vos relations avec le client ni avec moi, ni mes rapports avec celui-ci. Si vous gardez une attitude positive dans le travail, je suis sûr que tout se tassera. Je ne vous tiendrai rigueur de rien et j'attends la même chose de vous.»

L'entretien se terminera peut-être par une poignée de main et sera suivi de quelques manifestations spéciales d'intérêt de la part d'Henri.

AXIOME 46: Peu importe le degré de réussite que vous obtenez en combattant la projection d'un employé, vous ne réussirez que si vous le persuadez de modifier son comportement à votre égard.

Remarquez que l'on met fin à la projection d'un employé comme à celle de n'importe qui. La différence réside dans le fait que, si vous *échouez*, cela a moins d'importance que dans le cas d'un amoureux ou d'un ami proche. L'important est d'amener l'employé à faire son travail.

Résumé

Que vous soyez employé ou patron, votre réussite profession- nelle dépend en grande partie de *votre* perception du travail et de celle des *autres* à votre égard.

En vertu de vos nouvelles connaissances sur le principe de la projection, vous pouvez exercer un meilleur contrôle sur votre sort au bureau, sur vos sentiments à l'égard de votre travail et sur le comportement des autres à votre endroit.

Pour entretenir des projections positives à l'égard de votre patron, de vos subalternes et de vos collègues, il suffit essentiel- lement de demeurer honnête et de ne pas laisser la peur vous guider ni vous convaincre que votre travail est insuffisant. Ce n'est pas toujours facile, mais vous obtiendrez les plus grands succès et vous engendrerez les plus belles projections, à votre égard et à l'égard des autres, si vous agissez avec eux comme si votre vie ne dépendait pas d'eux.

Si vous êtes systématiquement sous-estimé ou mal perçu au bureau, ce n'est pas uniquement une question de «malchance».

Les êtres humains se battent subtilement pour établir une hiérarchie et ce sont vos petits gestes qui détermineront le fait que vous gagniez ou perdiez du terrain.

Prenez conscience des projections positives et négatives qui peuvent naître lorsque vous faites une demande, que vous donnez ou sollicitez des conseils, que vous vous plaignez, interrompez quelqu'un ou vous laissez interrompre, que vous faites ou que vous recevez des compliments et que vous portez des accusations.

Si vous occupez une poste de cadre, vous vous heurterez presque certainement aux projections de vos subalternes qui seront, pour la majorité d'entre eux, fondées sur leurs modèles parentaux. Ainsi, vos employés vous trouveront juste ou injuste, tolérant ou intolérant, amène ou dur, selon leur vécu personnel.

Comprenez que vous n'aurez peut-être pas le temps ni l'envergure nécessaires pour corriger toutes ces projections. Prenez-en votre parti et ne vous en tenez pas rigueur. Ce qui compte, c'est que la personne fasse son travail sans saboter le vôtre ni celui de ses collègues. Dans la mesure où vous pouvez combattre une projection, vous devez vous efforcer d'amener la personne à modifier son comportement à votre égard.

11

L'amour romantique

Aucune perception ne contribue autant à embellir l'autre personne que l'amour. L'amour ne se soucie pas des défauts de l'être aimé; l'amoureux applique des normes très différentes de la normale à l'élue de son cœur ainsi qu'à lui-même. Il peut endurer des traitements qu'il n'accepterait pas d'amis de longue date. L'amour comporte tout un bagage d'insécurité: nous nous inquiétons de l'amour de l'autre, de notre valeur, du bonheur et de la santé de l'être aimé. Nous allons jusqu'à oublier nos propres soucis. L'argent épargné avec peine est englouti dans un seul présent de Noël inoubliable. L'amour sous toutes ses formes implique la découverte de soi-même par la perte de son moi.

L'amour romantique est une forme très particulière d'amour, et les tentatives de certains psychologues de l'expliquer d'une manière rationnelle paraissent insensées et stupides; c'est comme s'ils n'avaient jamais connu l'amour eux-mêmes, ou comme s'ils essayaient de décrire la couleur en n'utilisant que des mots.

L'essence même de l'amour est la spontanéité. L'amour apparaît à des endroits improbables, entre des personnes d'âge et de couche sociale différentes, qu'ils soient du même sexe ou non. Si un dieu capricieux inventait une impulsion rebelle, refusant de se plier aux lois orthodoxes de la société et même au bon sens, il créerait l'amour romantique, à la fois fragile et puissant comme la fleur délicate qui pousse dans les fentes d'un trottoir.

L'amour romantique naît dans l'intimité. On peut tomber amoureux loin d'une personne ou lorsqu'on est près d'elle, alors

191

qu'elle ignore tout de nos sentiments. En outre, le combustible de l'amour n'est pas exactement ce qui fait avancer sans heurt la civilisation. On rompt un contrat d'affaires avec une personne peu ponctuelle ou malhonnête, mais de tels affronts attisent parfois l'amour.

Seuls les plus desséchés parmi nous peuvent nier la valeur de cette expérience unique qu'est l'amour romantique. Et seuls les plus rationnels et les plus faibles ne reconnaissent pas son caractère irrationnel ou le confondent avec l'amitié. Heine et Voltaire ont écrit que l'amitié commence où finit l'amour et Santayana a pris la peine de distinguer les êtres qui forment notre cercle d'amis de ceux qui forment notre «panthéon», c'est-à-dire ceux auxquels nous portons un amour romantique.

Il existe une autre forme d'amour, que nous pourrions appeler «amour existentiel». Cet amour est fondé sur la reconnaissance de notre fragilité en tant que mortels abandonnés sur cette terre, responsables de nos décisions en tant qu'individus; cet amour repose sur la vérité universelle voulant que la mort soit inéluctable. C'est ce sentiment que Saint-Exupéry avait à l'esprit lorsqu'il a écrit qu'aimer, «ce n'est pas se regarder l'un l'autre, mais regarder ensemble dans la même direction». Nous ressentons cet amour pour nos enfants, nos parents, pour certains amis, collègues et personnes dont nous comprenons la vie d'une manière émotive, de même que pour des êtres que nous ne connaissons pas mais dont nous admirons la lutte ici-bas. Mais cette forme d'amour est très différente de l'amour romantique.

Nous disons qu'une chose est faite «avec amour» en parlant d'un tel objet artisanal, d'une œuvre d'art, d'un sacrifice, quel qu'il soit, et même d'un travail fastidieux. L'amour est à nos yeux un ingrédient essentiel de la plus haute forme d'excellence. La renommée elle-même semble vide sans l'idée de partage ou d'amour.

Gœthe a dit que «quelques gorgées de la potion de l'amour donnent leur valeur à tous les combats sur cette terre».

Par ailleurs, presque tous les thérapeutes voient défiler dans leur bureau des personnes très douées qui sont à la fois très amoureuses et très désespérées. Elles s'en veulent d'avoir tout sacrifié pour une personne qui ne leur rend pas leur amour. Tout en comprenant très bien leur situation qu'elles décrivent comme étant injuste, ridicule ou sans issue, elles sont incapables d'arrêter d'aimer. Des artistes pour qui seule leur carrière comptait cessent de travailler lorsque leurs amours vont mal. Des professionnels, hommes et femmes, avouent franchement au thérapeute que leur vie professionnelle n'est rien comparée à l'amour qu'ils portent à telle personne qui se conduit mal envers eux. Ils savent, tout comme le thérapeute, qu'on ne gagne pas le cœur de quelqu'un en se montrant abattu, car cela ne fait qu'empirer les choses. Pourtant, ils s'entêtent dans une direction désespérément mauvaise. L'éventualité de renoncer à l'être aimé leur semble trop affreuse pour qu'ils puissent l'envisager.

La projection et le processus intrapsychique

Le principe de la projection, bien qu'il ne puisse pas expliquer *pourquoi* on aime une personne en particulier, peut nous montrer comment préserver un amour salutaire et comment cesser d'aimer lorsque l'amour est destructeur. Il peut nous aider à corriger certains déséquilibres et à raviver un amour chancelant. Par-dessus tout, il peut nous enseigner comment nourrir l'amour et l'empêcher de s'étioler. Songez à l'amour comme à un être fragile dont la vie repose entre vos mains. Le mystère de cette vie vous dépasse, mais vous avez le pouvoir de la nourrir ou de la détruire. Les choix qui influencent notre perception de l'autre personne sont décisifs.

La plupart d'entre nous réfléchissent beaucoup à la manière dont leur comportement influera sur leur amoureux, tant au cours des premières fréquentations que, il faut l'espérer, par la suite. La pléthore d'ouvrages consacrés aux relations amoureuses nous ont sensibilisés plus que jamais aux besoins de l'être aimé. Les conseillers matrimoniaux connaissent une vogue sans précédent, mais ils ont tendance à considérer toute relation amoureuse comme un échange; trop souvent, ils se contentent de trouver ce que chaque partenaire veut vraiment et de le faire savoir à l'autre.

Toutefois, cette simplification à outrance laisse supposer que l'amour est une sorte de contrat («Donne-moi ce que je veux, je te donnerai ce que tu veux»). Or, cette attitude frise le ridicule. Portés à tout réduire, les psychologues exagèrent carrément lorsqu'il est question d'amour. La vérité, c'est que nous aimons souvent au détriment des autres des personnes qui ne nous donnent pas ce que nous voulons.

Il faut connaître le phénomène de la projection pour comprendre pourquoi certaines histoires d'amour s'épanouissent tandis que d'autres s'étiolent, pourquoi certaines personnes aiment plus facilement que d'autres.

Le *comportement* des partenaires l'un envers l'autre, non seulement les influence mutuellement, mais influe aussi sur la façon dont chacun voit l'autre et la relation. Or, réduire l'amour à une négociation fondée sur une «étude de marché», c'est ignorer ce principe. L'amour existe dans *l'esprit* des gens; il ne s'achète pas. Ainsi, comme nous l'avons déjà mentionné, si vous mentez à une personne, vous la jugerez stupide, même à tort. De même, si vous rappelez constamment une tâche à votre conjoint, vous vous convaincrez vite qu'il est oublieux ou paresseux, ou qu'il se soucie peu de vous. La plupart des liaisons, même secrètes, atténuent la capacité de l'infidèle à voir la beauté et la valeur de son conjoint.

Bref, vos comportements n'ont pas simplement un effet *interpersonnel* sur la relation, mais aussi un effet *intrapsychique*, c'est-à-dire qu'ils influencent ce qui se passe dans *votre esprit*. Par le biais de vos actes, vous envoyez des messages à votre cerveau au sujet de votre partenaire. Vous vous persuadez peut-être qu'il est insignifiant, dangereux, ennuyeux ou qu'il n'a plus envie de vous voir.

Si vous voulez comprendre ce qui se passe dans votre relation, il est crucial que vous déterminiez le comportement qui détruit la valeur de l'autre dans votre esprit.

Josette se sentait de moins en moins amoureuse de Stéphane, qui semblait avoir perdu l'éclat dont il était revêtu à ses yeux il y a deux ans, au moment où elle l'avait connu. Elle hésitait maintenant à l'épouser. Or, tous ses proches aimaient beaucoup Stéphane et ne comprenaient pas ce qui clochait pour elle.

«Tu es *toujours* déçue, lui dit sa meilleure amie Chantal avec colère. Pourquoi ne lui donnes-tu pas une chance avant de penser à rompre?»

Chantal et quelques amis emmenèrent Josette au restaurant, où ils la traitèrent d'enfant gâtée. Ils firent l'éloge de la générosité de Stéphane, de son honnêteté et de sa sensibilité aux besoins de Josette. C'était elle qui avait changé, non Stéphane. Chantal rappela à Josette les efforts qu'elle avait déployés pour se faire aimer de Stéphane au début de la relation: «As-tu oublié ton enthousiasme, la façon dont tu aimais l'entendre donner son avis? Regarde-toi. Maintenant tu t'attends uniquement à ce qu'il supporte tes colères et ton manque d'égards!»

Comprenant que ses amis se souciaient vraiment de son bonheur, Josette décida de les écouter et d'examiner son *propre* comportement afin de voir ce qu'elle faisait pour dévaloriser Stéphane à ses yeux.

Elle vit que ces «colères» dont Chantal avait parlé, elle ne les aurait jamais piquées au début de la relation. À cette époque où elle cherchait à gagner l'amour de Stéphane, elle l'avait accepté tel qu'il était et l'appréciait pour lui-même. Maintenant, elle le reprenait sur tout: son rire, sa cravate, son travail et même son opinion sur le film qu'ils venaient de voir. S'il tentait de se défendre, elle se mettait en colère et elle explosait lorsqu'il lui demandait de changer certains plans élaborés ensemble.

Josette prit conscience d'un détail encore plus affreux. Après une soirée passée avec des amis, elle se fermait instantanément si Stéphane l'accusait de s'être montrée injuste. Elle se moquait complètement de son opinion et du fait qu'il pouvait être blessé. Dans le passé, l'écouter était une question de vie ou de mort pour elle. Même si elle devait se lever tôt le lendemain et se sentir ébranlée par ses paroles, elle insistait pour qu'il lui exprime toutes ses inquiétudes. Bien que cela la rendît vulnérable sur le coup, elle se sentait mieux après, plus proche de lui et heureuse qu'il ait détendu l'atmosphère.

La volonté de Josette d'écouter Stéphane tant que tout n'était pas clair, même si elle était fatiguée ou soucieuse, avait réaffirmé dans son esprit son amour pour lui. Cela avait contribué à projeter sur lui l'image de «l'homme pour qui elle ferait n'importe quoi, la personne la plus importante à ses yeux».

En conséquence, c'est sa décision de *ne plus* agir ainsi et de réserver ses forces pour d'autres activités qui contribua à réduire Stéphane à l'une d'elles. En outre, elle l'incita à juger ses protestations excessives et déplacées. Sans qu'elle s'en rende compte, Stéphane prenait peu à peu à ses yeux l'allure d'un personnage encombrant. En évitant les affrontements et en réduisant l'énergie qu'elle investissait autrefois dans sa relation, Josette avait fini par se convaincre qu'il n'était pas «l'homme de sa vie».

Or, Stéphane était *vraiment* l'homme que Josette voulait et la merveilleuse personne que ses amis voyaient en lui. Il est probable qu'il aurait pu changer l'opinion qu'elle avait de lui s'il avait affronté Josette plus tôt en lui montrant qu'elle le traitait à la légère. Mais par générosité et par ignorance, il avait supporté ses «humeurs» et lui avait laissé assez de corde pour qu'elle l'étrangle.

Heureusement, la détermination des amis de Josette ouvrirent les yeux de celle-ci, qui changea à temps pour raviver sa flamme amoureuse. Ils avaient pu déceler les problèmes interpersonnels qui existaient entre elle et Stéphane. Il était clair qu'elle était injuste envers lui et qu'elle ne l'écoutait pas. Toutefois, leur seul instinct les avertissait que la vraie difficulté résidait dans l'esprit de Josette, que celle-ci *se persuadait elle-même de ne plus aimer Stéphane en vertu d'un processus intrapsychique*. Heureusement, les comportements qu'ils la poussèrent à réviser étaient ceux-là mêmes qui détruisaient sa capacité d'aimer son ami.

Même au milieu d'une mer de tourments interpersonnels, les effets intrapsychiques continuent de s'accumuler dans l'esprit des partenaires, qui retouchent sans cesse leur image mutuelle. Les relations amoureuses réussies ne sont pas coulées dans un moule «stable». Au contraire, chaque relation est un organisme vivant qui exige d'être régulièrement nourri.

Lorsque les choses se gâtent, on peut être certain que chaque partenaire projetait déjà une image négative sur son conjoint bien avant l'apparition d'une crise. Ce sont les effets intrapsychiques du *traitement* infligé à l'autre par chaque partenaire qui ont donné lieu à un affrontement interpersonnel. Or, la guerre ouverte entre les partenaires survient presque toujours tardivement. C'est pourquoi il est si important que les thérapeutes ne s'intéressent pas outre mesure aux luttes superficielles des partenaires aux dépens des projections qui les sous-tendent.

Les projections romantiques

L'amour est idéaliste. On nourrit l'amour en donnant plus qu'il ne faut, en se dépensant pour l'autre plus que ne l'exige la dure réalité. La vraie création, qui nous différencie des animaux, est par nécessité une sorte d'excès ou, si vous voulez, une projection romantique.

AXIOME 47: Lorsqu'il est sincère et partagé, l'amour romantique est la seule forme de projection que vous ne voudrez sans doute jamais changer. Elle peut fort bien cœxister avec la réalité: en fait, elle la colore, transformant les événements quotidiens en nobles expériences.

Il ne suffit pas de décrire l'amour comme Freud l'a fait, «une impulsion avec un but inhibé», autrement dit une forme atténuée d'expression sexuelle. Ni de feindre de l'ignorer, ni de le mépriser comme les behavioristes, ni de le traiter de névrose.

Les projections romantiques, ces curieuses formes d'excès, confèrent à la vie une signification toute spéciale. C'est précisément ce qu'on ajoute au quotidien qui engendre l'amour et le garde vivant au fil des années.

Bien qu'il soit impossible de définir l'amour, on peut déterminer les gestes qui le nourrissent. Nous sommes tous capables d'aimer ou de préserver une relation amoureuse. En effet, l'amour est à la portée de tous, puisque les actes qui le suscitent tirent leur valeur non pas de leur ampleur, mais de l'intention qui les motive. Tous ces actes ont en commun le fait qu'ils vont au-delà de l'utile ou de ce que l'on attend de nous.

Certes, les projections romantiques présentent un certain danger. Certains affirment qu'elles faussent ou qu'elles nient la réalité et que le prix à payer lorsque la vérité éclate est si élevé qu'il vaut mieux ne pas créer d'images aussi grandioses dans son esprit.

Il est vrai que les projections romantiques peuvent se changer en obsessions. Souvent, la personne aux prises avec ces projections n'apprécie même pas de faire l'amour avec son partenaire, car elle se soucie trop de sa performance; en outre, il est difficile de communiquer avec une personne plus idéale que réelle. Il est merveilleux d'être le rêve incarné d'une personne et encore plus merveilleux d'être si amoureux que la réalité importe peu, mais mieux vaut que ce soit avec la personne adéquate.

Pourtant, les projections romantiques peuvent très bien *coexister* avec la réalité. Après tout, la beauté n'existerait pas si nous la jugions toujours en termes concrets. Il suffit d'imaginer le crâne sous la peau pour que la beauté s'évanouisse, de songer à la main cruelle du temps, aux déchets et à la pourriture; de penser que tout objectif est vain au bout du compte, et on peut dire que rien n'aurait de l'importance si l'amour romantique n'existait pas. Il semble qu'un soupçon de projection romantique soit nécessaire pour donner de la valeur à nos amours et à nos amitiés.

La forme d'idéalisme qui coexiste avec la réalité est celle qui nous permet d'aimer encore plus les gens à mesure qu'ils vieillissent, qui ne méprise jamais la fragilité. On l'entretient en ne riant jamais des faibles et en se dissociant de ceux qui condamnent la victime. Cette vision romantique, qui, comme le poète Shelley, déplore «la fragilité de toute chose ici-bas», est le fondement même de l'amour. Nous avons intérêt à adopter des comportements qui alimentent cette vision romantique et à éviter les autres.

Les psychologues, avec leur manie de tout réduire, se sont fourvoyés en essayant d'expliquer scientifiquement l'amour ou même l'amitié, ignorant la magie qui préserve les relations et qui les rend uniques à nos yeux.

Se préparer à l'amour romantique

Depuis votre plus tendre enfance, vous avez fait des choix et trié vos influences d'une manière bien personnelle, vous formant graduellement une image unique de l'«amoureux idéal ou de l'amoureuse idéale». Comme dans les contes de fées vieux de plusieurs siècles, les détails peuvent varier mais, pour la plupart d'entre nous, le fond reste étonnamment le même.

Vos proches ont contribué à donner un aspect concret à votre «idéal». Vous admiriez certaines personnes, un parent, un ami de la famille. Vous vous êtes entiché d'un comédien ou d'un personnage romantique de la littérature. Mais vous avez prêté à votre idéal une âme semblable à la vôtre, de sorte qu'il personnifie certains de vos objectifs.

Sophie, qui aspirait à devenir une grande pianiste, possédait déjà, à l'âge de douze ans, une vaste collection de disques et économisait son argent pour assister à des concerts. Elle comptait de nombreux amis à l'école, mais elle leur préférait immanquablement la compagnie d'un adulte qui revenait d'un concert.

Elle excellait en mathématiques, mais cette matière était pour elle un simple exercice qui ne faisait pas partie de son rêve. Elle préférait lire des ouvrages sur la musique du XIXe siècle, sujet qui laissait ses amis plutôt indifférents. Son grand-oncle Armand, qui enseignait le piano dans une autre ville, et le visage de Franz Liszt, qu'elle avait l'impression de connaître pour avoir si souvent contemplé sa photo dans un livre qu'Armand lui avait offert, se confondaient pour former l'idéal romantique de Sophie. À l'école secondaire, le fils de son professeur de musique qui lui enseignait l'harmonie et le contrepoint vint compléter ce portrait.

Comme Sophie était très jolie, elle était très en demande. Mais les quelques garçons qu'elle fréquentait lui paraissaient ennuyeux et écervelés. Elle rêvait de trouver un homme talentueux, seul, incompris, un génie musical qui l'aimerait. Peu lui importait qu'il fût plus vieux qu'elle et distingué comme l'oncle Armand, ou jeune et flamboyant comme Liszt.

Aux yeux d'un observateur fortuit, il semblerait que cette brûlante image d'un amoureux-héros ait éperonné l'amour que Sophie vouait à la musique. Cela n'est certes pas faux, mais il serait plus juste de dire que son amour de la musique exaltait dans l'esprit de Sophie l'image de l'homme qu'elle désirait.

L'entêtement qu'opposait Sophie aux adultes et aux amis qui l'incitaient à s'amuser davantage en affirmant que la musique classique n'avait pas d'avenir, qui la trouvaient «bizarre» ou «vieux jeu», rendait sa passion et ses héros encore plus importants à ses yeux. Ses longues heures au piano, son habitude de voyager pendant des heures pour aller assister à des concerts, de feuilleter interminablement les catalogues à la recherche d'un disque ou d'une partition rares, tout cela rendait très peu plausible l'éventualité qu'elle aime jamais un homme qui ne soit pas musicien.

À l'université, Sophie s'éprit d'un professeur qui enseignait la direction d'orchestre. Celui-ci rivalisait fortement avec elle et leur relation était boiteuse. Ayant reçu son diplôme avec mention honorable, la jeune femme obtint une bourse pour aller étudier dans une université prestigieuse. Pendant ces années d'études et plus tard, lorsqu'elle commença à donner des récitals, elle continua à chercher un homme qui ressemblait à son rêve.

Incapable de nouer des relations heureuses avec les divers musiciens qu'elle fréquentait, Sophie tenta sa chance avec Victor, un analyste boursier qu'elle avait connu lors d'un concert donné au profit des étudiants en musique.

Bien que Victor fût absolument dépourvu de talent musical, il adorait la musique, qui le détendait de son travail. Sophie trouva en lui la sensibilité, la solitude et le *romantisme* qu'elle avait cherché chez un musicien. En outre, Victor possédait plusieurs qualités que Sophie convoitait inconsciemment, en étant elle-même dépourvue: l'équilibre, le bon jugement, la sociabilité et une solide compréhension des interactions humaines. Victor était une variation du thème de l'amoureux-héros que Sophie jouait depuis toujours dans son esprit.

Comme c'est le cas pour sa carrière ou tout rêve que l'on caresse, l'amoureux ou l'amoureuse que l'on choisit représente habituellement une version évoluée de la première image qu'on s'est formée.

AXIOME 48: En luttant dans une direction et en éliminant les autres, en précisant ses valeurs et en s'efforçant de les trouver, on finit par identifier le type de personne qu'on aimera un jour. Celle-ci personnifiera les qualités qui comptent le plus à nos yeux.

La deuxième caractéristique du partenaire que vous choisissez a trait au fait qu'il ou elle vous *apporte* les qualités que vous désirez, mais ne possédez pas. Cette théorie, accréditée par le psychologue C. A. Tripp, veut que nous tendions à ne pas rechercher ce que nous possédons déjà. Sophie possédait un talent en musique que Victor appréciait; par ailleurs, il possédait la capacité de lutter que Sophie admirait mais n'arrivait pas à maîtriser elle-même.

AXIOME 49: De même que l'artiste crée ce qui manque dans sa vie, nous recherchons à travers l'être aimé ce qui manque dans notre vie et en nous-même.

Les efforts que l'on déploie pour cristalliser son image du partenaire idéal peuvent varier à l'infini. Un grand souci de son apparence ou une importance excessive accordée à son régime alimentaire et à l'exercice peuvent indiquer que l'on recherche surtout l'attrait physique ou la jeunesse chez son partenaire éventuel. Votre désir de prestige social peut vous pousser vers des gens puissants, *non seulement* pour partager leur pouvoir mais parce qu'ils personnifient tout ce que vous aimez. Vous éprouvez peut-être une grande attirance pour l'anticonformisme ou vous avez toujours craint d'être manipulé. Dans ce cas, vous appréciez toutes les personnes révolutionnaires, radicales ou marginales.

Votre partenaire idéal peut se développer à partir de votre passion dévorante, comme ce fut le cas pour Sophie. Mais habituellement, il présente une combinaison des qualités que vous appréciez, nuancée par celles que vous avez essayé d'acquérir. Il constitue davantage un composé qu'une idée fixe.

Tout ce travail s'effectue au niveau inconscient, en particulier en ce qui a trait aux qualités apportées par votre partenaire. Vous manquez peut-être de rigueur et cette qualité vous attire chez d'autres. Ou vous recherchez les personnes délicates, ou même fragiles, si vous êtes un dur.

Ce qui attire le plus sur le plan sexuel depuis l'origine des temps, c'est peut-être un soupçon de rudesse. La prostituée gouailleuse au cinéma, le soldat mercenaire, l'amant un peu brutal présentent une qualité que beaucoup d'entre nous craignent de voir en eux-mêmes, mais recherchent chez un amant ou une amante. Comme les auteurs de romans à l'eau de rose le savent bien, il est difficile de se sentir désiré lorsque l'autre personne reste distinguée jusqu'au bout.

Les qualités que les conventions sociales nous forcent à réprimer en nous-même sont souvent celles que nous idéalisons chez un amoureux ou une amoureuse. Si nos parents nous imposaient constamment le silence, nous sommes attirés vers les personnes qui s'expriment ouvertement. De la même façon, les personnes dotées d'un solide sens de l'humour sont très populaires en raison de l'énorme soulagement que procure le rire et de l'ouverture qu'il implique.

AXIOME 50: Ce sont autant nos efforts que les qualités qui nous manquent qui influencent notre portrait du partenaire idéal et

nous prédisposent à une certaine forme de projection romantique.

Régler son rythme

Certaines personnes voient leur relation d'amour comme un sprint, d'autres comme un marathon. Les sprinters, sentant que la course tire à sa fin, essaient d'en tirer le meilleur parti possible rapidement. Souvent, ils encouragent leur partenaire à s'éreinter pour eux, à dépenser des sommes astronomiques ou à consacrer trop de temps à prendre soin d'eux. Ils ne s'intéressent aucunement à leur partenaire une fois qu'ils l'ont «eu», mais se montrent intarissables sur leurs propres besoins.

Le marathonien, pour sa part, ne parle pas nécessairement de l'avenir, et n'essaie pas de lier sa partenaire par des obligations à long terme. Il établit un lien profond avec elle comme s'il avait toute la vie devant lui. Lorsque sa partenaire lui offre plus que lui-même peut donner, il l'en décourage en refusant parfois carrément ses dons. Si, au cours de la conversation, sa partenaire passe rapidement sur les difficultés qu'elle rencontre, le marathonien, qui se soucie vraiment d'elle, lui demande plus d'explications et s'y intéresse, non pour gagner sa faveur mais parce qu'il apprécie la réciprocité dans une relation, même de courte durée.

Capable d'édifier des relations durables, le marathonien est assez sensible pour ne pas laisser sa partenaire le porter aux nues si elle doit se rabaisser pour ce faire. Il l'interrompra et témoignera son désaccord si l'autre fausse la réalité, même à son avantage. Ce point est important car de nombreuses projections entraînent un contrecoup: la personne donne trop, puis elle ne peut plus tenir le coup, ou décide que vous n'en valez pas la peine et finit par vous en vouloir. Idéalement, votre partenaire devrait courir aussi rapidement qu'il lui est possible de le faire sans perdre son souffle, et vous devriez faire de même.

Régler son rythme à celui de l'autre, c'est aussi se rappeler que chacun de vos gestes influence votre perception de votre partenaire et de la relation. Vous devez apprendre à anticiper les conséquences de vos actes, grands et petits, même ceux que vous faites à l'insu de votre partenaire.

Ainsi, lorsque vous décidez de confier quelque chose à votre partenaire même si vous vous attendez à ce qu'il se mette en colère, vous agissez ainsi parce que vous ne voulez pas le voir comme un être irrémédiablement bourru ni avoir peur de lui. Vous prenez le temps d'effectuer de petits travaux dans sa maison, même si elle ne vous appartient pas, parce que vous voulez sentir que c'est aussi la vôtre quand vous y êtes. Vous lui expliquez un aspect complexe de votre travail parce que vous voulez voir en lui une personne intelligente. Vous faites ainsi beaucoup de choses parce que vous voulez sentir que votre partenaire fera partie de votre avenir, et pas seulement de votre présent. Bien que vous preniez ces décisions automatiquement, vous pouvez, en cas de doute, prévoir leurs conséquences probables en vous servant du principe de la projection.

Comment meurt l'amour

L'amour, comme la vie, peut se terminer de bien des façons: sans un mot, comme le voyageur qui gèle dans la solitude du Grand Nord, par une chaude querelle, dans l'avarice ou dans le gaspillage. Et l'amour meurt seul tout comme les gens, que l'on soit à des milliers de kilomètres de tout secours ou entouré de médecins. Même après que l'autre nous a avoué qu'il ne nous aime plus et qu'il aime quelqu'un d'autre, notre amour doit traverser plusieurs étapes avant de s'éteindre. Cette mort à venir peut être plus pénible que la reconnaissance du fait que l'autre ne nous aime plus, nous la ressentons comme la fin de l'Amour.

Bien sûr, comme nous le savons maintenant, l'amour ne meurt pas de lui-même; il faut que quelqu'un le tue, parfois les deux partenaires ensemble. Examinons maintenant les quatre principales armes meurtrières en cause.

Mort par inanition

L'arme la plus courante pour tuer l'amour est sans doute la loi de l'économie, que nous avons déjà étudiée. Un amoureux sûr d'être aimé se dépense moins pour l'autre, laissant d'abord tomber ces «excès» si nécessaires et omettant petit à petit les politesses même les plus courantes. Inconsciemment, il prive l'autre personne de ce qui la rendait initialement unique à ses yeux.

Nous avons vu que l'amour romantique s'édifie sur les excès: de par son essence même, il est transcendant et commence là où l'échange ordinaire atteint sa limite. Son caractère fragile et magique exige qu'on le traite avec le plus grand soin.

La loi de l'économie est fatale pour l'amour romantique, qui se nourrit de prodigalités.

Georges, qui essaie de gagner le cœur de France, sa bien-aimée, associe avec elle une centaine d'expériences quotidiennes ordinaires. Il pense à elle en achetant une cravate ou en passant vingt minutes de plus au gymnase. Il l'associe à un personnage du roman qu'il est en train de lire et la compare favorablement aux autres femmes; il cherche l'ouvrage épuisé qu'elle lui a mentionné en passant et achète quatre mois à l'avance des billets pour une pièce qu'elle aimerait peut-être voir.

Si on lui disait qu'il pense trop à France, Georges ne comprendrait même pas ce qu'on veut dire. Rien ne semble trop beau pour elle.

Il est clair que ces sommets vertigineux sont impossibles à maintenir à mesure que progresse la relation. Supposons que Georges finisse par épouser France. L'avenir de leur amour romantique dépendra de la force avec laquelle il résistera à la loi de l'économie qui l'incitera à laisser carrément tomber ses excès.

Si leur histoire d'amour doit durer toute une vie, il devra prendre en considération des détails plus pratiques. Peut-être le couple ne peut-il se permettre d'aller voir toutes les pièces de théâtre que France aimerait. Alors, Georges loue deux fois par semaine des vidéocassettes que les amoureux regardent ensemble. Il a repris son horaire ordinaire de gymnastique et, s'il lui arrive parfois d'acheter une cravate excentrique qui déplaira sûrement à France, il économise de l'argent afin de lui acheter la bague ornée d'un diamant qu'elle désire pour leur cinquième anniversaire de mariage. Il ne pense pas à elle toute la journée et il sait désormais qu'il peut lui manifester son désaccord sans menacer leur relation; mais il appelle toujours pour prendre de ses nouvelles s'ils se sont disputés la veille et il adore décrire à ses amis du bureau la nouvelle entreprise de sa femme.

En substituant de nouveaux «excès» aux anciens, Georges nourrit l'amour romantique qu'il a toujours éprouvé pour France.

S'il avait succombé à la loi de l'économie, disons parce qu'il avait «eu» France et n'avait plus d'efforts à faire, ou parce qu'il était soi-disant trop occupé au travail ou avec ses passe-temps, il aurait pu voir se détériorer l'image romantique qu'il avait d'elle. Chaque manquement aurait successivement affadi cette image tout en lui facilitant de nouvelles économies. Au lieu de remplacer le théâtre par des cassettes vidéo, il aurait pu laisser France trouver ses propres divertissements. Au lieu de l'appeler après une querelle, il aurait pu la laisser s'en remettre toute seule. Plutôt que d'en faire l'éloge devant ses amis et de songer à la chance de l'aimer, il aurait pu commencer à lui préférer d'autres femmes. Ainsi, il se serait incité lui-même, par ses propres actes, à ne plus aimer France.

Tout peut devenir prétexte à prendre des raccourcis avec quelqu'un. Votre partenaire a mauvais caractère, il est lent à se préparer le matin ou n'a pas de mémoire. Vous empruntez la voie facile en lui donnant moins et en attendant moins de lui. Mais le vrai romantique tire parti même de ces «défauts» qui lui donnent l'occasion de donner «à outrance» en fermant les yeux sur ceux-ci et en aimant l'autre malgré eux, ou même à cause d'eux.

La trahison

Pour la plupart d'entre nous, trahison égale infidélité; toutefois, on peut trahir de multiples façons.

Prenons l'exemple suivant. Céline et André se mettent d'accord sur le fait que celle-ci fera vivre le couple pendant les trois ans qu'il faut à André pour finir son doctorat. Toutefois, le sujet de sa thèse ayant été refusé, il décide d'abandonner son doctorat, mais n'en souffle mot à Céline. Celle-ci continue de nourrir le rêve d'André, qui était de devenir psychologue, alors qu'il sait qu'il ne le sera jamais. La méprise dure plus d'un an.

Puis, le chat sort du sac. Comme elle ne peut plus faire confiance à André comme avant, ni faire les mêmes sacrifices, Céline a le cœur brisé. Elle cesse peu à peu de l'aimer et le quitte au début de la troisième année. Sa trahison l'a blessée, mais le pire, c'est qu'elle se sent idiote d'avoir agi comme elle l'a fait, ses propres actes ayant renforcé quotidiennement son amour pour André.

Même dans les cas d'infidélité sexuelle, que la majorité d'entre nous considèrent comme l'ultime trahison, ce n'est pas seulement l'acte qui nous blesse mais ce qu'il symbolise; de plus, il entraîne généralement une spirale de tromperies. Le partenaire qui a une liaison tend à mentir et à dissimuler celle-ci, tous ses actes contribuant à refroidir son ardeur et à déprécier l'autre à ses yeux. Ce n'est pas tant la liaison en soi que les nombreux mensonges qu'elle entraîne qui finissent par saboter son amour. En outre, l'infidèle n'est plus capable d'exprimer son amour comme auparavant. Souvent, tout en poursuivant sa liaison, il multiplie les gestes tendres envers sa partenaire ou tente d'atténuer son sentiment de culpabilité en la traitant aux petits oignons. Or, ce comportement guidé par la peur est contraire à l'amour qu'il contribue à diminuer. Parce que l'esprit tend à tout simplifier, chaque trahison renferme sa propre raison d'être.

Quant à la victime, elle continue parfois de projeter une image d'amoureux sur son partenaire infidèle. Elle l'aime toujours naïvement, allant parfois jusqu'à se blâmer pour la froideur qu'elle sent chez lui. Elle est trop vieille, trop grosse, elle paie enfin le prix de tel ou tel défaut. C'est seulement lorsqu'elle modifie son comportement, parce qu'elle soupçonne l'autre de l'avoir trahie, que son amour décline.

Fait ironique, même une trahison imaginaire peut détruire l'amour. La personne qui soupçonne son partenaire d'infidélité peut adopter une suite de comportements propres à détruire son amour. Se sentant trahi, elle peut projeter une image tout à fait nouvelle sur son partenaire. À force de le questionner, de le surveiller, de réduire sa liberté et de l'accuser, elle finit par le percevoir comme un être diabolique. Toutes ces mises à l'épreuve engendrent des projections: peu importe ce que vous découvrez, le simple fait d'éprouver la personne la revêt de la culpabilité que vous soupçonnez. Peut-être n'avez-vous rien trouvé en parcourant son courrier cette fois-ci, mais en agissant ainsi, vous réaffirmez votre conviction qu'il vaut mieux ouvrir l'œil. Même heureux, l'amour comporte une certaine crainte de perdre l'autre, mais en agissant conformément à cette peur, vous l'amplifiez et détruisez votre amour aussi vite que si vous étiez vraiment trahi.

Meurtre par polarisation

La *polarisation* pousse à un extrême ridicule et destructeur l'adage qui dit: «À chacun selon ses moyens.» Il fige les deux partenaires dans des rôles contraires en impliquant qu'ils ne pourront jamais les inverser.

Généralement, les rôles de chacun se déterminent à partir des différences réelles qui existent entre les partenaires; par exemple, la personne la plus forte se charge des lourds travaux ménagers tandis que la plus sociable effectue les appels téléphoniques et rédige les cartes de remerciement; presque toutes les réparations incombent au partenaire habile de ses mains. Toutefois, la polarisation *exagère* jusqu'à la caricature ces différences dans l'esprit des partenaires, comme si chacun d'eux était tout à fait impuissant dans la sphère de l'autre.

La personne physiquement forte est perçue comme une «brute», grosse ou bizarre tandis que la plus faible prend l'aspect d'un être pathétiquement fragile, incapable même de transporter un sac d'épicerie. La personne la plus sociable est vue comme un être sophistiqué, cosmopolite, seul juge pour toutes les questions d'étiquette, tandis que l'autre apparaît comme une personne gaffeuse, peu éduquée et un peu vulgaire qui se perdrait sans son guide. La personne ingénieuse revêt l'aspect d'un expert en survie en brousse tandis que son partenaire moins talentueux et moins dégourdi est vu et se voit comme un être désespérément inepte et incapable d'apprendre le fonctionnement de quoi que ce soit.

Souvent cette répartition des tâches reflète certaines attentes. Ainsi, la femme fuit les tâches exigeant de la force physique, même si elle travaille à l'extérieur et a autant de force que son conjoint. Résultat, elle voit celui-ci comme étant plus fort qu'elle. Pire encore, l'homme possède peut-être un talent naturel de cuisinier, mais en se conformant à son rôle de balourd maladroit, il laisse ce rôle à sa femme qui l'accepte volontiers pour être exemptée des travaux physiques.

Après quelque temps, il devient difficile de distinguer les vraies différences entre les partenaires des rôles assignés à chacun et qui constituent de simples projections. Les partenaires ne tiennent peut-être même pas à découvrir la vérité. La polarisation est très pratique puisque chacun y trouve son compte en obtenant que l'autre se charge des tâches qu'il trouve désagréables.

Qui plus est, chaque partenaire commence à *croire* en son rôle et à ressentir avec précision les limites de sa propre identité. Une fois qu'il a accepté un rôle, il y ajoute d'autres comportements conformes à son image, gravant ainsi dans son esprit un portrait erroné des identités contrastantes du couple.

C'est comme si chaque partenaire, incomplet, devenait une demi-personne. Dans un vieux scénario mettant en vedette Laurel et Hardy, nos deux compères se présentent chez une dame, armés de seaux remplis de peinture et de pinceaux. La dame exprime son étonnement: «Nous n'avions demandé qu'une seule personne», dit-elle. Ce à quoi Laurel réplique impassible: «Oh, à deux, nous pouvons faire le travail d'une seule personne, madame.»

La polarisation peut, en fait, ajouter du piquant à la relation et aux rapports sexuels d'un couple. Depuis toujours, les femmes ont dû feindre l'ignorance en matière de sexe, les hommes endossant le rôle d'agresseurs. Les partenaires peuvent jouer le jeu par plaisir, mais, au-delà du jeu, la polarisation des rôles engendre des projections qui détruisent bien des histoires d'amour. Qui voudrait passer sa vie avec une brute, un impuissant, une fleur fade, un ours ou une personne incapable de changer une ampoule? La projection qu'engendre la polarisation, si elle est acceptée par les partenaires, finit inévitablement par tuer l'amour romantique.

Voyons l'exemple suivant: Vincent apprécie la vigueur avec laquelle sa femme Jocelyne affronte les gens. Il préfère apparaître comme un petit saint et se montrer gentil avec tout le monde. Il n'élève jamais la voix et est si poli qu'il a sans cesse l'air de blâmer les autres parce qu'ils s'affolent pour des riens.

Parfois, au cours d'un souper ou d'une soirée chez des amis, Vincent est attaqué et pris à parti. Il se contente alors de sourire, laissant sa femme le défendre avec véhémence: «Comment osez-vous insinuer que mon mari s'est montré injuste envers le jardinier! Vous en avez du culot.»

Au fond, Vincent apprécie calmement l'attitude de Jocelyne et se nourrit de sa vitalité, mais devant les autres il la réprimande comme une enfant. Pendant qu'elle s'énerve à vouloir le défendre, il la critique en disant: «Chérie, tu as été assez claire.»

Aux yeux des autres, les conjoints semblent mal assortis, mais leurs apparentes différences constituent souvent l'aimant qui attire les partenaires. Une personne cherche un partenaire qui exprimera des impulsions qu'elle ressent, mais craint d'exprimer. Vincent a choisi Jocelyne pour la raison même qu'elle exprimait facilement sa colère et manifestait une force personnelle qu'il n'osait même pas sentir en lui-même. En réalité, la colère de sa femme satisfait ses propres impulsions. Les gens insipides qui bouillonnent intérieurement choisissent souvent des partenaires qui expriment leur colère à leur place.

Au fil des ans, Vincent appréciait le luxe d'avoir Jocelyne pour régler les problèmes avec les hôtesses de l'air ou les caissières à la banque. Lorsqu'il achetait un article qui se révélait défectueux, il le donnait à sa femme pour qu'elle le rapporte. Celle-ci devenait de plus en plus combative. «Ma chérie, disait Vincent d'une voix douce, tu es bien meilleure que moi pour faire ce genre de réclamation.» S'il s'agissait d'un appareil coûteux que le magasin hésitait à reprendre, Vincent fronçait les sourcils et reprochait à Jocelyne sa mollesse. Il agissait comme s'il était son entraîneur et elle, une pugiliste.

La situation en arriva au point que si leur enfant vomissait ou que le chien salissait la moquette, Vincent quittait aussitôt la pièce pendant que Jocelyne réparait les dégâts.

Leurs projections n'étaient pas très romantiques, mais le couple avait conclu une entente tacite et Jocelyne était aussi responsable que Vincent de la polarisation de leurs rôles. Elle avait toujours répondu à ses attentes et cherché à satisfaire ses exigences.

La situation finit toutefois par se détériorer. Au début, Vincent laissait toujours l'initiative à Jocelyne dans leurs rapports sexuels; par la suite, il se plut à lui dire qu'il n'en avait pas envie. Il ne la désirait presque plus. L'image non romanti-que qu'il projetait sur elle était en grande partie responsable de cette froideur, bien qu'une baisse de libido au cours des années ait pu aussi jouer un rôle. Mais Vincent n'était pas conscient de cela et demeurait un éternel enfant, qui blâmait en secret sa femme parce qu'elle ne l'excitait plus sexuellement: «Son visage s'est durci, sa voix est devenue rauque; elle est trop agressive; je déteste sa démarche et elle grossit.»

Jocelyne se douta vite de la perception que Vincent avait d'elle et elle lui criait souvent après, bien qu'elle le regrettât toujours par la suite et tentât de se faire pardonner. Mais Vincent refusait de lui pardonner et Jocelyne se lassa vite de faire des efforts. Puis, il commença à passer des périodes loin d'elle, mais Jocelyne ne s'en faisait pas car elle le voyait désormais comme un faible et un traître. Elle rêvait de rencon-trer un «vrai» homme. Vincent amorça alors une liaison avec sa secrétaire beaucoup plus jeune que Jocelyne. Il était heureux d'effectuer les préparatifs des week-ends qu'ils se réservaient pendant leurs voyages d'affaires. Il surestimait les traits délicats de sa secrétaire et l'affection qu'elle lui portait.

Jocelyne fut enchantée lorsque Vincent la quitta enfin. La secrétaire de ce dernier ne voyait rien de plus en lui que la chance de se faire aimer d'un père. Vincent avait édifié un monde de rêve à partir de ses projections. Presque trop délicat pour ce monde, il loua un appartement dans un immeuble impersonnel et s'aperçut qu'en l'absence de sa femme il avait peu de chose à dire à ses enfants adolescents.

Lorsqu'il demanda à Jocelyne s'il pouvait revenir à la maison, elle lui répondit: «Je suis trop coriace pour toi, tu le sais bien.» Puis, elle fondit en larmes et, pour la première fois depuis de nombreuses années, il se rendit compte qu'elle était vulnérable et effrayée, et qu'il l'avait toujours aimée. Mais Jocelyne n'accepta jamais de revivre avec lui; elle épousa un autre homme, moins prospère mais plus solide, qui la voyait telle qu'elle était.

Toutes les relations sont soumises à un certain degré de polarisation qui détermine la façon dont les partenaires perçoi-vent la division des tâches. Il n'y a certes rien de mal à apprécier ses différences ni à appliquer d'une manière saine le dicton: «À chacun selon ses moyens.» Toutefois, comme le prouve l'histoire de Vincent et de Jocelyne, les partenaires ne devraient pas se servir de leurs différences comme des armes. Ainsi, Vincent avait retourné de plus en plus *contre* elle l'attitude combative de Jocelyne. Plus elle se battait pour son mari, plus elle lui apparaissait comme une chipie forte en gueule. Et plus il dépendait d'elle, plus elle le trouvait lâche et efféminé.

Toute tendance exagérée à constraster systématiquement les talents des deux partenaires peut engendrer une projection polarisée susceptible de tuer leur amour.

La fusion

La fusion est le meilleur moyen pour les amoureux de détruire leur amour en dépit de leur bonne volonté. Par une suite de choix et d'actions, un partenaire fusionne avec l'autre en esprit, l'oblitérant en tant que personne unique et le transformant en un prolongement de lui-même. Il projette sur son conjoint ou sa conjointe l'image que «cette personne est moi».

La fusion découle généralement d'un désir naturel de partager. C'est la «communion» poussée à un extrême destructeur. S'efforçant de faire des choses ensemble, de se comprendre l'un l'autre, de se communiquer le plus infime détail, d'échapper à l'inévitable isolement auquel la vie nous contraint, les partenaires organisent autant que possible leur vie ensemble. Mais ce qui peut ressembler à une histoire d'amour exemplaire s'effondre lorsque les deux personnes deviennent «un seul cerveau». Chaque partenaire sait exactement ce que l'autre va faire, penser et ressentir; en fait, il fera, pensera ou ressentira la même chose lui-même. Il n'y a plus de mystère.

Il arrive souvent que chaque personne voie ses propres défauts et ses limites chez l'autre. Comme celle-ci est «moi», il n'y a plus de surprise, ni de nouveauté, plus rien de romantique. À la fin, la personne éprouve le besoin d'avoir un véritable amoureux puisqu'elle a absorbé son partenaire du moment.

Catherine a toujours cru que le mariage était très important et qu'il devait durer toujours. Ses parents ne se querellaient jamais devant leurs enfants. Même lorsqu'un des parents se montrait injuste envers l'un des enfants, celui-ci ne pouvait porter son cas devant une «instance supérieure» en s'adressant à l'autre parent puisque maman et papa ne prenaient jamais parti l'un contre l'autre.

À l'âge de dix-sept ans, Catherine quitta le foyer familial pour s'inscrire à un programme de gestion hôtelière; à dix-neuf ans, elle tomba amoureuse de Donald, qui occupait déjà un poste de cadre de nuit à l'hôtel où elle travaillait. Donald était fasciné par les automobiles et tout ce qui s'y rapportait. Lorsqu'ils commencèrent à se fréquenter sérieusement, Catherine décida qu'elle devait partager la passion de Donald. Elle se mit aussitôt à lire des magazines spécialisés et le couple passait de longues heures à travailler ensemble sur des voitures.

Ils finirent par se marier et Catherine demanda tout de suite un poste de nuit, comme son mari. Lorsque Donald obtint un emploi dans un autre hôtel, Catherine lui emboîta le pas, acceptant pour cela une légère baisse de salaire. Elle voulait le meilleur de Donald et il partageait ce sentiment.

Lorsque naquit leur premier enfant, Donald et Catherine vivaient encore dans un minuscule appartement encombré. Plutôt que de déménager, ils décidèrent de continuer de s'entasser dans une seule pièce afin d'économiser en vue de s'acheter une maison.

Ils se rendaient au travail, prenaient bébé à la garderie et faisaient l'épicerie ensemble, s'accordant sur presque tout. Ils adoraient travailler au même endroit parce qu'ils savaient tout de la journée de l'autre. Aux yeux de leurs amis, ils formaient un couple idéal. Ils imputaient la rareté de leurs rapports sexuels à leur horaire incroyablement chargé et à la présence de l'enfant. Après tout, la communication était très bonne entre eux puisqu'ils n'avaient pas de secrets l'un pour l'autre. Ils avouaient même en riant qu'ils lisaient dans les pensées l'un de l'autre. Lorsqu'ils apprirent à jouer au bridge, chacun pouvait pratiquement deviner la main de l'autre rien qu'en observant l'expression de son visage. Ils avaient pour devise: «On peut tout surmonter pourvu qu'on en parle.»

En fait, les conjoints réprimaient inconsciemment beaucoup de colère et évitaient d'aborder le sujet de l'ennui. Ils nourrissaient la projection suivante à l'égard de la relation: «Il n'y a personne d'autre que moi ici.»

Après la naissance de leur deuxième enfant, Catherine quitta son emploi. Elle se sentait très déprimée et attribuait cet état au fait de ne pas voir Donald de la journée. En outre, elle pouvait de moins en moins se dominer au sujet de l'un des points sensibles de leur relation. En effet, comme elle attachait une grande importance au fait de suivre un régime et de rester mince, *elle ne pouvait pas s'empêcher* de se fâcher lorsque Donald prenait quelques kilos ou mangeait les aliments riches qu'il adorait. Elle se fâchait lorsqu'il se resservait, même en présence de leurs amis. Elle avait l'impression que c'était elle qu'il gavait.

Puis, comme elle disposait de beaucoup de temps libre, Catherine commença à ruminer d'autres détails. Donald n'avait pas l'instruction qu'elle aurait souhaitée. Il faisait des fautes d'orthographe. S'il avait fait des études universitaires, il aurait pu postuler des emplois mieux rémunérés et le couple serait plus à l'aise. Catherine réussissait à étouffer ces pensées dans le but de préserver l'harmonie de leur mariage.

Toutefois, elle fut bientôt incapable de vaquer à ses occupations journalières. Après avoir nourri les enfants, elle s'asseyait pendant une heure ou deux, un magazine fermé sur les genoux. Elle finit par détester faire les courses et par refuser toute invitation. Persuadée que la véritable cause de son malaise était l'absence de Donald, elle l'appelait au travail et lui demandait de rentrer tôt, ce qu'il faisait. Au bout d'un certain temps, il finit par se précipiter à la maison à toute heure du jour, pour trouver Catherine en train de se morfondre. Elle commença à l'accuser d'infidélité et lorsqu'il ne prenait pas immédiatement la communication quand elle lui téléphonait, elle affirmait que ses collègues le «couvraient».

En fait, Donald eut une brève liaison avec une collègue de l'hôtel, une femme très différente de Catherine. Elle était légèrement plus âgée que lui et très indépendante, ce qui lui donnait un petit air «exotique» à ses yeux. Mais il mit brutalement fin à sa liaison lorsque Catherine fit une grave dépression; il passa son temps dès lors à conduire sa femme chez sa thérapeute et à trouver une gardienne de confiance pour les enfants.

Heureusement, la thérapeute était intuitive et refusa d'accéder à la requête de Catherine qui voulait que le couple travaille ensemble sur son mariage. Comme elle l'avait pressenti, la dépression de Catherine découlait de l'immense rage qu'elle éprouvait à l'égard de son mari, qui s'était peu à peu dissocié d'elle pendant les cinq années de leur mariage.

En projetant sur Donald l'image d'un second «moi», Catherine l'accusait de tout ce dont elle se serait sentie responsable si elle avait été plus honnête émotionnellement. Elle le blâmait pour sa propre obsession de minceur, sa déception envers son propre manque d'instruction et ses origines modestes. Lui ayant imputé ses lacunes propres, elle ne pouvait plus le voir comme un amoureux. Elle détesta reconnaître qu'elle rêvait de rencontrer un autre homme, un homme lointain, moins familier, en qui elle ne retrouverait pas ses propres défauts.

Quant à Donald, qui avait fusionné avec Catherine d'une manière semblable, il était également déçu de l'amour et de son mariage avec elle. Mais plutôt que de refouler son désespoir, il avait cherché à le fuir en se perdant dans une autre relation.

La thérapeute suggéra sagement à Catherine de venir la consulter seule. Elle lui affirma qu'elle pouvait avoir des idées et des sentiments pour elle seule, qu'elle ne partagerait pas avec son mari. Ce n'était pas une trahison et cela n'affaiblirait pas son mariage, mais le renforcerait plutôt en réaffirmant l'individualité des conjoints.

Catherine put modifier sa projection et percevoir de nouveau son mari comme son amoureux. Pour Donald, cela fut encore plus facile puisqu'il avait ressenti plus consciemment les pressions que Catherine avait exercées sur lui. Le temps passé au travail loin de sa femme lui procurait une saine distance.

Il est parfois difficile de résister aux pressions populaires en faveur de la «communion» et du «partage» à tout prix. Mais pour empêcher une relation de se fracasser sur les rochers de la surexposition, il faut se définir soi-même comme une personne différente de son conjoint.

Vous êtes là par choix et non par attachement inhérent. Vous avez vos propres intérêts, vos goûts, vos préférences et vos sentiments. Vous êtes responsable de vos choix, de vos principes moraux et de votre philosophie de la vie. Certes, nous faisons des sacrifices mutuels, mais chaque sacrifice dérive d'un choix personnel. Si vous le regrettez par la suite, il vous incombe de reconsidérer votre choix et de ne pas le refaire. Même si les autres peuvent susciter des sentiments en vous, ils ne peuvent vous forcer à faire quoi que ce soit.

Fusionner avec l'autre, c'est confondre ce dernier avec soi-même. La fusion engendre une projection qui nous pousse à rendre les autres responsables de nos actes et à endosser la responsabilité des leurs. Elle nie le caractère distinct de chaque personne et le fait que nous soyons tous responsables des conséquences de nos propres décisions.

Elle nous pousse automatiquement à considérer l'autre comme son geôlier ou, pour citer Jean-Paul Sartre, comme un «négatif». La haine de soi se change en haine de l'autre; le doute de soi en méfiance. La fusion engendre presque toujours des projections injustifiées à l'égard de l'autre et nuit à la relation, peut-être pas au début, mais à coup sûr après un certain temps.

Résumé

Ce sont là quelques-unes des projections qui naissent au sein des relations amoureuses. À chacun de faire son examen de conscience et de modifier, à la lumière du principe de la projection, sa façon de voir son comportement et celui de son partenaire.

Il se passe beaucoup de choses au sein des relations amoureuses, en plus de l'influence qu'ont les partenaires l'un sur l'autre dans leurs interactions. Ceux-ci façonnent constamment leur perception de l'autre d'une manière qui invite l'amour ou le rend impossible.

Les partenaires heureux en amour adoptent des comportements plus nobles qui les habituent à voir l'autre comme une personne tout à fait unique.

12

Conclusion

Vous vivez entouré de projections, puisque les autres projettent sans arrêt leurs fantasmes sur vous.

Il est normal qu'ils ajoutent une touche personnelle à leur perception de vous et, dans bien des cas, cet élément vous est favorable. La nuance dont ils colorent la réalité peut transformer une simple attirance en amour. De même, les projections peuvent changer une tâche routinière en activité significative et un ami en allié précieux.

En tant qu'individus, nous projetons sur notre passé et sur notre avenir. Même si, enfants, nous luttions et doutions de nous, nous conservons généralement un agréable souvenir de notre enfance, que nous voyons comme la période la plus heureuse et la plus insouciante de notre vie.

Nos projections grandissent avec nous. À l'université, les gens de plus de trente-cinq ans nous paraissaient «vieux», mais lorsque nous dépassons la quarantaine, nous regrettons le temps et l'énergie que nous avons gaspillés à cette époque. Nous pensons que nous étions alors trop ignorants pour profiter de la vie au maximum, projetant ainsi une image de «débutants désorientés» sur nos personnalités d'étudiants.

La principale projection que nous nourrissons à l'égard du passé souligne l'inévitabilité de tout ce qui est arrivé.

«Il *fallait* que je quitte la maison; mes parents étaient impossibles.»

«Il *fallait* que je finisse mes études, faute de quoi je me serais retrouvé devant rien.»

«Il *fallait* que j'épouse Gérard; c'était le seul garçon que mes parents aimaient.»

Que nos décisions aient été bonnes ou mauvaises, nous avons tendance à oublier que nous avions le choix. Par besoin d'en finir avec le passé, nous effaçons les tourments et les conflits endurés, projetant plutôt l'image d'une vie linéaire dans laquelle tout est arrivé à point nommé.

Quant à l'avenir, il peut nous sembler «affreux» si nous sommes seuls ou déprimés. Ou glorieux et lumineux si nous venons de faire un grand pas, d'accepter un nouvel emploi ou d'amorcer une nouvelle relation. En fait, nos projections sur l'avenir sont l'essence même de nos réussites. Notre façon de nous percevoir dans l'avenir nous aide à traverser les moments difficiles et éclaire la voie de toutes nos réalisations.

À l'instar des individus, des cultures entières nourrissent des projections. Chaque génération perçoit les événements passés sous un angle légèrement différent. Ainsi, au Moyen Âge, on considérait la culture classique comme «violente» et «barbare», tandis qu'à l'époque de la Renaissance, on révérait et on imitait les penseurs de cet «âge d'or». De même, des personnes jugées «rebelles» à une époque peuvent faire figure de «héros» durant une autre, sans qu'on en sache plus sur elles. Les historiens voient simplement le passé à travers la lentille de leur propre culture.

Bien sûr, la vision de l'avenir d'une société est aussi une projection qui varie d'un pays à l'autre et d'une décennie à l'autre. Depuis le rêve des hippies jusqu'aux objectifs d'un complexe militaro-industriel, la vision des gens face à l'avenir façonne leur conception du progrès et soutient leurs efforts. Et depuis l'*Utopie* de Thomas Moore jusqu'à *2001: L'odyssée de l'espace* de Stanley Kubrick, les artistes s'amusent à créer une image du futur.

Toutefois, comme nous l'avons vu, les projections que nous créons dans nos vies quotidiennes peuvent nous causer beaucoup de tort. Les gens qui vous voient d'un œil négatif et injuste vous priveront d'argent, d'opportunités, de respect et même d'amour. En vertu de leurs projections, vous ne serez ni reconnu, ni apprécié. La personne «avec qui le courant ne passe pas» vous voit peut-être sous un mauvais jour. Il est dans votre intérêt de vous attaquer à ses projections avant qu'elles soient si bien gravées dans son esprit que vous ne puissiez plus rien contre elles.

Vous avez vu également que votre bien-être et votre aptitude au bonheur dépendent de votre capacité de reconnaître
vos projections et de les contrôler. Il est dans votre pouvoir de
ne pas rester aveugle à l'amour, aux opportunités, à la loyauté
et au respect qui vous sont offerts.

À la lumière de vos nouvelles connaissances, une vaste
gamme de gestes quotidiens revêtent une nouvelle signification. Vous comprenez pourquoi certains gestes qui semblaient
anodins à l'origine vous ont blessé ou troublé. Vous voyez
désormais plus clair dans des comportements en apparence
incompréhensibles ou injustes, comme une faveur accordée à
une personne moins méritante que vous. Vous voyez aussi
comment certains comportements qui vous ont toujours paru
douteux peuvent nuire à une relation.

C'est par nos actions, y compris les plus anodines, que nous
créons et nourrissons des projections, et c'est en les modifiant
que nous trouvons le moyen de transformer celles-ci.

Même sans chercher à améliorer sa relation grâce au principe de la projection, on peut en apprendre beaucoup sur la
richesse et la diversité de la nature humaine en essayant de
deviner les projections des autres.

On joue à un jeu privé en se demandant: «Quelle est la
projection de cette personne?» Choisissez une personne de
votre entourage, par exemple votre partenaire, un parent, un
ami ou un collègue. Observez son comportement. Vous ne devi-
nerez peut-être pas sa projection du premier coup, mais si vous
utilisez les techniques nouvellement acquises, vous arriverez à
des conclusions fascinantes:

«Ce bonhomme qui m'emprunte toujours de l'argent me
prend pour sa mère.»

«Oncle Yves s'imagine que ses jeunes secrétaires sont amoureuses de lui, simplement parce qu'elles lui sourient quand il
arrive. Il se croit irrésistible et les considère comme de petites
naïves.»

«Geneviève pense que son voisin l'épousera si elle persiste à
lui apporter de la soupe lorsqu'il est malade et à lui offrir de
faire ses courses en même temps que les siennes chaque
semaine. Elle croit que tous les hommes craignent la solitude et
ont besoin d'une bonne épouse pour prendre soin d'eux.
Comme si elle pouvait forcer quelqu'un à l'épouser!»

La diversité des projections que vous pouvez découvrir est illimitée.

Enfin, demandez-vous comment chacun de vos proches vous voit. Sentez-vous une distance avec quelqu'un? Si c'est le cas, il y a peut-être anguille sous roche. Grâce au principe de la projection, vous pouvez cesser d'accepter sa projection et commencer à la modifier.

La nature humaine n'est jamais objective. Mais maintenant, vous pouvez au moins faire un grand pas dans cette direction.

Table des matières

Ouvrages parus chez les éditeurs du groupe Sogides

* Pour l'Amérique du Nord seulement

LES ÉDITIONS DE L'HOMME

AFFAIRES

* **Acheter une franchise,** Levasseur, Pierre
* **Bourse, La,** Brown, Mark
* **Comprendre le marketing,** Levasseur, Pierre
* **Devenir exportateur,** Levasseur, Pierre
  Étiquette des affaires, L', Jankovic, Elena
* **Faire son testament soi-même,** Poirier, Me Gérald et Lescault-Nadeau, Martine
  Finances, Les, Hutzler, Laurie H.
  Gérer ses ressources humaines, Levasseur, Pierre

Gestionnaire, Le, Colwell, Marian
Informatique, L', Cone, E. Paul
* **Lancer son entreprise,** Levasseur, Pierre
  Leadership, Le, Cribbin, James
  Meeting, Le, Holland, Gary
  Mémo, Le, Reinold, Cheryl
* **Ouvrir et gérer un commerce de détail,** Roberge, C.-D. et Charbonneau, A.
  Patron, Le, Reinold, Cheryl
* **Stratégies de placements,** Nadeau, Nicole

ANIMAUX

Art du dressage, L', Chartier, Gilles
Cheval, Le, Leblanc, Michel
Chien dans votre vie, Le, Margolis, M. et Swan, C.
Éducation du chien de 0 à 6 mois, L', DeBuyser, Dr Colette et Dehasse, Dr Joël
* **Encyclopédie des oiseaux,** Godfrey, W. Earl
  Guide de l'oiseau de compagnie, Le, Dr R. Dean Axelson
  Guide des oiseaux, Le, T.1, Stokes, W. Donald
  Guide des oiseaux, Le, T.2, Stokes, W. Donald et Stokes, Q. Lilian

* **Mon chat, le soigner, le guérir,** D'Orangeville, Christian
  Observations sur les mammifères, Provencher, Paul
* **Papillons du Québec, Les,** Veilleux, Christian et Prévost, Bernard
  Petite ferme, T.1, Les animaux, Trait, Jean-Claude
  Vous et vos oiseaux de compagnie, Huard-Viau, Jacqueline
  Vous et vos poissons d'aquarium, Ganiel, Sonia
  Vous et votre beagle, Eylat, Martin
  Vous et votre berger allemand, Eylat, Martin

ANIMAUX

Vous et votre boxer, Herriot, Sylvain
Vous et votre braque allemand,
  Eylat, Martin
Vous et votre caniche, Shira, Sav
Vous et votre chat de gouttière,
  Mamzer, Annie
Vous et votre chat tigré, Eylat, Odette
Vous et votre chihuahua, Eylat, Martin
Vous et votre chow-chow,
  Pierre Boistel
Vous et votre cocker américain,
  Eylat, Martin
Vous et votre collie, Éthier, Léon
Vous et votre dalmatien, Eylat, Martin
Vous et votre danois, Eylat, Martin
Vous et votre doberman, Denis, Paula
Vous et votre fox-terrier, Eylat, Martin
Vous et votre golden retriever,
  Denis, Paula
Vous et votre husky, Eylat, Martin

Vous et votre labrador,
  Van Der Heyden, Pierre
Vous et votre lévrier afghan,
  Eylat, Martin
Vous et votre lhassa apso,
  Van Der Heyden, Pierre
Vous et votre persan, Gadi, Sol
Vous et votre petit rongeur,
  Eylat, Martin
Vous et votre schnauzer, Eylat, Martin
Vous et votre serpent, Deland, Guy
Vous et votre setter anglais,
  Eylat, Martin
Vous et votre shih-tzu, Eylat, Martin
Vous et votre siamois, Eylat, Odette
Vous et votre teckel, Boistel, Pierre
Vous et votre terre-neuve,
  Pacreau, Marie-Edmée
Vous et votre yorkshire,
  Larochelle, Sandra

ARTISANAT/BRICOLAGE

Art du pliage du papier, L',
  Harbin, Robert
* **Artisanat québécois, T.1,** Simard, Cyril
* **Artisanat québécois, T.2,** Simard, Cyril
* **Artisanat québécois, T.3,** Simard, Cyril
* **Artisanat québécois, T.4,** Simard, Cyril
  et Bouchard, Jean-Louis
* **Construire des cabanes d'oiseaux,**
  Dion, André

* **Encyclopédie de la maison québécoise,**
  Lessard, Michel et Villandré, Gilles
* **Encyclopédie des antiquités,**
  Lessard, Michel et Marquis, Huguette
* **J'apprends à dessiner,** Nassh, Joanna
Taxidermie moderne, La, Labrie, Jean
* **Tissage, Le,** Grisé-Allard, Jeanne et
  Galarneau, Germaine
Vitrail, Le, Bettinger, Claude

BIOGRAPHIES

* **Brian Orser - Maître du triple axel,**
  Orser, Brian et Milton, Steve
* **Dans la fosse aux lions,** Chrétien, Jean
* **Dans la tempête,** Lachance, Micheline
* **Duplessis, T.1 - L'ascension,**
  Black, Conrad
* **Duplessis, T.2 - Le pouvoir,**
  Black, Conrad
* **Ed Broadbent - La conquête obstinée**
  du pouvoir, Steed, Judy
* **Establishment canadien, L',**
  Newman, Peter C.
* **Larry Robinson,** Robinson, Larry et
  Goyens, Chrystian
* **Michel Robichaud - Monsieur Mode,**
  Charest, Nicole

* **Monopole, Le,** Francis, Diane
* **Nouveaux riches, Les,**
  Newman, Peter C.
* **Paul Desmarais - Un homme et son em-**
  pire, Greber, Dave
* **Plamondon - Un cœur de rockeur,**
  Godbout, Jacques
* **Prince de l'Église, Le,** Lachance, Micheline
* **Québec Inc.,** Fraser, M.
* **Rick Hansen - Vivre sans frontières,**
  Hansen, Rick et Taylor, Jim
* **Saga des Molson, La,** Woods, Shirley
* **Sous les arches de McDonald's,**
  Love, John F.
* **Trétiak, entre Moscou et Montréal,**
  Trétiak, Vladislav

BIOGRAPHIES

* **Une femme au sommet - Son
  excellence Jeanne Sauvé,**
  Woods, Shirley E.

CARRIÈRE/VIE PROFESSIONNELLE

* **Choix de carrières, T.1,** Milot, Guy
* **Choix de carrières, T.2,** Milot, Guy
* **Choix de carrières, T.3,** Milot, Guy
  Comment rédiger son curriculum vitae,
  Brazeau, Julie
  Guide du succès, Le, Hopkins, Tom
* **Je cherche un emploi,** Brazeau, Julie
  Parlez pour qu'on vous écoute,
  Brien, Michèle

Relations publiques, Les, Doin, Richard
et Lamarre, Daniel
Techniques de vente par téléphone,
Porterfield, J.-D.
* **Test d'aptitude pour choisir sa carrière,**
Barry, Linda et Gale
Une carrière sur mesure,
Lemyre-Desautels, Denise
Vente, La, Hopkins, Tom

CUISINE

* **À table avec Sœur Angèle,**
  Sœur Angèle
* **Art d'apprêter les restes, L',**
  Lapointe, Suzanne
  Barbecue, Le, Dard, Patrice
* **Biscuits, brioches et beignes,**
  Saint-Pierre, A.
* **Boîte à lunch, La,**
  Lambert-Lagacé, Louise
  Brunches et petits déjeuners en fête,
  Bergeron, Yolande
  100 recettes de pain faciles à réaliser,
  Saint-Pierre, Angéline
* **Confitures, Les,** Godard, Misette
  Congélation de A à Z, La, Hood, Joan
  Congélation des aliments, La,
  Lapointe, Suzanne
  Conserves, Les, Sœur Berthe
  Crème glacée et sorbets, Lebuis, Yves
  et Pauzé, Gilbert
  Crêpes, Les, Letellier, Julien
  Cuisine au wok, Solomon, Charmaine
  **Cuisine aux micro-ondes 1 et
  2 portions,** Marchand, Marie-Paul
* **Cuisine chinoise traditionnelle, La,**
  Chen, Jean
* **Cuisine créative Campbell, La,**
  Cie Campbell
  Cuisine facile aux micro-ondes,
  Saint-Amour, Pauline
* **Cuisine joyeuse de Sœur Angèle, La,**
  Sœur Angèle
  Cuisine micro-ondes, La, Benoît, Jehane

* **Cuisine santé pour les aînés,**
  Hunter, Denyse
  Cuisiner avec le four à convection,
  Benoît, Jehane
* **Cuisiner avec les champignons sau-
  vages du Québec,** Leclerc, Claire L.
  Faire son pain soi-même,
  Murray Gill, Janice
* **Faire son vin soi-même,**
  Beaucage, André
  Fine cuisine aux micro-ondes, La,
  Dard, Patrice
  **Fondues et flambées de maman
  Lapointe,** Lapointe, Suzanne
  Fondues, Les, Dard, Patrice
  Je me débrouille en cuisine,
  Richard, Diane
  Livre du café, Le, Letellier, Julien
  Menus pour recevoir, Letellier, Julien
  Muffins, Les, Clubb, Angela
  Nouvelle cuisine micro-ondes I, La,
  Marchand, Marie-Paul et
  Grenier, Nicole
  Nouvelles cuisine micro-ondes II, La,
  Marchand, Marie-Paul et
  Grenier, Nicole
  Omelettes, Les, Letellier, Julien
  Pâtes, Les, Letellier, Julien
* **Pâtisserie, La,** Bellot, Maurice-Marie
* **Recettes au blender,** Huot, Juliette
* **Recettes de gibier,** Lapointe, Suzanne
* **Robot culinaire, Le,** Martin, Pol

DIÉTÉTIQUE

Combler ses besoins en calcium, Hunter, Denyse

* **Compte-calories, Le,** Brault-Dubuc, M. et Caron Lahaie, L.
* **Cuisine du monde entier avec Weight Watchers,** Weight Watchers

Cuisine sage, Une, Lambert-Lagacé, Louise

Défi alimentaire de la femme, Le, Lambert-Lagacé, Louise

* **Diète Rotation, La,** Katahn, Dr Martin
* **Diététique dans la vie quotidienne,** Lambert-Lagacé, Louise

Livre des vitamines, Le, Mervyn, Leonard

Menu de santé, Lambert-Lagacé, Louise

Oubliez vos allergies, et... bon appétit, Association de l'information sur les allergies

* **Petite et grande cuisine végétarienne,** Bédard, Manon
* **Plan d'attaque Weight Watchers, Le,** Nidetch, Jean
* **Plan d'attaque Plus Weight Watchers, Le,** Nidetch, Jean
* **Régimes pour maigrir,** Beaudoin, Marie-Josée

Sage bouffe de 2 à 6 ans, La, Lambert-Lagacé, Louise

* **Weight Watchers - Cuisine rapide et savoureuse,** Weight Watchers
* **Weight Watchers - Agenda 85 - Français,** Weight Watchers
* **Weight Watchers - Agenda 85 - Anglais,** Weight Watchers
* **Weight Watchers - Programme - Succès Rapide,** Weight Watchers

ENFANCE

* **Aider son enfant en maternelle,** Pedneault-Pontbriand, Louise

Années clés de mon enfant, Les, Caplan, Frank et Thérèsa

Art de l'allaitement maternel, L', Ligue internationale La Leche

Avoir un enfant après 35 ans, Robert, Isabelle

Bientôt maman, Whalley, J., Simkin, P. et Keppler, A.

Comment nourrir son enfant, Lambert-Lagacé, Louise

Deuxième année de mon enfant, La, Caplan, Frank et Thérèsa

Développement psychomoteur du bébé, Calvet, Didier

Douze premiers mois de mon enfant, Les, Caplan, Frank

* **En attendant notre enfant,** Pratte-Marchessault, Yvette
* **Enfant unique, L',** Peck, Ellen

Évoluer avec ses enfants, Gagné, Pierre-Paul

Exercices aquatiques pour les futures mamans, Dussault, J. et Demers, C.

* **Femme enceinte, La,** Bradley, Robert A.

* **Futur père,** Pratte-Marchessault, Yvette

Jouons avec les lettres, Doyon-Richard, Louise

Langage de votre enfant, Le, Langevin, Claude

Mal des mots, Le, Thériault, Denise

Manuel Johnson et Johnson des premiers soins, Le, Rosenberg, Dr Stephen N.

Massage des bébés, Le, Auckette, Amédia D.

Mon enfant naîtra-t-il en bonne santé? Scher, Jonathan et Dix, Carol

* **Pour bébé, le sein ou le biberon?** Pratte-Marchessault, Yvette
* **Pour vous future maman,** Sekely, Trude

Préparez votre enfant à l'école, Doyon-Richard, Louise

Psychologie de l'enfant de 0 à 10 ans, Cholette-Pérusse, Françoise

Respirations et positions d'accouchement, Dussault, Joanne

Soins de la première année de bébé, Les, Kelly, Paula

Tout se joue avant la maternelle, Ibuka, Masaru

ÉSOTÉRISME

Avenir dans les feuilles de thé, L,
  Fenton, Sasha
Graphologie, La, Santoy, Claude
Interprétez vos rêves, Stanké, Louis
Lignes de la main, Stanké, Louis

Lire dans les lignes de la main,
  Morin, Michel
Vos rêves sont des miroirs, Cayla, Henri
Votre avenir par les cartes,
  Stanké, Louis

HISTOIRE

* **Arrivants, Les,** Collectif
* **Civilisation chinoise, La,** Guay, Michel
* **Or des cavaliers thraces, L',**
  Palais de la civilisation

* **Samuel de Champlain,**
  Armstrong, Joe C.W.

JARDINAGE

* **Chasse-insectes pour jardins, Le,**
  Michaud, O.
* **Comment cultiver un jardin potager,**
  Trait, J.-C.
* **Encyclopédie du jardinier,**
  Perron, W. H.
* **Guide complet du jardinage,**
  Wilson, Charles
  J'aime les azalées, Deschênes, Josée
  J'aime les cactées, Lamarche, Claude
  J'aime les rosiers, Pronovost, René
  J'aime les tomates, Berti, Victor

J'aime les violettes africaines,
  Davidson, Robert
Jardin d'herbes, Le, Prenis, John
* **Je me débrouille en aménagement
  extérieur,** Bouillon, Daniel et
  Boisvert, Claude
* **Petite ferme, T.2- Jardin potager,**
  Trait, Jean-Claude
* **Plantes d'intérieur, Les,** Pouliot, Paul
* **Techniques de jardinage, Les,**
  Pouliot, Paul
  Terrariums, Les, Kayatta, Ken

JEUX/DIVERTISSEMENTS

* **Améliorons notre bridge,**
  Durand, Charles
* **Bridge, Le,** Beaulieu, Viviane
* **Clés du scrabble, Les,** Sigal, Pierre A.
  **Dictionnaire des mots croisés, noms
  communs,** Lasnier, Paul
  **Dictionnaire des mots croisés, noms
  propres,** Piquette, Robert
  Dictionnaire raisonné des mots croisés,
  Charron, Jacqueline

* **Jouons ensemble,** Provost, Pierre
  Livre des patiences, Le, Bezanovska, M.
  et Kitchevats, P.
  Monopoly, Orbanes, Philip
* **Ouverture aux échecs,** Coudari, Camille
* **Scrabble, Le,** Gallez, Daniel
  Techniques du billard, Morin, Pierre

LINGUISTIQUE

Anglais par la méthode choc, L',
  Morgan, Jean-Louis
J'apprends l'anglais, Sillicani, Gino et
  Grisé-Allard, Jeanne

* **Secrétaire bilingue, La,** Lebel, Wilfrid

LIVRES PRATIQUES

* **Acheter ou vendre sa maison,**
  Brisebois, Lucille
* **Assemblées délibérantes, Les,**
  Girard, Francine
  Chasse-insectes dans la maison, Le,
  Michaud, O.
  Chasse-taches, Le, Cassimatis, Jack
* **Comment réduire votre impôt,**
  Leduc-Dallaire, Johanne
* **Guide de la haute-fidélité, Le,**
  Prin, Michel
  Je me débrouille en aménagement
  intérieur, Bouillon, Daniel et
  Boisvert, Claude
  Livre de l'étiquette, Le, du Coffre,
  Marguerite
* **Loi et vos droits, La,**
  Marchand, Me Paul-Émile
* **Maîtriser son doigté sur un clavier,**
  Lemire, Jean-Paul
* **Mécanique de mon auto, La,** Time-Life
* **Mon automobile,** Collège Marie-Victorin
  et Gouv. du Québec

  Notre mariage (étiquette et
  planification),
  du Coffre, Marguerite
* **Petits appareils électriques,**
  Collaboration
  Petit guide des grands vins, Le,
  Orhon, Jacques
* **Piscines, barbecues et patio,**
  Collaboration
* **Roulez sans vous faire rouler, T.3,**
  Edmonston, Philippe
  Séjour dans les auberges du Québec,
  Cazelais, Normand et
  Coulon, Jacques
  Se protéger contre le vol,
  Kabundi, Marcel et
  Normandeau, André
* **Tout ce que vous devez savoir sur le**
  condominium, Dubois, Robert
  Univers de l'astronomie, L',
  Tocquet, Robert
  Week-end à New York, Tavernier-
  Cartier, Lise

MUSIQUE

Chant sans professeur, Le,
  Hewitt, Graham
Guitare, La, Collins, Peter
Guitare sans professeur, La,
  Evans, Roger

Piano sans professeur, Le, Evans, Roger
Solfège sans professeur, Le,
  Evans, Roger

NOTRE TRADITION

* **Encyclopédie du Québec, T.2,**
  Landry, Louis
  Généalogie, La, Faribeault-Beauregard,
  M. et Beauregard Malak, E.
* **Maison traditionnelle au Québec, La,**
  Lessard, Michel

* **Moulins à eau de la vallée du Saint-**
  Laurent, Les, Villeneuve, Adam
* **Sculpture ancienne au Québec, La,**
  Porter, John R. et Bélisle, Jean
* **Temps des fêtes au Québec, Le,**
  Montpetit, Raymond

PHOTOGRAPHIE

Apprenez la photographie avec
  Antoine Désilets, Désilets, Antoine
8/Super 8/16, Lafrance, André
Fabuleuse lumière canadienne,
  Hines, Sherman
* **Initiation à la photographie,**
  London, Barbara

* **Initiation à la photographie-Canon,**
  London, Barbara
* **Initiation à la photographie-Minolta,**
  London, Barbara
* **Initiation à la photographie-Nikon,**
  London, Barbara

PHOTOGRAPHIE

* Initiation à la photographie-Olympus,
  London, Barbara
* Initiation à la photographie-Pentax,
  London, Barbara

Photo à la portée de tous, La,
Désilets, Antoine

PSYCHOLOGIE

Aider mon patron à m'aider,
  Houde, Eugène
* Amour de l'exigence à la préférence,
  L', Auger, Lucien
Apprivoiser l'ennemi intérieur,
  Bach, Dr G. et Torbet, L.
Art d'aider, L', Carkhuff, Robert R.
Auto-développement, L', Garneau, Jean
* Bonheur au travail, Le, Houde, Eugène
Bonheur possible, Le, Blondin, Robert
Ces hommes qui méprisent les
  femmes... et les femmes qui les
  aiment, Forward, Dr S. et
  Torres, J.
Changer ensemble, les étapes du
  couple, Campbell, Suzan M.
Chimie de l'amour, La,
  Liebowitz, Michael
Comment animer un groupe,
  Office Catéchèse
Comment déborder d'énergie,
  Simard, Jean-Paul
Communication dans le couple, La,
  Granger, Luc
Communication et épanouissement
  personnel, Auger, Lucien
Contact, Zunin, L. et N.
Découvrir un sens à sa vie avec la logo-
  thérapie, Frankl, D^r V.
* Dynamique des groupes, Aubry, J.-M.
  et Saint-Arnaud, Y.
Élever des enfants sans perdre la
  boule, Auger, Lucien
Enfants de l'autre, Les, Paris, Erna
Être soi-même, Corkille Briggs, D.
Facteur chance, Le, Gunther, Max
Infidélité, L', Leigh, Wendy
Intuition, L', Goldberg, Philip
* J'aime, Saint-Arnaud, Yves
Journal intime intensif, Le, Progoff, Ira
Mensonge amoureux, Le,
  Blondin, Robert
Parce que je crois aux enfants,
  Ruffo, Andrée

Parle-moi... j'ai des choses à te dire,
  Salomé, Jacques
Perdant / Gagnant - Réussissez vos
  échecs, Hyatt, Carole et
  Gottlieb, Linda
* Personne humaine, La ,
  Saint-Arnaud, Yves
* Plaisirs du stress, Les,
  Hanson, Dr Peter, G.
Pourquoi l'autre et pas moi? - Le droit
  à la jalousie, Auger, Dr Louise
Prévenir et surmonter la déprime,
  Auger, Lucien
* Prévoir les belles années de la retraite,
  D. Gordon, Michael
* Psychologie de l'amour romantique,
  Branden, D^r N.
Puissance de l'intention, La,
  Leider, R.-J.
S'affirmer et communiquer, Beaudry,
  Madeleine et Boisvert, J.R.
S'aider soi-même, Auger, Lucien
S'aider soi-même d'avantage,
  Auger, Lucien
* S'aimer pour la vie, Wanderer, Dr Zev
Savoir organiser, savoir décider,
  Lefebvre, Gérald
Savoir relaxer pour combattre le
  stress, Jacobson, Dr Edmund
Se changer, Mahoney, Michael
Se comprendre soi-même par les tests,
  Collectif
Se connaître soi-même, Artaud, Gérard
Se créer par la Gestalt, Zinker, Joseph
* Se guérir de la sottise, Auger, Lucien
Si seulement je pouvais changer!
  Lynes, P.
Tendresse, La, Wolfl, N.
Vaincre ses peurs, Auger, Lucien
Vivre avec sa tête ou avec son cœur,
  Auger, Lucien

ROMANS/ESSAIS/DOCUMENTS

* **Baie d'Hudson, La,** Newman, Peter, C.
* **Conquérants des grands espaces, Les,** Newman, Peter, C.
* **Des Canadiens dans l'espace,** Dotto, Lydia
* **Dieu ne joue pas aux dés,** Laborit, Henri
* **Frères divorcés, Les,** Godin, Pierre
* **Insolences du Frère Untel, Les,** Desbiens, Jean-Paul
* **J'parle tout seul,** Coderre, Émile

Option Québec, Lévesque, René
* **Oui,** Lévesque, René
* **Provigo,** Provost, René et Chartrand, Maurice
Sur les ailes du temps (Air Canada), Smith, Philip
* **Telle est ma position,** Mulroney, Brian
* **Trois semaines dans le hall du Sénat,** Hébert, Jacques
* **Un second souffle,** Hébert, Diane

SANTÉ/BEAUTÉ

* **Ablation de la vésicule biliaire, L',** Paquet, Jean-Claude
* **Ablation des calculs urinaires, L',** Paquet, Jean-Claude
* **Ablation du sein, L',** Paquet, Jean-claude
* **Allergies, Les,** Delorme, Dr Pierre
Bien vivre sa ménopause, Gendron, Dr Lionel
Charme et sex-appeal au masculin, Lemelin, Mireille
Chasse-rides, Leprince, C.
* **Chirurgie vasculaire, La,** Paquet, Jean-Claude
Comment devenir et rester mince, Mirkin, Dr Gabe
De belles jambes à tout âge, Lanctôt, D^r G.
* **Dialyse et la greffe du rein, La,** Paquet, Jean-Claude
Être belle pour la vie, Bronwen, Meredith
Glaucomes et les cataractes, Les, Paquet, Jean-Claude
* **Grandir en 100 exercices,** Berthelet, Pierre
* **Hernies discales, Les,** Paquet, Jean-Claude
Hystérectomie, L', Alix, Suzanne
Maigrir: La fin de l'obsession, Orbach, Susie
* **Malformations cardiaques congénitales, Les,** Paquet, Jean-Claude
Maux de tête et migraines, Meloche, Dr J. , Dorion, J.
Perdre son ventre en 30 jours H-F, Burstein, Nancy et Roy, Matthews

* **Pontage coronarien, Le,** Paquet, Jean-Claude
* **Prothèses d'articulation,** Paquet, Jean-Claude
* **Redressements de la colonne,** Paquet, Jean-Claude
* **Remplacements valvulaires, Les,** Paquet, Jean-Claude
Ronfleurs, réveillez-vous, Piché, Dr J. et Delage, J.
Syndrome prémenstruel, Le, Shreeve, Dr Caroline
Travailler devant un écran, Feeley, Dr Helen
30 jours pour avoir de beaux cheveux, Davis, Julie
30 jours pour avoir de beaux ongles, Bozic, Patricia
30 jours pour avoir de beaux seins, Larkin, Régina
30 jours pour avoir de belles fesses, Cox, D. et Davis, Julie
30 jours pour avoir un beau teint, Zizmon, Dr Jonathan
30 jours pour cesser de fumer, Holland, Gary et Weiss, Herman
30 jours pour mieux s'organiser, Holland, Gary
30 jours pour redevenir un couple amoureux, Nida, Patricia et Cooney, Kevin
30 jours pour un plus grand épanouissement sexuel, Schneider, A.
Vos dents, Kandelman, Dr Daniel
Vos yeux, Chartrand, Marie et Lepage-Durand, Micheline

SEXUALITÉ

Contacts sexuels sans risques,
I.A.S.H.S.
* **Guide illustré du plaisir sexuel,**
Corey, Dr Robert et Helg, E.
Ma sexualité de 0 à 6 ans,
Robert, Jocelyne
Ma sexualité de 6 à 9 ans,
Robert, Jocelyne
Ma sexualité de 9 à 12 ans,
Robert, Jocelyne
Mille et une bonnes raisons pour le convaincre d'enfiler un condom et pourquoi c'est important pour vous..., Bretman, Patti, Knutson, Kim et Reed, Paul

* **Nous on en parle,** Lamarche, M. et Danheux, P.
Pour jeunes seulement, photoroman d'éducation à la sexualité,
Robert, Jocelyne
Sexe au féminin, Le, Kerr, Carmen
Sexualité du jeune adolescent, La,
Gendron, Lionel
Shiatsu et sensualité, Rioux, Yuki
* **100 trucs de billard,** Morin, Pierre

SPORTS

Apprenez à patiner, Marcotte, Gaston
Arc et la chasse, L', Guardo, Greg
Armes de chasse, Les,
Petit-Martinon, Charles
Badminton, Le, Corbeil, Jean
* **Canadiens de 1910 à nos jours, Les,**
Turowetz, Allan et Goyens, C.
Carte et boussole, Kjellstrom, Bjorn
Comment se sortir du trou au golf,
Brien, Luc
Comment vivre dans la nature,
Rivière, Bill
Corrigez vos défauts au golf,
Bergeron, Yves
* **Curling, Le,** Lukowich, E.
De la hanche aux doigts de pieds,
Schneider, Myles J. et
Sussman, Mark D.
Devenir gardien de but au hockey,
Allaire, François
Golf au féminin, Le, Bergeron, Yves
Grand livre des sports, Le,
Groupe Diagram
Guide complet de la pêche à la mouche, Le, Blais, J.-Y.
Guide complet du judo, Le, Arpin, Louis
Guide complet du self-defense, Le,
Arpin, Louis
Guide de l'alpinisme, Le,
Cappon, Massimo
Guide de la survie de l'armée américaine, Le, Collectif
Guide des jeux scouts, Association des scouts
Guide du trappeur, Le, Provencher, Paul
Initiation à la planche à voile, Wulff, D. et Morch, K.

J'apprends à nager, Lacoursière, Réjean
Je me débrouille à la chasse,
Richard, Gilles et Vincent, Serge
Je me débrouille à la pêche,
Vincent, Serge
Je me débrouille à vélo,
Labrecque, Michel et Boivin, Robert
Je me débrouille dans une embarcation, Choquette, Robert
Jogging, Le, Chevalier, Richard
* **Jouez gagnant au golf,** Brien, Luc
* **Larry Robinson, le jeu défensif,**
Robinson, Larry
Manuel de pilotage, Transport Canada
Marathon pour tous, Le, Anctil, Pierre
Maxi-performance, Garfield, Charles A.
et Bennett, Hal Zina
Mon coup de patin, Wild, John
Musculation pour tous, La,
Laferrière, Serge
* **Partons en camping,** Satterfield, Archie
et Bauer, Eddie
Partons sac au dos, Satterfield, Archie
et Bauer, Eddie
Passes au hockey, Chapleau, Claude
Pêche à la mouche, La, Marleau, Serge
Pêche à la mouche, Vincent, Serge
Planche à voile, La, Maillefer, Gérard
Programme XBX, Aviation Royale du Canada
Racquetball, Corbeil, Jean
Racquetball plus, Corbeil, Jean
Rivières et lacs canotables, Fédération québécoise du canot-camping
S'améliorer au tennis, Chevalier Richard
Saumon, Le, Dubé, J.-P.

SPORTS

Secrets du baseball, Les, Raymond, Claude
Ski de randonnée, Le, Corbeil, Jean
Taxidermie, La, Labrie, Jean
Taxidermie moderne, La, Labrie, Jean
Techniques du billard, Morin, Pierre
Techniques du golf, Brien, Luc
Techniques du hockey en URSS, Dyotte, Guy

Techniques du ski alpin, Campbell, S., Lundberg, M.
Techniques du tennis, Ellwanger
Tennis, Le, Roch, Denis
* **Viens jouer,** Villeneuve, Michel José
Vivre en forêt, Provencher, Paul
Volley-ball, Le, Fédération de volley-ball

le jour,
éditeur

ANIMAUX

* **Poissons de nos eaux,** Melançon, Claude

ACTUALISATION

Agressivité créatrice, L' - La nécessité de s'affirmer, Bach, Dr G.-R., Goldberg, D^r H.
Aimer, c'est choisir d'être heureux, Kaufman, B.-N.
Arrête! tu m'exaspères - Protéger son territoire, Bach, Dr G., Deutsch, R.
Ennemis intimes, Bach, Dr G., Wyden, P.
Enseignants efficaces - Enseigner et être soi-même, Gordon, D^r T.
États d'esprit, Glasser, W.
Focusing - Au centre de soi, Gendlin, Dr E.T.

Jouer le tout pour le tout, le jeu de la vie, Frederick, C.
Manifester son affection -De la solitude à l'amour, Bach, Dr G., Torbet, L.
Miracle de l'amour, Kaufman, B.-N.
Nouvelles relations entre hommes et femmes, Goldberg, D^r H.
* **Parents efficaces,** Gordon, D^r T.
Se vider dans la vie et au travail - Burnout, Pines, A. , Aronson, E.
Secrets de la communication, Les, Bandler, R., Grinder, J.

DIVERS

* **Coopératives d'habitation, Les,** Leduc, Murielle
* **Hiérarchie ethnique dans la grande entreprise,** Rainville, Jean

* **Initiation au coopératisme,** Bédard, Claude
* **Lune de trop, Une,** Gagnon, Alphonse

ÉSOTÉRISME

Astrologie pratique, L', Reinicke, Wolfgang
Grand livre de la cartomancie, Le, Von Lentner, G.
Grand livre des horoscopes chinois, Le, Lau, Theodora

* **Horoscope chinois,** Del Sol, Paula
Lu dans les cartes, Jones, Marthy
Synastrie, La, Thornton, Penny
Traité d'astrologie, Hirsig, H.

GUIDES PRATIQUES/JEUX/LOISIRS

* **1,500 prénoms et significations,** Grisé-Allard, J.

* **Backgammon,** Lesage, D.

NOTRE TRADITION

* **Lettre à un Français qui veut émigrer au Québec,** Dubuc, Carl

PSYCHOLOGIE/VIE AFFECTIVE ET PROFESSIONNELLE

Adieu, Halpern, Dr Howard
Adieu Tarzan, Franks, Helen
Aimer son prochain comme soi-même, Murphy, Dr Joseph
* **Anti-stress, L',** Eylat, Odette
Apprendre à vivre et à aimer, Buscaglia, L.
Art d'engager la conversation et de se faire des amis, L', Gabor, Don
Art de convaincre, L', Heinz, Ryborz
* **Art d'être égoïste, L',** Kirschner, Joseph
Autre femme, L', Sévigny, Hélène
Bains flottants, Les, Hutchison, Michael
Ces hommes qui ne communiquent pas, Naifeh S. et White, S.G.
Ces vérités vont changer votre vie, Murphy, Dr Joseph
Comment aimer vivre seul, Shanon, Lynn
Comment dominer et influencer les autres, Gabriel, H.W.
Comment faire l'amour à la même personne pour le reste de votre vie!, O'Connor, D.
Comment faire l'amour à une femme, Morgenstern, M.
Comment faire l'amour à un homme, Penney, A.
Comment faire l'amour ensemble, Penney, A.

Contacts en or avec votre clientèle, Sapin Gold, Carol
Contrôle de soi par la relaxation, Le, Marcotte, Claude
Dire oui à l'amour, Buscaglia, Léo
* **Famille moderne et son avenir, La,** Richards, Lyn
Femme de demain, Keeton, K.
Gestalt, La, Polster, Erving
Homme au dessert, Un, Friedman, Sonya
Homme nouveau, L', Bodymind, Dychtwald Ken
Influence de la couleur, L', Wood, Betty
Jeux de nuit, Bruchez, C.
Maigrir sans obsession, Orbach, Susie
Maîtriser son destin, Kirschner, Joseph
Massage en profondeur, Le, Painter, J., Bélair, M.
Mémoire, La, Loftus, Élizabeth
* **Mémoire à tout âge, La,** Dereskey, Ladislaus
Miracle de votre esprit, Le, Murphy, Dr Joseph
Négocier entre vaincre et convaincre, Warschaw, Dr Tessa
On n'a rien pour rien, Vincent, Raymond
Oracle de votre subconscient, L', Murphy, Dr Joseph

PSYCHOLOGIE/VIE AFFECTIVE ET PROFESSIONNELLE

Passion du succès, La, Vincent, R.
Pensée constructive et bon sens, La,
Vincent, Raymond
* **Personnalité, La,** Buscaglia, Léo
Petit répertoire des excuses, Le,
Charbonneau, C., Caron, N.
Pourquoi remettre à plus tard?,
Burka, Jane B., Yuen, L.M.
Pouvoir de votre cerveau, Le,
Brown, Barbara
Puissance de votre subconscient, La,
Murphy, Dr Joseph
Réfléchissez et devenez riche,
Hill, Napoleon
S'aimer ou le défi des relations
humaines, Buscaglia, Léo

Sexualité expliquée aux adolescents,
La, Boudreau, Y.
Succès par la pensée constructive, Le,
Hill, Napoleon et Stone, W.-C.
Transformez vos faiblesses en force,
Bloomfield, Dr Harold
Triomphez de vous-même et des
autres, Murphy, Dr Joseph
Univers de mon subconscient, L',
Vincent, Raymond
Vaincre la dépression par la volonté et
l'action, Marcotte, Claude
Vieillir en beauté, Oberleder, Muriel
Vivre avec les imperfections de
l'autre, Janda, Dr Louis H.
Vivre c'est vendre, Chaput, Jean-Marc

ROMANS/ESSAIS

* **Affrontement, L',** Lamoureux, Henri
* **C't'a ton tour Laura Cadieux,**
Tremblay, Michel
* **Cœur de la baleine bleue, Le,**
Poulin, Jacques
* **Coffret petit jour,** Martucci, Abbé Jean
* **Contes pour buveurs attardés,**
Tremblay, Michel
* **De Z à A,** Losique, Serge
* **Femmes et politique,** Cohen, Yolande

* **Il est par là le soleil,** Carrier, Roch
* **Jean-Paul ou les hasards de la vie,**
Bellier, Marcel
* **Neige et le feu, La,** Baillargeon, Pierre
* **Objectif camouflé,** Porter, Anna
* **Oslovik fait la bombe,** Oslovik
* **Train de Maxwell, Le,** Hyde, Christopher
* **Vatican -Le trésor de St-Pierre,**
Malachi, Martin

SANTÉ

Tao de longue vie, Le,
Soo, Chee

Vaincre l'insomnie, Filion, Michel et
Boisvert, Jean-Marie

SPORT

* **Guide des rivières du Québec,**
Fédération cano-kayac

* **Ski nordique de randonnée,**
Brady, Michael

TÉMOIGNAGES

Merci pour mon cancer,
De Villemarie, Michelle

Quinze

COLLECTIFS DE NOUVELLES

* **Aimer,** Beaulieu, V.-L., Berthiaume, A., Carpentier, A., Daviau, D.-M., Major, A., Provencher, M., Proulx, M., Robert, S. et Vonarburg, E.
* **Crever l'écran,** Baillargeon, P., Éthier-Blais, J., Blouin, C.-R., Jacob, S., Jean, M., Laberge, M., Lanctôt, M., Lefebvre, J.-P., Petrowski, N. et Poupart, J.-M.
* **Dix contes et nouvelles fantastiques,** April, J.-P., Barcelo, F., Bélil, M., Belleau, A., Brossard, J., Brulotte, G., Carpentier, A., Major, A., Soucy, J.-Y. et Thériault, M.-J.
* **Dix nouvelles de science-fiction québécoise,** April, J.-P., Barbe, J., Provencher, M., Côté, D., Dion, J., Pettigrew, J., Pelletier, F., Rochon, E., Sernine, D., Sévigny, M. et Vonarburg, E.

* **Dix nouvelles humoristiques,** Audet, N., Barcelo, F., Beaulieu, V.-L., Belleau, A., Carpentier, A., Ferron, M., Harvey, P., Pellerin, G., Poupart, J.-M. et Villemaire, Y.
* **Fuites et poursuites,** Archambault, G., Beauchemin, Y., Bouyoucas, P., Brouillet, C., Carpentier, A., Hébert, F., Jasmin, C., Major, A., Monette, M. et Poupart, J.-M.
* **L'aventure, la mésaventure,** Andrès, B., Beaumier, J.-P., Bergeron, B., Brulotte, G., Gagnon, D., Karch, P., LaRue, M., Monette, M. et Rochon, E.

DIVERS

* **Beauté tragique,** Robertson, Heat
* **Canada — Les débuts héroïques,** Creighton, Donald
* **Défi québécois, Le,** Monnet, François-Marie
* **Difficiles lettres d'amour,** Garneau, Jacques

* **Esprit libre, L',** Powell, Robert
* **Grand branle-bas, Le,** Hébert, Jacques et Strong, Maurice F.
* **Histoire des femmes au Québec, L',** Collectif, CLIO
* **Mémoires de J. E. Bernier, Les,** Therrien, Paul

DIVERS

* **Mythe de Nelligan, Le,** Larose, Jean
* **Nouveau Canada à notre mesure,**
  Matte, René
* **Papineau,** De Lamirande, Claire
* **Personne ne voudrait savoir,**
  Schirm, François
* **Philosophe chat, Le,** Savoie, Roger
* **Pour une économie du bon sens,**
  Bailey, Arthur
* **Québec sans le Canada, Le,**
  Harbron, John D.

* **Qui a tué Blanche Garneau?,**
  Bertrand, Réal
* **Réformiste, Le,** Godbout, Jacques
* **Relations du travail,** Centre des
  dirigeants d'entreprise
* **Sauver le monde,** Sanger, Clyde
* **Silences à voix haute,**
  Harel, Jean-Pierre

LIVRES DE POCHES 10 /10

* **37 1/2 AA,** Leblanc, Louise
* **Aaron,** Thériault, Yves
* **Agaguk,** Thériault, Yves
* **Blocs erratiques,** Aquin, Hubert
* **Bousille et les justes,** Gélinas, Gratien
* **Chère voisine,** Brouillet, Chrystine
* **Cul-de-sac,** Thériault, Yves
* **Demi-civilisés, Les,** Harvey, Jean-Charles
* **Dernier havre, Le,** Thériault, Yves
* **Double suspect, Le,** Monette, Madeleine

* **Faire sa mort comme faire l'amour,**
  Turgeon, Pierre
* **Fille laide, La,** Thériault, Yves
* **Fuites et poursuites,** Collectif
* **Première personne, La,** Turgeon, Pierre
* **Scouine, La,** Laberge, Albert
* **Simple soldat, Un,** Dubé, Marcel
* **Souffle de l'Harmattan, Le,**
  Trudel, Sylvain
* **Tayaout,** Thériault, Yves

LIVRES JEUNESSE

* **Marcus, fils de la louve,** Guay, Michel et
  Bernier, Jean

MÉMOIRES D'HOMME

* **À diable-vent,** Gauthier Chassé, Hélène
* **Barbes-bleues, Les,** Bergeron, Bertrand
* **C'était la plus jolie des filles,**
  Deschênes, Donald
* **Bête à sept têtes et autres contes de
  la Mauricie, La,** Legaré, Clément
* **Contes de bûcherons,**
  Dupont, Jean-Claude
* **Corbeau du Mont-de-la-Jeunesse, Le,**
  Desjardins, Philémon et
  Lamontagne, Gilles

* **Guide raisonné des jurons,**
  Pichette, Jean
* **Menteries drôles et merveilleuses,**
  Laforte, Conrad
* **Oiseau de la vérité, L',** Aucoin, Gérard
* **Pierre La Fève et autres contes de la
  Mauricie,** Legaré, Clément

ROMANS/THÉÂTRE

* **1, place du Québec, Paris VIe,**
  Saint-Georges, Gérard
* **7° de solitude ouest,** Blondin, Robert
* **37 1/2 AA,** Leblanc, Louise
* **Ah! l'amour l'amour,** Audet, Noël
* **Amantes,** Brossard, Nicole
* **Amour venin, L',** Schallingher, Sophie
* **Aube de Suse, L',** Forest, Jean
* **Aventure de Blanche Morti, L',**
  Beaudin-Beaupré, Aline
* **Baby-boomers,** Vigneault, Réjean
* **Belle épouvante, La,** Lalonde, Robert
* **Black Magic,** Fontaine, Rachel
* **Cœur sur les lèvres, Le,**
  Beaudin-Beaupré, Aline
* **Confessions d'un enfant d'un**
  demi-siècle, Lamarche, Claude
* **Coup de foudre,** Brouillet, Chrystine
* **Couvade, La,** Baillie, Robert
* **Danseuses et autres nouvelles, Les,**
  Atwood, Margaret
* **Double suspect, Le,** Monette, Madeleine
* **Entre temps,** Marteau, Robert
* **Et puis tout est silence,** Jasmin, Claude
* **Été sans retour, L',** Gevry, Gérard
* **Filles de beauté, Des,** Baillie, Robert
* **Fleur aux dents, La,** Archambault, Gilles
* **French Kiss,** Brossard, Nicole
* **Fridolinades, T. 1, (1945-1946),**
  Gélinas, Gratien
* **Fridolinades, T. 2, (1943-1944),**
  Gélinas, Gratien
* **Fridolinades, T. 3, (1941-1942),**
  Gélinas, Gratien
* **Fridolinades, T. 4, (1938-39-40),**
  Gélinas, Gratien
* **Grand rêve de Madame Wagner, Le,**
  Lavigne, Nicole
* **Héritiers, Les,** Doyon, Louise
* **Hier, les enfants dansaient,**
  Gélinas, Gratien

* **Holyoke,** Hébert, François
* **IXE-13,** Saurel, Pierre
* **Jérémie ou le Bal des pupilles,**
  Gendron, Marc
* **Livre, Un,** Brossard, Nicole
* **Loft Story,** Sansfaçon, Jean-Robert
* **Maîtresse d'école, La,** Dessureault, Guy
* **Marquée au corps,** Atwood, Margaret
* **Mensonge de Maillard, Le,**
  Lavoie, Gaétan
* **Mémoire de femme, De,**
  Andersen, Marguerite
* **Mère des herbes, La,**
  Marchessault, Jovette
* **Mrs Craddock,** Maugham, W. Somerset
* **Nouvelle Alliance, La,** Fortier, Jacques
* **Nuit en solo,** Pollak, Véra
* **Ours, L',** Engel, Marian
* **Passeport pour la liberté,**
  Beaudet, Raymond
* **Petites violences,** Monette, Madeleine
* **Père de Lisa, Le,** Fréchette, José
* **Plaisirs de la mélancolie,**
  Archambault, Gilles
* **Pop Corn,** Leblanc, Louise
* **Printemps peut attendre, Le,**
  Dahan, Andrée
* **Rose-Rouge,** Pollak, Véra
* **Sang de l'or, Le,** Leblanc, Louise
* **Sold Out,** Brossard, Nicole
* **Souffle de l'Harmattan, Le,**
  Trudel, Sylvain
* **So Uk,** Larche, Marcel
* **Triangle brisé, Le,** Latour, Christine
* **Vaincre sans armes,**
  Descarries, Michel et Thérèse
* **Y'a pas de métro à Gélude-la-Roche,**
  Martel, Pierre